LA FRANCE DE 68

Alain Delale
Gilles Ragache

Seuil

ISBN 2-02-00-4856-6

REVOLUTION
ESSENTIELLE

Mai 1968. Pour des millions de personnes, cette date évoque immédiatement les barricades, les voitures en flammes, la Sorbonne en folie. Pourtant, on ne peut réduire la crise profonde qui secoue la société française pendant plusieurs mois à ces quelques images. Il y aurait là plus qu'une simplification : une caricature. Le quartier Latin n'est pas la France, les étudiants parisiens ne sont pas toute la jeunesse, et la succession de « journées » parisiennes ne peut prétendre représenter la situation du pays entier.

Surtout, on ne peut oublier qu'en mai, juin et même juillet se déroule la plus grande grève de notre histoire, qui se superpose à une formidable ébullition culturelle et politique, sans jamais s'y fondre totalement. En réalité, des métallos d'Elbeuf ou de Calais, des paysans bretons, des ouvrières de Fourmies furent acteurs de l'événement au même titre que les émeutiers parisiens.

Nous avons donc cherché à reconstituer l'atmosphère dans laquelle baignait la France de 1968 en rappelant brièvement les problèmes économiques, sociaux et politiques du moment, et nous y avons retrouvé, de Caen à Nanterre, le discret cheminement d'une agitation, tant ouvrière qu'étudiante, qui débouche sur l'explosion de mai.

Délibérément, nous avons consacré une large place aux mots d'ordre originaux et aux méthodes employées spontanément par les tout premiers grévistes, à la vie quotidienne dans les usines occupées, aux différentes formes d'organisation (locales ou régionales) des travailleurs en grève, aux liens tissés dans l'action entre militants ouvriers, étudiants et paysans.

Mais nous n'avons pas oublié que des millions de Français étaient défavorables — voire franchement hostiles — à cette grève aux allures insurrectionnelles, et nous faisons donc référence à plusieurs reprises à l'attitude des opposants. Nous avons reconstitué la véritable contre-offensive (au sens militaire du terme) mise sur pied à partir du 23 mai.

Bref, nous avons essayé de dresser un tableau aussi complet que possible de « la France de 1968 », avant, pendant et après la rupture de mai, en choisissant des exemples dans le pays entier et non dans le seul univers parisien.

Cette vision globale, difficile à établir, nous a paru d'autant plus indispensable qu'en recueillant des témoignages dans tous les milieux sociaux (chemi-nots, ouvriers d'usine, salariés agricoles, légionnaires, gendarmes, militaires, employés), nous avons constaté à quel point chacun a vécu *son* « mai » dans *sa* région et ignore ou déforme involontairement ce qui s'est passé ailleurs. Ne pouvant relater que des exemples, nous avons décidé d'adjoindre au texte des cartes et des croquis que nous avons établis après un minutieux travail de recherches. Ils permettent de suivre au mieux la répartition géographique des conflits et de l'agitation.

Pour y parvenir, il nous a fallu plusieurs années de dépouillement et de recherches qui ont abouti, par exemple, au relevé jour par jour du nombre de manifestants. Nous avons pris pour bases, à de rares exceptions près, des documents originaux et non des ouvrages déjà rédigés sur ce thème. Sur les quelque cent vingt livres publiés au sujet de mai 68, une centaine l'ont été « à chaud », dans les deux ans qui ont suivi. Ils sont en majorité des mémoires, des études ponctuelles ou catégorielles, et la plupart du temps trop centrés sur Paris. En revanche, un petit nombre d'ouvrages contiennent des révélations de première main; dans ce cas, nous les citons clairement dans notre texte comme source unique.

Nous avons dépouillé tous les documents syndicaux disponibles (la CFDT et FO nous ont ouvert leurs archives, ce dont nous les remercions). Nous avons réuni des centaines de tracts, d'affiches et de clichés originaux, vu ou revu des films d'actualités. Nous avons passé au crible les débats parlementaires, les statistiques de l'INSEE, les communiqués de presse et les discours des diverses personnalités, les revues et les documents publics provenant de l'armée et du ministère de l'Intérieur.

Nous avons dépouillé la presse parisienne d'opinion et d'information et surtout cent trente quotidiens ou hebdomadaires de province; très riches, ces derniers fournissent un éclairage nouveau et parfois insolite sur la France de 68.

Cet ouvrage ne se veut ni une dissertation pseudophilosophique « au sujet de mai », ni une analyse sociologique jargonnante, ni un livre d'« anciens combattants », ni une justification *a posteriori* de telle ou telle attitude politique. Il est à la fois plus modeste et plus vaste : il n'est pas de jugement solide sans une connaissance approfondie des faits; nous avons essayé de restituer ceux-ci le mieux possible.

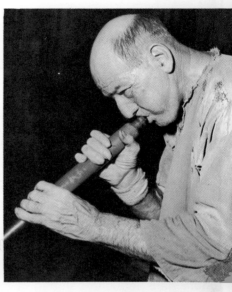

la prospérité française : un miracle ou un mirage ?

Mai 68 : bien des Français ont été fascinés par le caractère apparemment imprévisible de ce soulèvement populaire, qui éclate alors qu'aucune des causes classiques de révolution, guerre ou crise économique profonde, ne secoue le pays. Une formule revient sans cesse : c'est «un coup de tonnerre dans un ciel serein». Mais la vision béate d'une France pacifique, stable, paisible, et contente d'elle-même, relève elle aussi du mythe. La prospérité française d'alors est le résultat d'un des plus grands chambardements économiques que le pays ait connus en une période aussi courte de son histoire. A la reconstruction de l'après-guerre succède, dans les dernières années de la IVᵉ République, une phase de développement effréné, qui va créer de multiples et intolérables tensions sociales. La «civilisation du bien-être», qui fait alors l'objet d'un véritable culte, ne profite pas également à toute la population. En 1968, la société française est profondément inégalitaire, et manifeste la plus brutale indifférence envers ses «soutiers» et ses laissés-pour-compte, qui se comptent pourtant par millions.

L'explosion de mai était-elle, dans ces conditions, prévisible ? Elle n'a été prévue par personne. Une chaudière peut-elle décider à quel moment, et de quelle façon, elle laissera échapper sa vapeur trop longtemps et trop fortement comprimée ?

Des richesses, encore des richesses, toujours des richesses !

La France vit une période d'expansion économique rapide. L'idéologie de la reconstruction a fait place à celle de la croissance. Depuis une dizaine d'années, les technocrates gaullistes ont repris les choses en main. Trouvant l'évolution trop lente à leur goût, ils l'ont accélérée pour mieux imiter les pays capitalistes «avancés» : le Concorde succède à la Caravelle, les supermarchés aux épiceries, les centrales nucléaires aux barrages hydroélectriques, la force de frappe atomique au canon de 75. Il ne s'agit plus de bricoler, il faut produire toujours plus, industrialiser le pays au maximum, faire de la France «une grande puissance». Une civilisation étroitement matérialiste s'installe en force dans cette «nation de vieille culture». Les responsables de l'économie, imprégnés du scientisme du XIXᵉ siècle, pensent que la technique et l'abondance de biens viendront à bout des problèmes sociaux.

Le général de Gaulle est soutenu

La richesse tapageuse : une robe de 2,5 millions $ présentée par F. Hardy.

par des affairistes et des banquiers pragmatiques pour qui seul le résultat compte. En dix ans de ce gouvernement, l'aspect du pays va se modifier plus que dans les cinquante ans qui ont précédé. L'idéologie économique dominante, qui déborde largement au-delà des partis au pouvoir, veut que seul ce qui grandit soit bon. En fonction de cette logique, on coule toujours plus de béton, on entasse des quantités d'or sans équivalent dans notre histoire et l'on déclare souhaiter au plus vite

une France de 100 millions d'habitants... Dans les universités «de pointe», on donne pour modèle social le technocrate «efficient», le jeune cadre aux dents longues. On fait admirer aux étudiants des courbes ascendantes : courbes du nombre d'automobiles, de tonnes d'acier, de pétrole ou de bigoudis, bref de n'importe quoi du moment que les chiffres augmentent. Ce culte de la quantité est le but assigné à une génération dont les membres sont appelés à devenir, selon les cas, des prêtres ou des esclaves de l'Expansion. La société tend à se diviser en deux camps inégaux : les technocrates, prêtres au service du PNB (produit national brut), et les esclaves, la piétaille des ouvriers qui ont pour seul avenir de produire toujours plus. Entre ces deux groupes il y a peu de place pour ceux que l'on considère comme des attardés, des inadaptés ou des improductifs : les petits paysans, les artisans, les pêcheurs, les étudiants en lettres... En fait, tous ceux qui travaillent encore à leur rythme et non à celui de l'énorme machinerie industrielle se voient statistiquement promis à une mort prochaine. Il leur faut «s'adapter» à ce que l'on a péremptoirement baptisé le Progrès, ou mourir. Depuis dix ans la France joue à devenir les USA. La France est en fièvre.

La France gavée d'or.

Le système monétaire international repose encore sur des principes établis en 1944. Depuis cette date, le dollar US (et accessoirement la livre sterling) est institué comme moyen de paiement international. Chaque pays s'engage à maintenir une parité de change entre sa monnaie et le dollar, qu'il utilise pour son commerce extérieur. En contrepartie, la valeur du dollar est garantie par la possibilité de le convertir en or. C'est ce qui assure la prééminence de cette monnaie dans le monde.

Depuis 1944, les USA ont émis des dollars en abondance. Cette abondance engendre la méfiance, et le doute s'installe sur la capacité des USA à garantir réellement la valeur de leur monnaie. Certains créanciers exigent par précaution le remboursement *en or* des dollars qu'ils possèdent. Entre 1950 et 1968, les réserves d'or des USA vont ainsi diminuer de moitié.

Avec la fin de la guerre froide, l'assistance et la tutelle économique des USA sont mal supportées en Europe. En 1965, de Gaulle dénonce publiquement la volonté américaine de coloniser le vieux continent par des investissements massifs dans les industries de pointe. La méfiance envers le dollar est attisée par la France, qui désire en briser le rôle dominant. De son côté, en novembre 1967, la Grande-Bretagne doit dévaluer la livre de 14 %. Cela provoque une vague d'achats d'or. Autant par prudence que par calcul, la France applique à la lettre les accords de 1944. Perpétuant le vieux réflexe du bas de laine, elle convertit systématiquement ses dollars en or. Ainsi, en 1968, elle s'est constitué la deuxième réserve d'or du monde avec l'équivalent de 25,5 milliards de francs contre 59 aux USA, 20 à l'Allemagne, 14,5 à la Suisse et 7,3 à la Grande-Bretagne. En mai, le Fonds monétaire international est en pleine crise. La livre sterling et le dollar battent de l'aile. La grève générale contraindra le gouvernement français à modérer son attitude et à abandonner sa tactique. L'épilogue inattendu de cette guerre de l'or fera titrer à un quotidien britannique : « Cohn Bendit sauve le dollar et le FMI ! » Une des bizarreries de 1968 !

La croissance sauvage.

Le stock d'or n'a pas augmenté seul en dix ans de gaullisme. La production industrielle a suivi le même chemin : elle est en hausse de 51 % ! C'est la plus forte progression de notre histoire, d'autant plus qu'en 1958 le pays était déjà fortement industrialisé. Pourtant, les travailleurs à qui l'on avait demandé en 1945 de « retrousser leurs manches » pour reconstruire le pays espéraient pouvoir souffler un peu. Il n'en est rien. Depuis 1958, d'autres bonnes raisons leur sont données de poursuivre l'effort. Le patronat refuse toujours d'appliquer la semaine de 40 heures et d'accorder les 5 semaines de congés payés : « C'est impossible » selon lui, « en raison de la concurrence internationale. » En effet, en 1968, le Marché commun entre dans sa phase finale d'application; les droits de douane entre les 6 pays membres vont être totalement abolis, ce qui sert de prétexte à de nouvelles augmentations de la productivité. Dans toutes les grandes entreprises, on mécanise, on rationalise, on « taylorise ». Cette course à la rentabilité n'épargne pas les mineurs, qui appartiennent pourtant à un secteur nationalisé : en 1958, chacun d'entre eux extrait 1 695 kg de charbon par jour, contre 2 280 en 1968.

On pourrait multiplier les exemples. Mais, tout compte fait, l'ensemble des travailleurs n'y a pas vraiment gagné car les salaires ont augmenté moins vite que la production (selon la CEE, 37 % de hausse en dix ans contre 51 %). En revanche, les profits du patronat, eux, sont en hausse.

Une course au gigantisme est entamée avec la bénédiction du gouvernement qui encourage « les réformes de structures ». Soucieux de tenir tête aux deux Grands de ce monde (USA et URSS), le V⁰ Plan, mis en place en 1965, prévoit un nouveau bond en avant prodigieux de 25 % sur cinq ans ! Pour cela, il subventionne et aide de diverses manières les firmes qui exportent ou celles qui fusionnent pour former des monstres industriels. L'appel est entendu par des dizaines de grandes entreprises. Pour la seule année 1967, dans le textile, une vingtaine de firmes fusionnent, dont Prouvost avec Masurel et Agache avec Willot; 7 font de même dans la chimie, dont Ugine avec Kuhlmann; dans l'aluminium, la production a plus que doublé en dix ans, Péchiney s'allie à Tréfimétaux; dans la sidérurgie, Usinor à Lorraine-Escaut, etc. Dans l'électronique, l'État encourage financièrement la formation d'un consortium qui doit être capable de concevoir des ordinateurs de grande puissance : c'est le « Plan Calcul », qui ne connaîtra pas un succès probant.

Ces fusions sont aussi l'occasion d'un renforcement de l'emprise des grandes banques sur l'industrie. Elles s'accompagnent de mesures de réorganisation et de rationalisation du travail. Cela entraîne le plus souvent des suppressions de postes et des cadences plus élevées. Il s'ensuit une certaine nervosité qui se traduit, à partir de 1966, par un renouveau des grèves.

ZUP + ZAC + ZI = l'urbanisation forcenée.

Dans la logique du gouvernement, industrialisation et urbanisation vont de pair. Il s'agit de transformer une nation encore rurale en une nation à dominante urbaine. Pour ce faire, on met en place une machinerie administrative supplémentaire : l'Aménagement du territoire. Des technocrates, partant du principe (juste) que la région parisienne concentre trop d'hommes et d'activités, engagent une politique de décentralisation qui se veut audacieuse. C'est une nouvelle occasion de distribuer largement les fonds publics (sous forme de primes et d'avantages divers) aux industriels privés qui acceptent d'aller s'installer en province. Les fonctionnaires (parisiens) de l'Aménagement favorisent aussi la création de « métropoles régionales » et de « villes relais » destinées à faire contrepoids à la puissance de la capitale.

Le résultat de cette politique de « rééquilibrage » ne se fait pas attendre. En dix ans, une vingtaine de villes grandissent à une vitesse vertigineuse : Amiens, Reims, Orléans, Caen, Toulouse, Dijon, etc. Dans cette course à l'accroissement, Grenoble, favorisée par la tenue des Jeux olympiques d'hiver, dispute la première

A la périphérie des grandes métropoles fleurissent des cités-dortoirs. Sarcelles, symbole de l'urbanisation forcenée des années 60.
Dans la journée, les femmes au foyer, solitaires et livrées à elles-mêmes, ne peuvent que s'adonner aux « plaisirs » du ménage et des courses.

place à Montpellier, sur laquelle le géant IBM a jeté son dévolu pour installer une usine. Des équipements industriels lourds sont en cours à Fos-sur-Mer et réalisés à Dunkerque (où se trouve le plus grand laminoir d'Europe). Mais tout cela n'empêche pas l'agglomération parisienne de continuer à croître monstrueusement aux dépens des riches terres agricoles de l'Ile-de-France. La France entière se concentre autour de quelques dizaines de « pôles de croissance ». Ailleurs, c'est la « désertification » ou le déclin. La tendance à la concentration touche logiquement les hommes en même temps que l'économie.

Partout, autour des métropoles, c'est le même spectacle affligeant de banlieues toutes tristement identiques. Les Zones à urbaniser par priorité (ZUP) fleurissent aux côtés des Zones d'aménagement concerté (ZAC) et des Zones industrielles (ZI). Le béton est roi. Lafarge et Lambert, les grands cimentiers, se frottent les mains. On passe de 200 000 logements construits en 1955 à 430 000 en 1967. Certes, il y avait du retard dans ce domaine, mais la spéculation immobilière est telle qu'en 1968 il y a 11 000 logements « de standing » invendus dans la seule région de Paris... Des banlieues, quelquefois rebaptisées « villes

nouvelles » pour la circonstance, surgissent, immenses, monotones, laides. De Créteil à la Défense, de Dunkerque à Hérouville (Caen), d'Échirolles (Grenoble) à Vitrolles (Marseille), des ruraux fraîchement déracinés s'adaptent tant bien que mal à leurs nouvelles conditions de vie. Plutôt mal que bien, le printemps 68 le prouvera.
L'Université elle-même se prend à devenir « banlieusarde ». A Reims, à Rouen, à Nanterre, à Grenoble, etc., des campus universitaires aux faux airs de HLM s'insèrent dans ce nouveau « tissu urbain » des périphéries, fait de cubes et d'angles droits.

Les quartiers anciens du centre des villes sont plus souvent la proie des bouteurs (« bulldozers » en franglais !) que des architectes des Beaux-Arts. Les vieilles pierres cèdent la place à des parkings géants, à des buildings prétentieux servant de sièges sociaux aux firmes industrielles et multinationales. Des préfectures *new look* en béton et en acier sortent de terre. La destruction des Halles de Paris pour y construire un centre commercial et d'affaires sert d'exemple à de nombreuses villes. L'affairisme triomphe : Malraux s'est fourvoyé dans un gouvernement de promoteurs !

Loisirs à vendre.

Confrontés à une vie difficile, les travailleurs cherchent à s'évader de leur univers quotidien. Pour cela, le moyen qui leur est proposé comme le plus simple paraît être l'automobile. Tout est fait pour les encourager à en acquérir une : les facilités de crédit sont encore étendues en 1966, et les grands choix d'équipements portent sur les autoroutes, au détriment des lignes secondaires de la SNCF qui sont fermées une à une. Un profond changement du mode

tant plus appréciée que l'on en est quotidiennement privé. Il faut payer une dure rançon : 14 000 morts sur la route en 1967 !
De son côté, la vie sociale en prend un rude coup avec la généralisation de la télévision : alors que, dans les années cinquante, l'apparition des premières « télés » dans les bistrots des quartiers populaires était l'occasion de vives discussions entre les habitants et de réunions quotidiennes, dans les années soixante, le phénomène s'inverse. Chaque famille se replie autour de son écran magique. De plus, la télévision entraîne la faillite d'un certain nombre de cinémas de quartier et de petits cirques qui étaient autant de lieux de rencontre. Malgré la multiplication des moyens de communication, les travailleurs n'ont jamais été si isolés, que ce soit à l'usine ou au bureau dans un travail rapide et parcellisé, ou chez eux dans des loisirs standardisés et le plus souvent familiaux. Il en ressort un besoin de contacts qui éclatera au grand jour en mai 68 dans les usines occupées comme dans les facultés.
Une « échappatoire » est cependant proposée : les vacances

de monde, les campings bondés, mais, malgré ces inconvénients, chacun trouve quelques occasions de détente, de changement. Ce n'est pas le paradis, mais c'est mieux que l'usine...
Là aussi l'argent s'en mêle. Les agences immobilières, les promoteurs de « villages de vacances », les affairistes en tous genres prolifèrent. Cela entraîne une urbanisation diffuse du littoral et des plus beaux sites montagnards.
En 1968, dans les milieux gouvernementaux, on se complaît à parler de « civilisation des loisirs » et « d'abondance » pour désigner l'époque. Civilisation du travail et de l'argent-roi serait beaucoup mieux adapté.

Le « désert français », Eldorado des nantis.

Les grands technocrates qui siègent dans les ministères se préoccupent aussi de la campagne française. La récente formation du Marché commun agricole leur permet d'accélérer la mise en œuvre de leur politique de remembrement des parcelles, de rentabilisation de la production, de modernisation de l'outillage. Dans un certain nombre de domaines, des « records » sont sans cesse dépassés. Alors qu'entre 1950 et 1968 les surfaces cultivées ont fortement diminué, la consommation d'engrais potassique a été multipliée par 4, la production de blé et de lait multipliée par 2. Pourtant, là où domine la petite exploitation familiale, la production plafonne ou tend à régresser. Au cours des « crises de surproduction », les petits paysans sont régulièrement sacrifiés.
Sous la Ve République, l'exode rural se poursuit de plus belle. En six ans, 800 000 travailleurs de la campagne, soit presque 1 sur 4, se voient contraints de cesser leurs activités. Les jeunes surtout comprennent que, si leurs parents peuvent espérer s'accrocher à leur bout de champ quelque temps encore, aucun espoir ne leur est permis. En 1968, 9 % seulement des chefs d'exploitation ont moins de trente-cinq ans, et plus de 40 % de ceux qui abandonnent la campagne n'ont pas atteint cet âge. Les régions agricoles accidentées, où la mécanisation demeure très difficile, se transforment en véritables déserts.

Le camping de Frontignan : des citadins en vacances...

de vie s'ensuit. Alors que, dix ans auparavant, les « parties de campagne » se déroulaient encore pour l'essentiel dans les villes ou à leur périphérie immédiate, la pratique du week-end se développe. Le vendredi soir, des bouchons se forment aux sorties des grandes villes. Chaque famille fuit, enfermée dans sa carapace d'acier, vers une campagne d'au-

d'été, « les congés payés ». Les travailleurs y pensent onze mois sur douze. Il les préparent longtemps à l'avance. En deux mois et demi, 50 % de la population se déplace. Cela prend des allures d'exode. Des voitures surchauffées et surchargées forment des kilomètres de bouchons. Il y a des centaines de morts, des milliers de blessés. Les plages sont noires

La terre s'achète et se vend avec frénésie. Le nombre des exploitations de moins de 1 hectare diminue de moitié en treize ans, tandis que 7 000 grandes propriétés dépassent le cap des 100 hectares. Dans ce vaste mouvement, les surfaces cultivées régressent globalement de 400 000 hectares. Il est vrai que les villes tentaculaires mangent les riches terres des plaines; mais, dans les collines du Midi, des milliers de champs « pentus » retournent à la broussaille et sont abandonnés à l'érosion.

Bien plus, les citadins aisés, qui souffrent du tohu-bohu incessant de la ville et se refusent à partager la « cohue des congés payés », achètent de plus en plus nombreux des « résidences secondaires ». Il s'agit le plus souvent d'anciennes fermes à « retaper » qui ne servent que comme maisons de vacances et restent fermées neuf ou dix mois par an.

Alors que les hameaux et les villages se dépeuplent — les agriculteurs ont tendance à se regrouper dans les bourgs — les riches vacanciers préfèrent le splendide isolement des « coins perdus où l'on ne rencontre pas encore de touristes ». Certains d'entre eux n'hésitent pas à acheter d'un seul coup tout un hameau déserté. En 1968, 5 communes françaises ne comptent aucun habitant.

Ce retour, non à la terre, mais à l'air pur, a pour effet d'accélérer encore l'exode rural. De nombreux paysans, qui n'arrivent plus à joindre les deux bouts, sont tentés de vendre leur ferme à quelque médecin ou ingénieur de la ville, et leur terre à l'un des gros de leur village.

Les nuages de 1967.

La France subit en 1967-1968 une légère crise économique. Dès l'été 1966, la consommation des ménages décline sensiblement. De plus, à partir de 1967, le nombre des logements construits stagne, ce qui entraîne une baisse de la production accentuée par des difficultés d'exportation, en particulier vers les pays du Marché commun qui sont de gros clients. A cette crise conjoncturelle s'ajoutent dans certains secteurs des problèmes de reconversion : dans les mines ou l'industrie textile, les effectifs diminuent depuis plusieurs années. Certai-

nes industries « sensibles », comme l'aviation ou la construction navale, n'embauchent plus. Des contingents importants continuent à quitter chaque année la terre, l'artisanat ou la pêche côtière pour aller grossir les rangs des demandeurs d'emploi. Cet ensemble provoque une hausse du chômage d'autant plus rapide que les classes d'âge nombreuses de l'après-guerre arrivent sur le marché du travail. Le nombre de chômeurs double presque de juillet 1967 à mai 1968 : il passe de 270 000 à 470 000 personnes. Encore ces nombres ne prennent-ils pas en compte bien des jeunes qui n'ont jamais travaillé.

tes, l'industrie française demeure prospère, mais trop de gens sont broyés ou oubliés par l'expansion. Quantitativement, l'économie française a grandi. Qualitativement, c'est une autre affaire, et les jeunes OS de Cléon ou de Caen ne sont pas persuadés qu'ils vivent mieux que leurs pères en 1936.

Avoir vingt ans en 1968

En 1968, un nouveau « record de production » est sur le point d'être atteint : au 1er avril, le pays compte 49 723 072 habitants.

Mai 1968 : 470 000 chômeurs.

Mais le gouvernement ne s'inquiète pas outre mesure. Il fait des comparaisons avec les pays voisins qui ont beaucoup plus de chômeurs et où il n'y a pas pour autant d'explosion sociale. Des technocrates français ont d'ailleurs affirmé en avril 1968, ordinateurs à l'appui, que le seuil critique était fixé à 550 000 chômeurs. Tant que ce nombre n'est pas atteint, il n'y a pas de grave crise à redouter : si des « spécialistes » l'ont dit, c'est que c'est vrai...

Le gouvernement se contente donc de quelques mesures symboliques de relance de la consommation, et, pour le reste, dort sur ses deux oreilles. Le patronat s'accommode bien d'un « volant de chômage » qui, pense-t-il, rend les travailleurs plus conciliants.

Chez ces derniers, au contraire, l'inquiétude augmente. L'insécurité de l'emploi était une chose presque oubliée depuis 1945. Cer-

Mais le « miracle démographique français », dont les officiels sont les premiers à se féliciter, ne tient pas seulement dans le score rond qui va bientôt être réalisé. Alors que, depuis le début du siècle, la population française était demeurée pratiquement stationnaire, elle passe en vingt ans de 41 à 50 millions de personnes.

L'explosion démographique, qui constitue pour les technocrates et certains hommes politiques l'une des conditions nécessaires au retour de la France dans le peloton des « grands », a été à l'époque attribuée à la politique nataliste des gouvernements de la IVe République : les Français, dit-on, se sont remis à avoir plus de 2 enfants par couple afin de toucher de substantielles allocations familiales, d'obtenir des cartes de réduction à la SNCF et de trouver plus facilement à se loger dans les HLM.

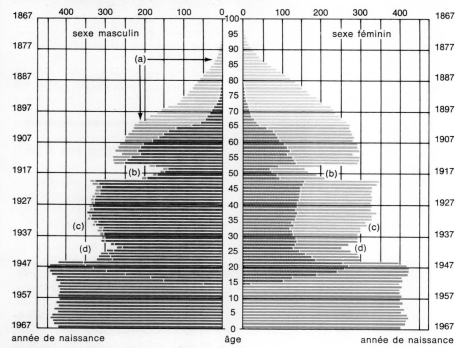

année de naissance   âge   année de naissance

effectif des générations annuelles (en milliers)
le grisé représente l'effectif actif disponible

(a) pertes militaires de la guerre 1914-1918
(b) déficit des naissances dû à la guerre 1914-1918 (classes creuses)
(c) passage des classes creuses à l'âge de fécondité
(d) déficit des naissances dû à la guerre 1939-1945

Source : I.N.S.E.E.

En réalité, l'apparition d'un important excédent naturel à partir de 1945 (de 300 à 350 000 personnes en moyenne par an) est due pour une grande part à la diminution régulière de la mortalité. A partir de 1945 aussi, la guerre de 1914 cesse d'avoir des effets catastrophiques sur la démographie française.

De 1915 à 1919, il est né en France deux fois moins d'enfants qu'en période normale. Ce sont les classes « creuses », dues aux effroyables pertes de la guerre et au fait que des millions d'hommes en âge de procréer se trouvent alors sous les drapeaux. Ces classes creuses, parvenues à l'âge de la fécondité après 1935, fondent moins de familles et ont à leur tour deux fois moins d'enfants que les classes « normales ». D'où la lente diminution du nombre des naissances à partir de cette date, effet redoublé par les incertitudes et les souffrances de la guerre de 1939-1945, qui dissuadent de nombreux parents de mettre en chantier de nouveaux rejetons.

A partir de 1945, en revanche, ce sont les générations relativement bien fournies des années 1920-1935 qui parviennent à l'âge de la

fécondité : de là un bond en avant, structurellement prévisible, du nombre des naissances. Le retour des prisonniers et les incitations d'ordre économique n'ont fait qu'amplifier ce relatif « retour à la normale » démographique.

En 1968, les enfants de moins de seize ans représentent 26,5 % de la population, et 15 % des Français ont de seize à vingt-cinq ans. Ces jeunes adultes sont souvent présentés dans les discours officiels comme l'espoir de la France. Mais les intéressés ne peuvent quant à eux nourrir l'espoir de faire entendre leur voix : ils font face à des cadres institutionnels figés qui se révèlent incapables de satisfaire leurs aspirations profondes.

« Hitler, connais pas ! »

Les jeunes de 68 font figure, aux yeux de leurs aînés, d'enfants trop gâtés. Les catastrophes et les tragédies qui ont profondément marqué les générations précédentes : crises économiques, rationnement, guerres coloniales, conflits mondiaux, leur ont été épargnés. Pour ces jeunes, dit-on, depuis la fin de la guerre d'Algé-

rie, tout est trop beau, trop facile. Ils ne comprennent pas — ou ne veulent pas comprendre (?) — que les avantages dont ils jouissent ont été acquis par leurs parents au prix de terribles souffrances.

Un film passe en 1966 sur les écrans français; se présentant comme une enquête sur les « jeunes », il se donne un titre choc : « Hitler, connais pas ! » Que les jeunes ne connaissent pas Hitler, et que certains d'entre eux considèrent « les camps de la mort » comme une chose qu'on peut laisser tomber dans les oubliettes de l'Histoire, c'est ce que les « vieux » admettent difficilement. En mai 68, bien des policiers réagiront violemment à ce qui, pour eux, est une injure intolérable : « CRS - SS »; dans les commissariats, de nombreuses bastonnades seront précédées du commentaire : « Je vais te montrer ce que c'est qu'un SS. » De même, les anciens de la division Leclerc, défilant le 8 juin 68 sur les Champs-Élysées, n'accepteront pas de se faire traiter de « fascistes » par de jeunes ouvriers réunis devant le siège du syndicat patronal de la métallurgie.

L'explosion de mai constitue-t-elle alors l'expression exacerbée d'un simple « conflit de générations » ? La plupart des militants du mouvement refusent l'interprétation, qu'ils jugent trop simpliste. Ce ne sont pas les moins de vingt-cinq ans qui, en tant que tels, s'attaquent aux plus de cinquante ans, mais l'« esprit de la jeunesse » (quel que soit l'âge de celui qui le porte) qui s'en prend aux vieilles injustices et aux structures vermoulues.

D'où vient, malgré tout, qu'un malaise profond se soit installé parmi les centaines de milliers de jeunes, qu'on présente comme heureux, repus, à l'abri des soucis et des épreuves qu'ont connus leurs pères ? L'afflux de la nouvelle génération dans les lycées, les universités, les usines et les exploitations agricoles crée une véritable crise de toutes les structures d'autorité.

Il semblait évident, pour les détenteurs de cette autorité que, dans le « grand chambard » subi par l'économie du pays depuis 1954, les jeunes trouveraient facilement à se loger, sans que les structures traditionnelles aient à se modifier le moins du monde. En 1968, bien que le pays soit « dynamique », partout fleurit la gérontocratie la plus figée, et parfois la plus ridicule. Au sein du gouvernement, Jacques Chirac, secrétaire d'État pour l'Emploi, fait figure de « jeune loup » — tout simplement parce qu'il ne fait pas partie de l'équipe des vieux compagnons gaullistes de 1940 et que, face à ses collègues âgés de cinquante à soixante-dix ans, il n'a que trente-six ans. Dans les universités, de même, il n'est pas rare que des professeurs d'âge mûr attendent vingt ans pour monter en grade : il faut d'abord que meure le titulaire de chaire, frappé parfois de sénilité, mais qui ignore toute obligation de prendre sa retraite.

Jeunes travailleurs, jeunes chômeurs.

La mutation économique accélérée que subit la France a profondément modifié la structure des emplois accessibles aux jeunes. Innombrables sont ceux qui ne peuvent espérer « travailler comme papa ». Les secteurs les plus touchés sont ceux de la petite production (exploitations agricoles familiales, artisanat des bourgs, petits commerces). La main-d'œuvre « à la recherche d'un premier emploi » que dégagent ces secteurs se rassemble dans les villes, et la tendance à la prolétarisation est nette : la plupart des jeunes ruraux, qui n'ont fréquenté que des collèges d'enseignement général (CEG) agricoles, n'ont acquis aucune formation professionnelle. En 1968, 200 000 certificats d'aptitude professionnelle (CAP) sont seulement délivrés dans le pays, alors que la classe ouvrière représente 40 % de la population active.

Pour les « déracinés aux mains nues », l'insertion dans la vie urbaine se révèle particulièrement difficile. La plupart du temps, ils trouvent à s'embaucher dans les usines qui « décentralisent » vers les zones industrielles de province, afin de profiter des substantiels avantages que leur assure l'État. Ces nouveaux prolétaires, au départ inorganisés, sont sous-payés et exploités sans vergogne. Aux conditions de travail particulièrement dures s'ajoute l'encadrement de leur vie tout entière dans des Foyers de jeunes travailleurs, où l'on refuse de les traiter en adultes. Il est interdit de recevoir dans sa chambre; les rencon-

tres avec les « représentants de l'autre sexe » doivent avoir lieu à l'extérieur. Comme les jeunes ouvriers lisent peu et que très vite ils se lassent de la sempiternelle télévision, la vie pour eux est « ailleurs ». Les bals du dimanche et les « virées » permettent d'anticiper sur la grande évasion des vacances : leur errance d'auberge de jeunesse en maison d'accueil à bord de vieilles 2 CV rafistolées, représente un refus du « quotidien », qu'ils vivent comme insupportable. Leur révolte, quand elle éclate à l'usine ou dans les foyers, est généralement dure. Les jeunes ouvriers sous-qualifiés récemment venus de la campagne prendront souvent l'initiative de la grève et resteront à la pointe du combat en mai-juin 68.

Plus difficile encore est l'existence de ceux qui n'ont pas trouvé de travail et vivent d'expédients, ou qui, ne pouvant supporter l'arbitraire de leurs chefs, changent périodiquement d'emploi. Ils sont nombreux, en raison de la crise économique conjoncturelle de 1967, ceux qui « nomadisent » chez des copains à la recherche

du bon tuyau ou de la bonne planque, ou qui subsistent misérablement grâce à leurs très maigres allocations de chômage. Certains finissent par « accepter n'importe quoi » — en attendant que ça change.

Pour la plupart des jeunes ruraux déracinés, la déception est donc amère : ils avaient quitté le village et la ferme paternelle pour « mieux vivre », et n'ont trouvé à la ville qu'une nouvelle forme de malheur.

La « pègre » des citadins déracinés.

Mais les milieux ouvriers traditionnels créent aussi leur propre armée de citadins déracinés. La politique des grands ensembles fait sortir de terre de vastes zones loties où les familles modestes trouvent à se loger — mais où règnent le désert et l'ennui. Pendant la journée, les rues sont abandonnées aux mères, qui font leurs courses et promènent leurs enfants. Le soir, chacun se replie autour du poste de télévision familial. Dans les années soixante,

L'adolescence prolongée jusqu'à 21 ans : l'une des nombreuses raisons de l'explosion de mai.

Sarcelles (Seine-Saint-Denis) est devenu le symbole de ces « cités-dortoirs » où les travailleurs vivent au rythme du « métro-boulot-dodo ».

Cinémas, centres culturels, clubs, maisons des jeunes font défaut dans les premières années qui suivent l'ouverture des cités, et n'apparaissent ensuite qu'au compte-gouttes, les budgets municipaux de ces monstres résidentiels étant réservés en priorité à la construction de parkings et d'écoles.

Des jeunes supportent mal ce cadre étouffant. Dès qu'ils atteignent l'adolescence, ils en sont réduits à traîner dans les rues à longueur de soirée. Bientôt des bandes se forment, qui s'adonnent à la « petite délinquance » : pour aller se balader, on vole des voitures et des mobylettes.

A la différence des classiques malfrats, qui dans leurs quartiers spécialisés exercent ce qui ressemble fort à une industrie, les « blousons noirs » expriment leur solitude et leur agressivité par la violence, le vandalisme, la provocation. Les voitures volées vont

leur région. Très tôt, certains de leurs membres effectuent des stages dans les maisons de redressement, puis, dès qu'ils ont atteint la majorité, dans les prisons. Ces jeunes, qui sont encore des travailleurs et pas tout à fait des gangsters, vont souvent se jeter en mai 68 dans la bataille des pavés. Quelques-uns découvrent alors que leur révolte, anarchique et individualiste, avait un sens plus large, que ce n'est pas leur vie qui est mal faite, mais la société.

Le vertige universitaire.

Les jeunes travailleurs déracinés se sentent dans un cul-de-sac. Ils ne sont plus les seuls. Depuis plus d'un siècle, la petite-bourgeoisie française voyait dans l'école le moyen privilégié permettant à ses enfants de « monter plus haut ». En 1968 encore, « mon enfant sera bon élève » constitue l'un des axiomes de l'ordre culturel traditionnel. Le Premier ministre Georges Pompidou, petit-fils d'un paysan du Cantal, se fait, par exemple, gloire de son ascendance

fils et filles des familles d'intellectuels aisées.

A partir de 1950 pourtant, le gouvernement s'est lancé dans une vaste politique de construction scolaire, pour faire face à l'afflux de 150 000 jeunes supplémentaires dans les écoles primaires. Cinq ans plus tard, le mouvement atteint l'enseignement secondaire et, dans les lycées récemment construits en dehors des préfectures et du centre des grandes villes, les classes de sixième classique accueillent de plus en plus des enfants de techniciens, d'employés, de commerçants et même de contremaîtres. En 1968, chiffre exceptionnel il est vrai, il y aura 170 000 bacheliers.

Dans le système scolaire traditionnel, la sélection se faisait pour l'essentiel à l'issue de l'enseignement primaire, avec l'orientation vers l'une des trois « branches » de l'enseignement secondaire : les lycées pour le « cycle long », les collèges d'enseignement secondaire (CES) pour la préparation du BEPC, et les CEG pour les campagnes — l'enseignement technique constituant l'éternel parent pauvre de l'Éducation nationale. L'examen du baccalauréat, en revanche, ouvre directement les portes de l'Université.

A partir de 1962, le nombre des étudiants augmente de façon vertigineuse : de 230 000 en 1961, il passe à 500 000 en 1967-1968. Cette brutale explosion s'accompagne d'une sensible « démocratisation » : si les fils d'ouvriers et de paysans sont encore pratiquement exclus des universités, la part des « privilégiés » diminue sensiblement. C'est que les classes moyennes viennent d'acquérir le « droit », si ardemment convoité, à l'enseignement supérieur. Dans ce mouvement, les universités de province, moins « cotées » et qui ont donc un recrutement social moins *select*, se développent plus vite que les universités parisiennes.

Partout, de nouvelles facultés sortent de terre. Après quelques hésitations, le gouvernement opte pour la politique des « campus », situés à l'écart des agglomérations existantes et qui sont théoriquement destinés à former le noyau d'une future banlieue satellite. Dans les années soixante, comme pour les cités-dortoirs, les premiers étudiants essuient les plâtres et pataugent dans la boue. Les restaurants universitaires

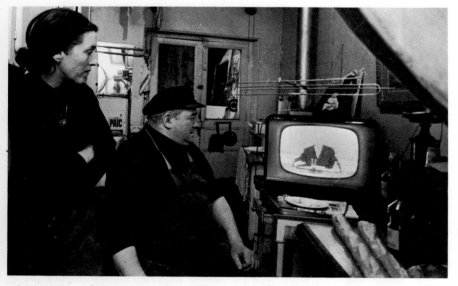

La lucarne magique d'innombrables familles françaises

parfois percuter un mur avant d'être abandonnées; les bals dégénèrent en pugilats; « cassages de gueule » et règlements de compte font partie de l'existence quotidienne.

Ces bandes de « voyous », connues des postes de police ou de gendarmerie, sont rendues coupables de tous les incidents nocturnes qui surviennent dans

populaire et reconnaît qu'il doit sa carrière à son intelligence, mais aussi à la possibilité que le système scolaire lui a donnée de la manifester.

En réalité, les exemples d'« ascension sociale irrésistible » par l'intermédiaire de l'école représentent des exceptions. Jusqu'en 1955, l'enseignement supérieur reste « normalement » réservé aux n'étant parfois pas encore achevés, ils vivent de sandwiches ou prennent d'assaut l'unique bar-tabac-restaurant de la région.

La « misère » étudiante.

Dans un premier temps, l'accroissement du nombre des étudiants suit le rythme de l'explosion scolaire, par un processus d'auto-alimentation élargie. Les diplômés plus nombreux trouvent à se placer comme enseignants du secondaire. Mais la multiplication des lycées assure pour les années suivantes un nombre encore plus élevé d'étudiants. En 1966, ce système « en roue libre » arrive au point de saturation : le nombre des professeurs recrutés chaque année se stabilise, alors que le nombre des étudiants continue de croître. Une nouvelle « catégorie sociale » fait alors son apparition : le licencié chômeur. Que peut-on faire, lorsqu'on dispose d'une licence de philosophie, d'histoire ou de mathématiques pour toute qualification professionnelle — sinon enseigner — ou tenter de « se démerder » ?

Cette crise des débouchés a des répercussions importantes sur le fonctionnement des universités. Le pourcentage des échecs scolaires s'accroît brutalement. Alors que l'enseignement supérieur accueille chaque année 120 000 étudiants de première année, il ne délivre en tout que 36 000 diplômes. Cela signifie que plus des deux tiers des étudiants sortent de l'Université sans y avoir gagné la moindre formation ou qualification professionnelle. La « démocratisation » de l'enseignement supérieur mène à une impasse : autrefois réservé à l'élite, il se révèle incapable d'assurer un avenir « privilégié » aux enfants des classes moyennes, dès que ceux-ci commencent à y affluer en masse. Le malaise universitaire est perçu par le gouvernement comme une véritable gabegie d'énergie et d'argent. Très vite, il se rallie à la solution d'une sélection à l'entrée des universités ou à l'issue des deux premières années d'études, car il refuse de remettre en question le contenu et la finalité traditionnelle de l'enseignement supérieur. Mais cette politique peut être dangereuse : à quelques exceptions près, l'ensemble des professeurs et des étudiants y voit un retour au système de l'élitisme tel qu'il fleurissait au début du siècle.

Nombreux sont donc les étudiants qui s'interrogent sur l'avenir qui leur est réservé à la sortie des facultés. Dans l'immédiat, les plus défavorisés vivent dans des conditions difficiles : beaucoup travaillent l'été aux PTT ou à la SNCF; certains doivent s'embaucher toute l'année à mi-temps pour pouvoir subvenir à leurs besoins pendant la très longue période que risquent de durer leurs études, car, épuisés par leur « double vie » professionnelle, ils apprennent moins vite et échouent plus souvent aux examens. Ceux qui s'accrochent ont conscience d'être les éternels sacrifiés du système : ils remettent alors en cause la structure même de l'enseignement, qui les force à jouer un véritable quitte ou double au bout de trois ou quatre ans d'études, à l'occasion des concours de recrutement des professeurs du second degré.

Pour de nombreuses étudiantes : les joies de la chambre de bonne.

Béton roi, béton nu : Nanterre, 1968. L'université se prend à devenir banlieusarde.

Lutter contre la sélection va donc impliquer, pour un nombre toujours plus grand d'étudiants, le refus d'un système d'enseignement aussi majestueux que vermoulu.

Laissés-pour-compte et soutiers de l'opulence

La prospérité économique française ne profite pas à tous. Si la richesse disponible est plus grande, elle est aussi plus inégalement répartie. A l'opulence des riches, au bien-être des cadres, à la relative aisance des ouvriers professionnels et des contremaîtres, s'oppose une France pauvre et misérable, qui alimente de ses bras les hauts fourneaux de l'opulence ou a tout simplement été condamnée, oubliée par la frénésie de la croissance.

La moitié des Français moutonne chaque été le long des autoroutes et des grandes nationales... L'autre moitié, celle qui ne quitte pas son domicile, est trop souvent oubliée. Contemplant ses parkings surpeuplés, la France repue oublie que 1 famille sur 2 ne possède pas de voiture, et 1 sur 4 pas de réfrigérateur. Dans le domaine de l'habitat, la France demeure un pays pauvre et sous-équipé.

État des logements français au 1er avril 1968	
sans eau courante	9 %
surpeuplés	31 %
sans WC intérieurs	48 %
sans eau chaude	50 %
achevés avant 1914	51 %
sans baignoire ni douche	53 %
sans chauffage central	65 %
sans téléphone	85 %

En 1968, la France du dénuement constitue une partie importante de la population : travailleurs immigrés, OS, manœuvres, apprentis, travailleurs retraités, ouvriers agricoles et petits paysans au bord de la faillite (en tout, plus d'une dizaine de millions de personnes) ne sont pas des bavures d'économistes, mais la chair à canon volontairement sacrifiée dans la bataille de la croissance à tout prix.

L'enfer quotidien des vieux travailleurs

Au XXe siècle, la notion de famille tend de plus en plus à se confondre avec la trilogie restreinte : papa-maman-enfant. Le type de construction adopté dans les grands ensembles d'HLM privilégie, par exemple, systématiquement le trois-pièces, adapté aux familles avec enfant unique, tolérable encore avec deux enfants. Dans ces conditions, les couples adultes n'ont plus ni l'envie ni la possibilité de recueillir leurs vieux parents.

Ceux-ci, lorsqu'ils sont pauvres, c'est-à-dire anciens travailleurs manuels, doivent vivre seuls, dans des immeubles déclarés insalubres ou des chambres de bonne sans chauffage central; certains se résignent à solliciter une place dans quelque maison de retraite.

Les veuves, qui sont particulièrement nombreuses, n'ont pour tout revenu que la moitié de la retraite de leur mari si elles ont passé le plus clair de leur vie à « torcher la marmaille » : elles se trouvent alors dans un état proprement désespéré.

L'« État-providence » intervient : on est, passé un certain seuil, déclaré « économiquement faible ». Mais la « rente » ainsi garantie s'apparente par son montant aux aumônes de l'ancien temps, et peut être comparée, plutôt qu'au SMIG, aux indemnités de chômage les plus faibles.

Avec 6 ou 7 F par jour, plusieurs centaines de milliers de vieux travailleurs sont condamnés à mourir dans l'isolement et la misère.

Salaires de misère, cadences infernales.

De 1962 à 1968, les salaires (et donc les pensions des vieux travailleurs, les allocations familiales, etc.) augmentent nettement moins vite que la richesse nationale. Alors que l'industrie accroît sa production de 35 %, le pouvoir d'achat moyen des salaires horaires n'augmente que de 22 %, et celui du salaire minimum interprofessionnel garanti (SMIG) de 5 %.

Les salariés les plus mal payés peuvent constater que 95 % des cadres supérieurs gagnent en France plus de 1 800 F, et 35 % d'entre eux plus de 4 500 F par mois, pendant que 75 % des ouvriers touchent de 500 à 1 200 F et 30 % des ouvrières moins de 500 F. Alors que 1 ouvrier sur 5 est payé au SMIG, soit 355 F par mois, l'éventail des salaires, l'un des plus ouverts d'Europe, permet à certains de gagner cent fois plus que d'autres.

Il faut ajouter à cela, au sein même de la classe ouvrière, d'énormes disparités entre les salaires payés à travail égal suivant qu'on est parisien ou provincial, homme ou femme. Un ouvrier parisien touche en moyenne 50 % de plus qu'un ouvrier limousin, et 100 % de plus qu'une ouvrière limousine.

En même temps que les écarts de salaires tendent à s'accroître, le temps moyen de travail augmente de 1950 à 1962; il atteint plus de 46 heures hebdomadaires et ne diminue légèrement qu'en 1967, un certain nombre d'entreprises en difficulté ayant eu recours à des mesures de chômage technique. Le travail, plus long, est aussi plus fatigant et plus meurtrier. Partout les cadences s'accélèrent

avec l'adoption de nouvelles machines et la réorganisation des ateliers. Le taylorisme, que l'on commence à abandonner aux États-Unis, fait d'innombrables adeptes; sur la plupart des chaînes, on travaille « chrono ». Les OS et les manœuvres, qui doivent assurer une partie de leur paye hebdomadaire grâce aux différentes primes de productivité, négli-

Pour les soutiers de la croissance industrielle, une oppression quotidienne : pointages, cadences, insécurité, exploitation.

gent les règles les plus élémentaires de sécurité, avec l'accord tacite de la maîtrise et de la direction. Les accidents sont monnaie courante : en 1968, 2,5 millions d'accidents du travail seront déclarés à la Sécurité sociale, pour une population salariée active de 16,5 millions de personnes.

Dans les années soixante, certains travailleurs qui veulent gagner plus, ou tout simplement assez, doivent même accepter de déménager périodiquement. Les grands chantiers ouverts à cette époque, tels ceux de Dunkerque et de Fos, ne peuvent recruter localement la main-d'œuvre nécessaire à la construction de ces gigantesques complexes industriels. Soudeurs, charpentiers-fer, maçons et manœuvres sont attirés par des salaires plus élevés que la moyenne; mais ce prolétariat pionnier doit accepter des horaires implacables, dépassant la plupart du temps les 55 heures par semaine et vivre en caravane dans d'immenses « campings fixes » qui prennent souvent l'allure de bidonvilles. Au bout de quelques

José, Mustapha, Mohammed

Les ouvriers français, aussi mal payés soient-ils, peuvent trouver plus mal lotis qu'eux : les travailleurs immigrés, qui affluent dans le pays depuis une dizaine d'années. Leur nombre passe de 1,5 à 2,6 millions de 1954 à 1968. Ils sont, par ordre d'importance, espagnols, italiens, algériens, portugais, marocains.

La plupart de ces «ressortissants étrangers» ne peuvent que se sentir... étrangers en France. Ils laissent souvent leur famille dans leur pays d'origine : sur les 474 000 Algériens, on compte 348 000 hommes et 126 000 femmes. Ils sont, de plus, en butte à un racisme larvé de la part d'une partie de la population française et des forces de police, en particulier lorsqu'ils sont arabes ou noirs. Cette «psychose du métèque», qui n'ose d'ailleurs pas dire son nom, est d'autant plus forte qu'ils forment une partie plus importante de la population locale.

Cette main-d'œuvre a tendance à se rassembler dans d'immenses bidonvilles qui, à partir de 1955, prolifèrent dans des terrains vagues à la périphérie des villes. En 1968, malgré une politique de «réduction», le gouvernement n'est pas encore parvenu à les résorber totalement.

années, la construction du complexe achevée, la main-d'œuvre qui a jusqu'alors servi est purement et simplement licenciée; elle trouve à se «recaser» pour des salaires dérisoires auprès des petites «boîtes» de la région, ou émigre vers quelque nouveau complexe industriel, dont l'implantation vient d'être décidée à l'autre bout de l'Hexagone.

Les damnés de la terre.

La campagne française sécrète aussi ses «damnés de la terre», ouvriers agricoles et tout petits paysans, dont le nombre peut être en 1968 estimé à un peu plus de 1 million de travailleurs.

La France compte alors 1,7 mil-

Le revers de la médaille : pour le sous-prolétariat étranger, bidonvilles et marteaux piqueurs.

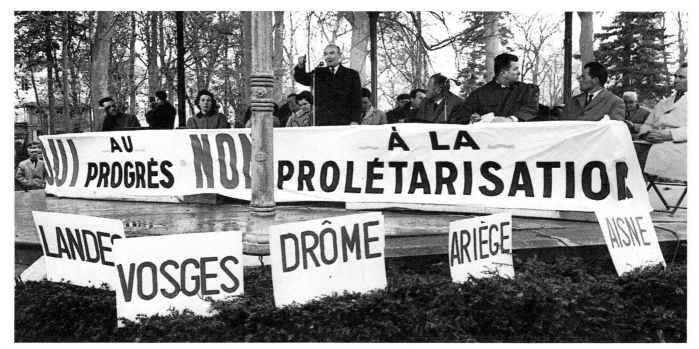

La terre est-elle un instrument de travail ou d'évasion ? Dès 1964, les paysans s'opposent à la mainmise des citadins sur les villages.

lion d'exploitations agricoles. Parmi celles-ci, 450 000 ont moins de 5 hectares, 500 000 ne disposent pas de tracteurs, et 500 000 encore sont mises en valeur par une seule personne. Ces très petites unités économiques, qui perpétuent les traditions de la France rurale semi-autarcique, sont considérées par les technocrates du gouvernement comme des monstres économiques issus d'un passé révolu.

L'instrument systématique de leur disparition est « la loi d'airain de la libre concurrence internationale ». Entre 1962 et 1966, les prix à la production des produits agricoles d'origine végétale baissent de 30 % en valeur réelle. Face à cette crise, deux attitudes seulement, estime le gouvernement, restent ouvertes aux paysans en rupture de paiement.

Ou bien se replier entièrement sur soi-même et attendre patiemment la mort dans le crépuscule d'un monde voué à l'oubli. Ou bien abandonner immédiatement, et partir ruiné.

Une troisième issue existe pourtant, que les spécialistes en sciences économiques n'avaient pas prévue : les paysans, qui se savent condamnés, peuvent aussi décider de lutter. Le mouvement de revendication et de révolte des agriculteurs français se radicalise peu à peu.

Au début, les syndicats d'exploitants demandent unanimement le

retour à une politique de soutien artificiel des cours, à coups de subventions d'État. Mais ce type de mesure avantage autant — sinon plus — les gros agrariens que les petits exploitants. Une partie de la paysannerie pauvre s'aperçoit bientôt que cette lutte purement corporative, épisodiquement très violente, ne débouche finalement sur rien, car elle ne fait que retarder de quelques petites années l'échéance de sa ruine.

Au sein des organisations professionnelles, certains, des jeunes surtout, préconisent alors une nouvelle politique agricole, qui rendrait au paysan le statut et la dignité d'un travailleur, à charge pour lui de s'organiser en coopératives aussi égalitaires que possible, afin de promouvoir l'entraide mutuelle, et surtout l'achat du matériel indispensable.

Mais des agriculteurs indépendants, même réduits à la plus extrême misère, et vivant de très loin plus mal qu'un OS de chez Renault, continuent à se sentir des *propriétaires :* la convergence de leur lutte avec celle des ouvriers agricoles est loin d'être réalisée.

Pourtant, ces deux catégories de « laissés-pour-compte » vivent dans des conditions pratiquement identiques.

Les ouvriers agricoles, qui sont 600 000 en 1968, constituent la catégorie de salariés la plus mal

payée du pays. Le salaire minimum agricole garanti (SMAG) se traîne lamentablement à la remorque du SMIG, et n'atteint en 1968 que 1,92 F de l'heure, alors qu'une consultation médicale demande une « avance » de 16 F et qu'un paquet de Gauloises coûte 1,50 F. A la campagne aussi, les disparités régionales et « hiérarchiques » sont énormes. Alors que le salaire réel moyen est de 2,77 F dans le Bassin parisien, il n'atteint que 2,08 F dans l'Ouest. De même, le jeune valet de ferme, âgé de quatorze à dix-sept ans, reçoit 1,27 F, la servante de ferme 1,61 F et l'ouvrier qualifié 3,22 F en moyenne.

Bien plus, l'arbitraire dans la fixation des salaires effectivement versés en argent demeure total. Certains ouvriers agricoles sont nourris et logés par leurs patrons, d'autres nourris seulement, ou logés seulement, et quelques-uns ne sont ni nourris ni logés à la ferme où ils travaillent. Suivant les avantages en nature qui leur sont assurés, le patron peut, sur leur salaire, opérer des retenues à la source. Mais aucune réglementation officielle n'en précise le montant.

Tous ces travailleurs vivent dans l'absence la plus totale de confort et d'hygiène.

Pour ces hommes et ces femmes, les discours officiels sur la « richesse française » constituent la plus sinistre des farces.

La routine : des cortèges syndicaux soigneusement organisés;
des slogans uniformes; des meetings électoraux ronronnants.

rituel politique et luttes sociales

L'Histoire ne s'écrit jamais sur des pages vierges. Pour mieux comprendre le printemps 68, il faut remonter dans les mois et les années qui précèdent l'explosion, et parfois beaucoup plus loin, pour retrouver l'origine de rivalités politiques ou syndicales encore vivaces. Le peuple français a d'anciennes traditions de lutte et les courants de pensée qui le traversent, les réflexes qu'il a acquis s'enracinent profondément dans le passé.

La fin de l'Empire

Malgré des replâtrages successifs, les années 1945 à 1968 correspondent à la fin inéluctable de l'Empire colonial français. La guerre d'Indochine, l'insurrection des Malgaches (1947), l'intervention à Suez (1956) et plus encore la guerre d'Algérie (1954-1962) laissent des plaies vives dans notre société : deuils, divisions politiques, souffrances physiques et morales ne seront pas effacés en un jour.
En 1968, la France subit encore les séquelles de cette longue décolonisation. L'armée sort à peine de l'épreuve; dans les départements et les territoires d'outre-mer (DOM-TOM), derniers lambeaux de l'Empire, se développe une agitation souvent violente.

Replâtrage - erreurs - séquelles.

Pendant un quart de siècle, la gauche et la droite françaises se sont trouvées confrontées à la volonté d'indépendance des peuples colonisés. A la Libération, communistes et socialistes tentent de résoudre ce problème par la création d'une « Union française » regroupant colons et colonisés. Mais, dès 1946, les peuples d'Indochine refusent ce replâtrage et entament une lutte armée, montrant la voie aux Malgaches et aux Algériens. A partir de cette date, les gouvernements successifs répondent par la violence à toutes les tentatives d'émancipa-

RECONCILIATION AMNISTIE

Un litige permanent de 1962 à 1968 :
l'amnistie des condamnés
d'Afrique du Nord.

tion. Ils mettent alors le doigt dans un terrible engrenage.
Pendant cette période, d'« opérations de police » en « opérations de pacification », d'« interrogatoires poussés » en « ratissages de suspects », la gauche française, qui participe souvent aux décisions, se compromet dans des guerres qui la déshonorent. Ces erreurs et ces compromissions favorisent la naissance d'une « nouvelle gauche » qui surgit dans les années cinquante; minoritaire, dure, elle accorde son soutien aux divers mouvements de libération au sein de l'Union française et combat les directions de la gauche traditionnelle. La guerre coloniale favorise ainsi la naissance du PSU, réactive les

groupes trotskistes qui dénoncent « la mollesse et le pacifisme du PCF » et provoque un gonflement prodigieux des effectifs du syndicat étudiant de gauche, l'UNEF. Avec 100 000 membres en 1962, ce syndicat est en mesure de disputer la rue aux forces de l'ordre et de faire entendre sa voix. La renaissance de forces organisées à la gauche du PCF et de la SFIO pèsera directement sur le déroulement du mouvement en 68.
Pour les partis de droite et du centre, l'épreuve est tout aussi rude. Partisans et adversaires de l'indépendance des colonies s'y affrontent. Plébiscité en 1958 après avoir proclamé : « L'Algérie est et restera française », le général de Gaulle change d'orientation en 1960. Il accorde l'indépendance immédiate à 14 États d'Afrique noire et souhaite acheminer l'Algérie vers l'« autodétermination ». Il crée alors la « Communauté française », association des anciennes colonies, des DOM-TOM et de la France. Ce revirement gaulliste provoque un sursaut dans la communauté française d'Algérie et parmi les éléments conservateurs de l'armée, qui aboutit à une tentative de coup d'État d'extrême droite à Alger, en 1961. Des irréductibles se regroupent au sein de l'OAS pour défendre jusqu'à la dernière cartouche les intérêts coloniaux. L'OAS étend ses opérations à la métropole. En riposte, les gaullistes, pour lutter efficacement contre l'extrême droite, mettent sur pied des réseaux clandestins et des polices parallèles qui

Les pieds-noirs

En 1968, d'autres Français vivent encore les séquelles de la guerre coloniale : les rapatriés, surnommés les « pieds-noirs ». Ils ont dû apprendre à revivre (ou à vivre) en métropole dans des conditions parfois difficiles.

Souvent, les tempéraments se heurtent, les nerfs sont à fleur de peau. En Corse en particulier, où des « pieds-noirs » reçoivent de la compagnie Somivac des lots de terre et des aides de l'État, des agriculteurs estiment bénéficier de moins de facilités et entreprennent diverses actions de protestation. Le 8 mai 1968, ils occupent un domaine dans la plaine d'Aléria pour protester contre ce qu'ils appellent une spoliation.

Partout les « pieds-noirs » se groupent en associations pour défendre leurs intérêts et obtenir des gouvernements français et algérien l'indemnisation des préjudices subis pendant la guerre. En mai 68, 6 000 d'entre eux, réunis en congrès, pénètrent de force dans la cour de la préfecture de Toulouse, contribuant ainsi à la généralisation de l'agitation.

Politiquement les rapatriés se répartissent entre toutes les tendances avec, cependant, une prédominance de la droite et un très faible nombre de gaullistes ou de communistes. Même si des jeunes militent dans les rangs de l'extrême gauche, les « pieds-noirs » ne jouent aucun rôle spécifique dans le déclenchement de la crise de mai. A la fin du mois, ils participent à l'isolement du pouvoir gaulliste, mais en juin, ils pèseront en faveur du retour à l'ordre.

---

livrent aux militants OAS une bataille impitoyable.

En 1962, l'Algérie accède à l'indépendance, mais en 1968 la vie

Février 1968 à Paris : une manifestation en faveur des détenus guadeloupéens du GONG.

politique est encore profondément marquée par l'épreuve coloniale. A l'extrême droite, on ne veut oublier ni « la perte de l'Algérie », ni les exécutions, ni les peines d'emprisonnement qui frappent encore des militants OAS. Certains attendent en exil une éventuelle amnistie pour revenir en France. De leur côté, des militants d'extrême gauche

ont subi des condamnations. Chroniquement, la presse, de l'extrême droite à la gauche socialiste, réclame une amnistie que

gaullistes et communistes refusent. A l'Assemblée, Gaston Defferre dépose plusieurs projets en ce sens; sans succès, de Gaulle préférant grâcier individuellement les condamnés. Ce n'est qu'en juin 68 que ce problème trouvera une solution définitive. Confrontés à un adversaire commun, les groupes de choc gaullistes et les anciens des réseaux OAS devront

alors trouver un terrain d'entente. Des membres des Amicales des Forces françaises libres appartenant à l'un et à l'autre camp serviront d'intermédiaires, et les structures mises en place au temps de la guerre coloniale seront réactivées... contre l'extrême gauche française.

Une décolonisation inachevée.

Avec l'échec de la « Communauté française », les DOM-TOM, dernières reliques de l'Empire colonial, deviennent en 1967-1968 autant de points chauds.

Les habitants de ces petits territoires n'ont pas bénéficié du mouvement d'indépendance octroyée aux États d'Afrique noire quelques années avant. Il s'agissait surtout pour le gouvernement français d'éviter une généralisation des luttes armées de libération nationale. Rien de tel ne paraissant à redouter dans leur cas, les DOM-TOM sont demeurés sous tutelle française. Pourtant, un désir croissant d'autonomie s'y affirme : à la Réunion, le parti communiste s'oppose rudement aux partisans de Michel Debré; aux îles Comores, l'agitation entraîne la fermeture en 1967 de l'unique lycée pendant plus d'un mois; en Nouvelle-Calédonie, des intellectuels canaques revendiquent plus de droits pour leur communauté qu'ils estiment spoliée depuis l'échec sanglant de la grande révolte de 1878[1]; en Polynésie, l'hostilité des indigènes envers le centre militaire d'essais nucléaires de Mururoa alimente un courant autonomiste.

Au Territoire des Afars et des Issas, la contestation est plus vigoureuse encore. Le général de Gaulle, en route vers le Cambodge, fait escale à Djibouti en août 1966. C'est l'occasion de violentes manifestations en faveur de l'indépendance immédiate du territoire; lourd bilan : 40 blessés et 2 morts. Les troubles se poursuivent en 1967 et l'on déplore d'autres victimes. L'armée française quadrille les quartiers indigènes; les indépendantistes ripostent par des attentats. Le 6 mai 1968, alors que les étudiants parisiens érigent des barricades, Ali Aref, président du conseil du Territoire, échappe de

1. A cette date, des milliers de Canaques ont été massacrés pour s'être révoltés contre les colons français.

peu à un attentat à la grenade qui coûte la vie à son chauffeur.

Situation tout aussi tendue en Guadeloupe. Des jeunes, en majorité étudiants ou lycéens, y militent au sein du GONG (groupement nationaliste). Les 26 et 27 mai 1967, certains de ses adhérents participent à d'importantes émeutes, sans en être les inspirateurs directs. Ces troubles donnent lieu à une série de procès à Pointe-à-Pitre comme à Paris, 19 personnes étant inculpées d'atteinte à la sureté de l'État. Les peines prononcées sont finalement légères et assorties de sursis.

Au printemps 68, les DOM-TOM, coupés plus que jamais de la métropole, connaissent un calme relatif. A Paris, des Antillais occuperont le BUMIDOM (Bureau des migrations). En juin, ils en seront évacués sans ménagement par les forces de police après une violente bagarre. Le gouvernement aurait été sérieusement en difficulté face à une agitation généralisée dans l'« outre-mer ». Pourtant, on en restera le plus souvent à des grèves[1] qui toucheront les « îles » à des degrés divers; sauf à la Réunion où des barricades seront érigées autour de Pointe-des-Galets, les manifestations de violence seront rares. Il n'en sera pas de même lors des élections.

La « grande politique » gaulliste

De 1966 à 1968, la France à peine dégagée des problèmes coloniaux se trouve confrontée à des choix fondamentaux pour son avenir : il lui faut définir une nouvelle politique militaire et prendre une position claire au sujet de l'Europe qui se construit lentement.

Or, les options prises par les gaullistes portent la marque d'une époque où la France était au centre du deuxième empire colonial du monde : les valeurs défendues avec passion par de Gaulle et son entourage sont héritées d'avant 1914, quand la France était une des grandes puissances militaires, économiques, financières et culturelles du monde. On ne peut plus en dire autant de la

France de 1968; pourtant, de Gaulle, contre vents et marées, va agir à nouveau « comme si » : comme si l'armée française pouvait s'opposer seule à celle de l'URSS ou des USA, comme si l'économie française pouvait ignorer le dollar, comme si la diplomatie française pouvait arbitrer des conflits mondiaux... De cette attitude vont naître des

Juillet 1968 : la première bombe H française.

mésententes sérieuses avec les alliés occidentaux, des accords tacites entre le Kremlin et les gaullistes et, indirectement, des divergences profondes au sein de la gauche.

La défense « tous azimuts ».

L'OTAN, héritage militaire de la « guerre froide », regroupe depuis 1949 la plupart des pays d'Europe occidentale, les USA et le Canada face à une éventuelle agression communiste. La France, membre de cette alliance, voit une part de son indépendance militaire lui échapper au profit d'un commandement unifié dans lequel les USA sont prépondérants. Cela, de Gaulle, et avec lui tous les nationalistes intransigeants, le supportent d'autant plus mal que l'utilisation de l'arme atomique, dont la France commence à se doter, est, elle aussi, soumise aux impératifs stratégiques de l'OTAN.

En février 1966, de Gaulle annonce donc sa décision de « rétablir une situation normale de

souveraineté en France »; en conséquence, il retire notre pays de l'organisation militaire intégrée tout en demeurant membre indépendant de l'alliance. Dès 1967, les troupes de l'OTAN se voient contraintes d'évacuer toutes leurs bases françaises et le commandement général en Europe (le SHAPE) est transféré à Bruxelles. Cette rupture met l'armée française dans l'obligation d'assurer seule la défense du pays. Pour cela, l'effort va porter sur la constitution coûteuse d'une « force de frappe atomique »[1]. Cette stratégie militaire est affirmée en janvier 68 par de Gaulle comme « une défense tous azimuts » qui entraîne une refonte complète du dispositif militaire français : « Vauban a fortifié toutes nos frontières... même la Belgique », précise-t-il. Ainsi les armées du « corps de bataille » sont-elles redéployées, tandis que les troupes cantonnées en Allemagne repassent sous commandement direct de l'état-major français. Cette dernière mesure sera lourde de conséquences en juin 68.

Non à la Grande-Bretagne !
Oui au Québec libre !

En politique internationale, le général de Gaulle affirme aussi sa volonté d'indépendance. Partisan d'une « Europe des nations », il freine tout transfert de souveraineté de la France vers les institutions européennes. Il conçoit donc le Marché commun comme une simple communauté *économique* et s'oppose farouchement à l'adhésion de la Grande-Bretagne.

Lors de la guerre israélo-arabe en juin 1967, il condamne « l'ouverture des hostilités par Israël » et prononce un embargo sur les livraisons d'armes à destination « des pays du champ de bataille ». Cette attitude lui vaut une grande popularité dans les pays arabes, mais suscite l'hostilité des puissantes communautés juives de France, d'Angleterre et des USA. Un mois plus tard, nouveau coup d'éclat, cette fois au Québec. Au cours d'un voyage officiel, de Gaulle n'hésite pas à s'immiscer dans les affaires intérieures canadiennes : prononçant un discours en faveur de l'autonomie des

---

1. Notons pour la petite histoire qu'en 68 la grève atteindra aussi l'île de Kerguelen peuplée d'une centaine de techniciens et de milliers de pingouins !

1. En juillet 68, l'armée française mettra à feu sa première bombe H, plus puissante que la bombe A, dans le Pacifique.

1967 : la gauche à deux doigts de la victoire électorale ?

Canadiens francophones, il termine par un retentissant « Vive le Québec libre ! ».

Enfin au Cambodge, la déclaration de De Gaulle souhaitant « la fin des interventions étrangères » en Indochine est immédiatement interprétée comme un désaveu de l'engagement militaire américain qui bat son plein. De Gaulle propose même d'accueillir en France une conférence de la paix entre les belligérants; ce qui sera accepté en mai 1968 !

Cette « grande politique gaulliste », nationaliste et mondialiste, est appréciée des pays du Tiers Monde et des pays de l'Est. Le Kremlin approuve en particulier la rupture avec l'OTAN, le ralentissement de la construction européenne, l'attitude au sujet d'Israël et de la guerre du Viet-Nam. Ce sont là ce que les Soviétiques appellent « les aspects positifs du gaullisme ».

En France même, la politique extérieure du gouvernement suscite des réactions diverses. Elle flatte un fond cocardier et nationaliste. Ainsi « Vive le Québec libre ! » provoque des applaudissements ou des sourires, mais on apprécierait peu que le chef du gouvernement canadien vienne crier en France « Vive la Bretagne libre » ou « Vive la Guadeloupe libre ». Sur toutes les initiatives gaullistes, la majorité comme l'opposition se divisent et, paradoxalement, c'est dans son propre pays que le chef de l'État fait le moins l'unanimité sur ses décisions.

Divisions politiques

Malgré l'apparent mépris affiché par de Gaulle pour « les manœuvres de partis », les combines électorales fleurissent de plus belle au sein de la majorité comme de l'opposition. De 1965 à 1967, de Gaulle laisse planer la menace d'une dissolution de l'Assemblée nationale, suivie d'élections anticipées. Cela encourage les marchandages parlementaires auxquels n'échappent pas les deux principales composantes de « la » majorité : l'UNR et les républicains indépendants (RI).

Marchandages dans la majorité.

Dès 1966, une course de fond s'engage entre les dirigeants politiques de haut rang. Il s'agit pour certains d'entre eux de « se placer » au mieux en vue des élections présidentielles prévues en 1972. A cette date, de Gaulle sera au terme de son deuxième septennat et chacun escompte qu'il faudra prendre la relève.

Deux forces principales s'associent dans la majorité : les RI (minoritaires mais indispensables) et la puissante UNR forte de 230 députés. Georges Pompidou mène les délicates négociations avec le dirigeant des RI, Valéry Giscard d'Estaing. Par souci d'efficacité face à la gauche et pour mieux contrôler la situation, Georges Pompidou met sur pied un « Comité d'action pour la Ve République » qui va décerner cette étiquette à un seul candidat par circonscription. En l'absence d'élections « primaires », cela suppose un difficile partage d'influence aussi bien entre les divers courants de l'UNR qu'entre cette dernière et les RI. Il s'ensuit des marchandages d'autant plus âpres que, depuis janvier 1966, Valéry Giscard d'Estaing a dû céder la place de ministre des Finances à un « baron » du gaullisme : Michel Debré. Les RI souhaitent profiter de la consultation pour opérer un retour en force au Parlement et au gouvernement. Ils savent que, en cas de sécession de leur part, « la majorité » devient aléatoire. Les discussions se prolongent donc autour de deux exigences des RI : ils veulent compter leurs voix dans des élections primaires et constituer un groupe distinct de l'UNR à l'Assemblée. On aboutit à une solution de compromis : Giscard d'Estaing accepte le principe d'une candidature unique, mais il obtient la représentation séparée des groupes au Parlement.

Ces débats se déroulent sur un mode feutré. Ils passionnent peu l'opinion publique.

La gauche et la recherche de « l'unité ».

En 1967, les partis de gauche s'affirment tous résolument électoralistes. Le PCF cherche à faire oublier son passé stalinien et range son étiquette « révolutionnaire » au placard pour pouvoir développer longuement ses thèses sur « le passage pacifique au socialisme ». En effet, après l'important recul de 1958, les communistes progressent à nouveau au plan électoral. Ils ont choisi de se battre sur ce terrain. Pour cela, ils multiplient les déclarations sur « l'alternance démocratique des partis au pouvoir » et sur « la nécessité d'un programme commun de gouvernement » établi avec d'autres partis de gauche.

Ce langage nouveau laisse perplexes les radicaux et les socialistes. Il suscite les protestations indignées des « marxistes-léninistes authentiques » et les réserves de vieux militants au sein du Parti qui aimeraient entendre parler plus souvent de révolution que d'élections. Cette opposition de gauche ne provoque pas de départs massifs du PCF, mais elle anime un débat interne important, particulièrement chez les étudiants et les intellectuels.

La stratégie du PCF suppose des alliés nombreux, car une majorité parlementaire des communistes *seuls* est inconcevable. Un long travail est donc mené par le PCF pour sortir de l'isolement en vue d'une éventuelle et nécessairement lointaine prise du pouvoir. En conséquence, en avril 1968, les militants communistes ne prévoient nullement que le pouvoir puisse être à portée de la main. Rien dans la stratégie du Parti ne les y prépare. Malgré la puissance de leur appareil, ils seront politiquement pris au dépourvu tout autant que le reste de la gauche. Cette gauche, à la veille de la grève générale, est donc une nouvelle fois à la recherche de l'« unité » mythique après laquelle elle court depuis les origines du mouvement ouvrier.

La gauche non communiste est en pleine réorganisation. Les efforts tenaces de François Mitterrand et de son équipe ont permis de fédérer la vieille SFIO, la plupart

des radicaux et divers clubs socialistes, mais cette nouvelle Fédération est encore loin d'être homogène. En marge des socialistes fédérés et des communistes, le petit PSU garde ses distances. Très dynamique en 1967-1968, il est cependant lui-même un agrégat fragile de divers courants. Il se cherche et n'est pas prêt à s'engager dans un processus d'unité trop marqué dans lequel il craint d'être « digéré », ou de n'être qu'une simple force d'appoint.

Des élections « à l'américaine ».

La campagne de 1967 prend une tournure qui s'annonçait déjà par certains aspects des présidentielles de 1965. Les dirigeants des grandes formations multiplient les déplacements en utilisant des avions et des hélicoptères; la télévision et la radio retransmettent de nombreux débats contradictoires; les gadgets politiques en tout

Le spectacle politique : quelques vedettes...

genre prolifèrent : chaque parti diffuse massivement des badges, des bracelets, des disques et même de petits films pour appuyer son programme. La limite entre la propagande politique et la publicité commerciale devient d'autant plus floue que les gaullistes font appel, pour soutenir leur campagne, à l'entreprise Service et Méthode. Cette dernière avait assuré en France le lancement de films sur « James Bond 007 » et de Jean Lecanuet, candidat malheureux en 1965...

Sur le plan national, seuls les candidats de la majorité et les communistes sont présents dans toutes les circonscriptions. Les autres partis tentent de tirer au mieux leur épingle du jeu. L'importante participation (19 % d'abstentions seulement) montre que les électeurs estiment que ce scrutin comporte un enjeu sérieux. Mais les résultats déçoivent les deux camps : les déplacements de voix sont trop faibles pour entraîner un changement profond. Chaque formation conserve peu ou prou ses partisans. La « Ve République » réunit 37,7 % des suffrages (contre 36 en 1962), les communistes 22,4 % (contre 21,7), la Fédération 18,7 % (contre 20 aux futures organisations fédérées). Pourtant, le mode de scrutin (majoritaire) et la très grande discipline de vote à gauche vont tout de même changer l'aspect de la Chambre. Au deuxième tour, c'est la surprise : les désistements à gauche jouent complètement et, des voix centristes du premier tour s'y ajoutant, la balance penche un peu plus en faveur de la gauche qu'en 1962. Les partisans du chef de l'État conservent une étroite majorité mais l'UNR n'a plus que 201 sièges (au lieu de 230); les RI progressent de 34 à 42 députés malgré les conditions imposées par leurs alliés. La majorité n'a plus que 243 sièges contre 264 précédemment. Au total (avec les députés de l'outre-mer), les gaullistes n'ont plus au Parlement qu'une marge de manœuvre faible. Une bataille passionnée se livre donc autour de l'élection contestée de Bastia, où l'une des urnes avait été jetée à la mer. Le siège est finalement attribué à l'UNR.

Georges Pompidou, malgré l'importance prise au Parlement par le groupe des RI, forme un nouveau gouvernement dans lequel

Le gouvernement Pompidou

Le ministère constitué par Georges Pompidou le 9 avril 1967 devra affronter les manifestations et les grèves de mai. Aux postes clés dans cette période se trouvent :

Christian Fouchet	(Intérieur)
Pierre Messmer	(Armées)
Michel Debré	(Économie et Finances)
Alain Peyrefitte	(Éducation nationale)
Olivier Guichard	(Industrie)
Edgar Faure	(Agriculture)
Georges Gorce	(Information)
Jean-Marcel Jeanneney	(Affaires sociales)

Outre le Premier ministre, on compte 10 ministres inscrits à l'UNR, 6 autres à l'UDVe, 2 aux RI, 2 non-inscrits, 1 gaulliste de gauche (Edgard Pisani).

les gaullistes dominent. C'est avec une majorité très fragile qu'il aborde l'année 1968.

Le monde clos du Parlement.

Rien dans l'attitude ou l'activité des parlementaires ne laisse présager la crise politique et sociale qui se prépare. Chacun revient à ses habitudes dans la paix complète et l'on se querelle courtoisement sur le problème de « l'introduction de la publicité de marque à l'ORTF »...

Au sein de la majorité, personne n'a vu venir l'orage. Valéry Giscard d'Estaing croise le fer publiquement avec Michel Debré au sujet du futur budget et des finances du pays. Les RI, soucieux de consolider leur victoire électorale, mettent en place, partout où ils le peuvent, des clubs « Perspectives et Réalités » concurrents des associations gaullistes. De son côté, en avril 1968, l'UNR se réorganise, change d'étiquette pour devenir « l'UDVe » et porte à la tête du mouvement Robert Poujade. Les gaullistes lancent une campagne de recrutement pour tenter d'étoffer leurs rangs dont les effectifs militants sont faibles.

A gauche non plus, on ne soupçonne pas l'imminence de la crise. Sans se presser, on se préoccupe surtout de trouver une base de discussion pour parvenir à une hypothétique unité d'action. Mais les députés des divers groupes sont persuadés que l'éventualité d'un gouvernement d'« union démocratique » ne se posera guère avant 1972. On prend donc son temps, et aucun parti ne s'appuie sur une réelle mobilisation populaire pour parvenir à son but. C'est très mollement que la gauche s'oppose aux « ordonnances » prises par le gouvernement au sujet de la Sécurité sociale; elle laisse pratiquement ce soin aux syndicats.

La vie parlementaire suit un rythme tranquille. Les « Fédérés » y interpellent le gouvernement au sujet de l'entrée de la Grande-Bretagne dans le Marché commun. Cela ne soulève pas l'enthousiasme des communistes qui voient dans les Anglais « les plus fidèles alliés des USA ». D'ailleurs, en politique extérieure, le PCF se trouve beaucoup plus d'atomes crochus avec les gaullistes (au sujet d'Israël, de l'OTAN, de l'Europe, du Viet-Nam, etc.) qu'avec les socialistes.

Les oppositions se chamaillent donc, tout en souhaitant devenir un jour l'Opposition et même, beaucoup plus tard, prendre le pouvoir par les voies légales. Matériellement comme politiquement, les partis de gauche, en avril 68, ne sont pas prêts à prendre la relève du gaullisme. Cela pèsera très lourd en mai et juin.

Un syndicalisme divisé

Pour des raisons historiques, la France compte en 1968 plusieurs syndicats ouvriers rivaux les uns des autres. Depuis 1955, à quelques exceptions près[1], une politique de concertation avec le patronat et les pouvoirs publics tend à se substituer aux affrontements des décades précédentes. Cependant, en 1967-1968, divers indices permettent de penser que la paix sociale touche à sa fin.

1. Comme la grève des mineurs de 1963.

L'éclatement (1947-1948).

Au début du siècle, la CGT était traversée par divers courants de pensée; anarchistes, socialistes et marxistes y coexistaient tant à la base que dans les instances dirigeantes. Cela change à partir de 1921 avec la création du parti communiste français. Ce dernier, incapable de prendre la direction de la CGT, mais refusant d'y partager le pouvoir avec des sociaux-démocrates, crée une organisation rivale beaucoup plus petite : la CGTU. En l'absence des communistes, l'influence socialiste devient dominante au sein de la CGT mais non exclusive, anarchistes et trotskistes y conservant une certaine audience. Pendant le Front populaire, en 1936, la CGT opère une fragile réunification avec la CGTU; unification qui ne résiste pas à l'épreuve de la guerre et de l'Occupation.

Pendant la Résistance, la CGT se reconstitue sur de nouvelles bases. Mais, en 1946, on peut constater que les communistes tiennent solidement les leviers de commande. Dès l'année suivante, cela provoque des divergences graves avec les socialistes. Les grandes grèves de 1947, politisées par le PCF, sont dirigées contre le gouvernement (où siègent des socialistes) et contre le plan Marshall d'aide américaine à l'Europe; elles aboutissent à une rupture. Dans un climat insurrectionnel, des syndicalistes font scission, suivis par des travailleurs qui veulent maintenir la lutte sur un plan strictement professionnel. La tendance « Force ouvrière » organisée depuis plusieurs mois dans la CGT, donne alors naissance à un nouveau syndicat de 500 000 membres où les socialistes sont nombreux. Au-delà de cette scission, un véritable éclatement se produit : d'autres travailleurs décident de créer des syndicats « autonomes » qui ne sont rattachés à aucune grande centrale. Beaucoup de ces groupes disparaissent en quelques années, mais en 1968 certains sont encore représentatifs, tel le Syndicat autonome de la RATP. En 1947-1948, le choc a été rude pour le syndicalisme en général : en 1946, la CGT compte 5 millions de membres, en 1948 3,2 millions. Or, FO n'en regroupe que 500 000, les divers groupes autonomes 300 000 au plus et les enseignants de la FEN ne sont que 90 000. Il y a

donc *plus d'un million* de travailleurs qui, écœurés par l'échec de la grève, ne reprennent pas de carte syndicale. Une défaite d'autant plus cuisante pour la CGT qu'elle perd la totalité de ses enseignants. Ces derniers ont choisi de fonder la Fédération de l'Éducation nationale (FEN). Pendant vingt ans, cette centrale grossit et s'installe dans le corporatisme. Elle se subdivise en un maquis de syndicats (SNI pour les instituteurs, SNES pour les professeurs du secondaire, SNESup pour ceux du supérieur, etc.); elle est traversée par des courants politiques divers et organisée en « tendances ». En 1968, l'influence socialiste y est prépondérante mais l'influence communiste très forte (surtout au SNES).

En contrepartie de ces multiples scissions, l'appareil de la CGT demeure aux mains des communistes. En 1968, elle est toujours la première centrale syndicale par les effectifs. Des militants socialistes y réapparaissent progressivement, mais les trotskistes chassés un à un se sont réfugiés à FO ou à la FEN; les anarchistes ne figurent plus que dans de rares sections de base. Seuls quelques « marxistes-léninistes » ont pour ligne politique de lutter dans la

Un grand changement dans l'équilibre des forces syndicales : au congrès d'octobre 1964, la majorité des militants de la CFTC rompt avec son passé chrétien et fonde la CFDT.

CGT plutôt qu'à l'extérieur. Cela ne signifie évidemment pas que tous les adhérents de la CGT sont communistes, mais les mots d'ordre, la direction et les grandes orientations sont inspirés par le PCF. Cela influera fortement sur le cours des grèves de mai et juin. FO demeure un petit syndicat mais a su conquérir quelques positions solides, notamment chez les employés, dans l'industrie chimique et aux PTT. En marge de la CGT et de FO un autre syndicat a doucement grandi et commence à disputer le terrain avec âpreté : la CFDT.

Le syndicalisme chrétien.

La CFDT est issue d'un vieux syndicat chrétien : la CFTC. A la Libération, la CFTC comptait 400 000 membres. Son caractère confessionnel et le manque fréquent de combativité de sa direction face au patronat ont contribué à limiter son développement. Pourtant, à chaque grève, des militants chrétiens sans cesse plus nombreux prennent conscience de la nécessité des luttes sociales pour améliorer le sort des travailleurs. La politique

de concertation, qualifiée de collaboration de classes par les marxistes, gêne les syndicalistes chrétiens les plus engagés dans l'action. Ainsi en 1947 les ouvriers CFTC sont-ils partagés entre le désir d'améliorer leur sort et la crainte de faire le jeu du communisme. Il en est de même en 1948 pendant la longue grève des mineurs et en 1953 pendant celle des fonctionnaires.

En Loire-Atlantique éclate en 1955 un conflit très dur, qui entraîne la mort d'un ouvrier. Dans cette région, la CFTC est puissante, et les militants y ressentent profondément la coupure entre la réalité de leurs combats et les orientations prises par la direction. Ces grèves sont l'occasion d'une lente évolution et une partie des militants souhaite la laïcisation de la CFTC et l'abandon de son caractère confessionnel. Ceci est acquis à une large majorité au congrès de 1964 : un nouveau syndicat est né, la CFDT. En 1968, la CFDT est encore imprégnée de son passé chrétien. Les militants d'origine laïque y sont minoritaires et souvent jeunes.

De son côté, la CFTC-Maintenue regroupe les 100 000 minoritaires;

juridiquement considérés comme scissionnistes, ils doivent céder la place.

Au début de 1968, la CFDT occupe des positions solides dans l'Ouest, en Lorraine, en Franche-Comté. Elle est majoritaire chez les ouvriers agricoles, mais elle est assez faible dans le Midi « rouge », laïc de longue date. C'est un syndicat qui monte, se cherche et qui s'ouvre aux idées nouvelles. Le dialogue avec l'extrême gauche et avec le PSU est volontiers accepté, ce qui irrite la CGT avec laquelle la CFDT a signé un accord depuis 1966.

Les « journées nationales d'action ».

L'accord d'unité d'action signé le 10 janvier 1966 par la CGT et la CFDT confirme pour cette dernière la volonté de participer aux luttes sociales même aux côtés de la rivale d'hier; pour la CGT, il constitue un premier pas vers une stratégie d'« union de la gauche ». Cela pose des problèmes dans les rangs de la CFDT où l'on accepte une alliance avec la CGT mais plus difficilement avec le PCF. Pourtant, pendant deux ans, l'unité ne comporte aucune faille importante.

La vie sociale en 1967 est ponctuée de « journées nationales d'action ». Il s'agit de faire pression sur le gouvernement et le patronat à chaque fois que s'engagent des négociations au sommet.

La « journée » du 1er février est condamnée par FO qui y voit une arrière-pensée politique. Celle du 17 mai connaît un succès très relatif; FO et la FEN s'y associent, mais les attaques contre le gaullisme sont mises en sourdine. Puis, à l'appel de la CFDT et de la CGT, d'autres « journées » suivent : le 14 juin, le 13 décembre. En janvier 1968, la CGT, seule, lance une « semaine d'action » accompagnée de débrayages brefs (24 heures ou moins) se succédant par branches professionnelles.

Le rite de ces journées est toujours le même. La date et le thème en sont fixés par les états-majors syndicaux. Distributions de tracts et communiqués de presse précèdent les cortèges minutieusement organisés et encadrés : là, les mots d'ordre, les parcours, les banderoles, la place des participants, tout est prévu. Le service

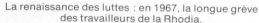

La renaissance des luttes : en 1967, la longue grève des travailleurs de la Rhodia.

d'ordre de la CGT se charge de « neutraliser », avec vigueur si nécessaire, tous les non-conformistes. D'où, pour les travailleurs les plus combatifs, une impression de routine, d'inefficacité, qui les démobilise au lieu de les stimuler et étouffe toute spontanéité. Ensuite, c'est la non moins rituelle guerre des chiffres : les syndicats « gonflent » les pourcentages de grévistes; le patronat et le gouvernement les minimisent. Pour finir, des « commissions » très officielles accordent les 4 à 5 % d'augmentation de salaire prévue avant la grève, et tout rentre dans l'ordre jusqu'à la « journée » suivante.

Chez les travailleurs, surtout ceux du secteur privé, qui obtiennent ainsi bien peu de chose, l'enthousiasme n'y est pas. D'autant plus qu'en janvier 68, les rapports entre la CFDT et la CGT se tendent. Des discussions sur l'indemnisation du chômage partiel s'enlisent; un accord à ce sujet conclu avec le gouvernement est paraphé par la CGT, mais la CFDT refuse de signer. C'est un indice du refroidissement entre les deux syndicats. La CGT multiplie les critiques contre son alliée. Le fond de la querelle est politique.

Benoît Frachon accuse publiquement les dirigeants de la CFDT d'avoir « une position partisane » en refusant l'alliance avec le PCF.

Henri Krasucki et Georges Séguy, qui accumulent les déclarations dans le même sens, s'inquiètent des relations régulières que la CFDT entretient avec FO à partir de mars 68. Aussi les dirigeants de la CFDT se cabrent-ils. Eugène Descamps déclare à Europe n°1 : « Nos camarades de la CGT doivent comprendre qu'il y a des limites à cette unité d'action. » L'avertissement est clair, mais, au cours du premier trimestre 68, la querelle rebondit. Ce n'est pas encore la rupture, mais c'est la brouille. Les premières barricades de mai rendront caduc en quelques jours ce qui restait de l'accord de 1966.

Malgré le chômage grandissant, les syndicats mobilisent difficilement leurs troupes. La base ouvrière renâcle et se montre peu convaincue par l'efficacité des actions nationales et confédérales. Les plus déterminés essaient donc d'obtenir dans leur entreprise une victoire qui semble impossible dans l'ensemble du pays. Aussi depuis 1966, en marge

de la routine officielle, des conflits locaux, longs, durs et parfois violents, ont-ils resurgi.

Le renouveau des grèves

Contrairement à une idée répandue, les grèves de 68 ne sont pas un coup de tonnerre dans un ciel serein. Pendant toute l'année qui précède, l'agitation renaît après une longue période de paix sociale. La défense de l'emploi, les faiblesses ou les inégalités de salaire et les dures conditions de travail mobilisent les travailleurs. Des formes de luttes que l'on pensait appartenir à l'histoire resurgissent et, à plusieurs reprises, les ouvriers affrontent les CRS dans les rues.

« A travail égal, salaire égal ! » « Nous voulons la parité ! »

Les travailleurs n'ont jamais admis qu'il existe des différences de salaires d'une région à l'autre, et de multiples grèves ont eu pour thème la « parité » avec Paris.
C'est le cas à Bordeaux, en janvier 1967, chez Dassault. Pendant un

Pour la défense de la Sécurité sociale, cortèges et pétitions.

Les travailleurs de Dassault exigent la parité des salaires avec Paris et la garantie de l'emploi.

mois, de courts arrêts de travail y désorganisent la production sans grands résultats. C'est pourquoi, profitant de la visite de personnalités étrangères accompagnées de journalistes, les ouvriers déclenchent un chahut pour attirer l'attention sur leurs revendications : « A travail égal, salaire égal ! Nous voulons la parité ! » clament-ils. Le 1er février, la direction réagit vivement à cette nouvelle forme d'action; elle proclame le lock-out de l'usine et la mise à pied de 22 syndicalistes. Pourtant, l'agitation, gênante en période électorale, se poursuit et Jacques Chaban-Delmas (député UNR de la région) intervient auprès de Marcel Dassault (député UNR de l'Oise); le 20 février, les sanctions sont levées et les ouvriers obtiennent en partie satisfaction (à 5 % près). Ce conflit est terminé, mais la brèche est ouverte.

« Usine occupée par les travailleurs. »

A Besançon, le 25 février 1967, 3 000 ouvriers de la Rhodia débraient. Ils sont excédés par des années d'un travail épuisant : la fabrication des fibres et des textiles artificiels; ils refusent l'inhumain système des 4 × 8 qui permet à l'usine de tourner jour et nuit. Leurs revendications portent sur les cadences, l'allongement des temps de pause et des congés. Très déterminés, ces ouvriers décident d'occuper l'usine. Ce point important n'échappe pas à la presse d'extrême gauche, qui consacre une large place à cette lutte « exemplaire ».

La semaine suivante, le conflit gagne les usines Rhodia de Lyon et du Péage-de-Roussillon. Mais la CGT, qui y est majoritaire, atténue les revendications portant sur les cadences pour mettre l'accent sur les problèmes de salaires. Ainsi elle fera finalement reprendre le travail à 14 000 grévistes en échange d'une augmentation de 3,83 %. Mais plusieurs semaines d'agitation diffuse permettront d'obtenir quelques aménagements d'horaires. Pourtant, le conflit, mal réglé, rebondira quelques mois plus tard.

Au même moment à Lyon, chez Berliet, l'agitation grandissante aboutit au lock-out et à l'occupation de l'usine par les CRS ! En avril, un compromis porte le salaire minimal de 500 à 680 F par mois, mais, là encore, les problèmes demeurent en suspens.

La défense de l'emploi.

Le chômage est lui aussi à l'origine d'un regain local d'agitation. En Lorraine, une des régions les plus menacées, 15 000 mineurs occupent pendant tout le mois d'avril 1967 le carreau des mines. Ils bloquent toute livraison de minerai de fer et protestent ainsi contre le licenciement progressif de 10 000 d'entre eux. Ils ne reprennent le travail que le 2 mai, contre une promesse d'arrêt des réductions de personnel.

Au même moment, cols blancs et ouvriers des chantiers navals de Saint-Nazaire livrent une longue bataille. Pendant deux mois de grève, ils font la synthèse des revendications des ouvriers de Dassault (la parité avec les salaires parisiens) et de celles des mineurs lorrains (de solides garanties d'emploi); ils obtiennent le soutien de la population de la ville qui, le 11 avril, est paralysée par une grève générale. Mais le conflit s'éternise et n'est réglé que par un compromis peu favorable aux travailleurs.

De leur côté, les syndicats tentent de généraliser la mobilisation sur le thème de la défense de l'emploi et de la Sécurité sociale. A l'automne 1967, dans la majeure partie du pays, les travailleurs, sans illusions sur les résultats des « grévettes » de vingt-quatre heures, ne suivent que mollement les consignes. Au contraire, dans quelques villes, des éléments durs débordent les traditionnels défilés syndicaux : ils veulent des actes et non des discours. Au Mans, 8 000 ouvriers se battent une demi-heure avec la police dans le centre-ville; à Mulhouse, les carreaux de la préfecture volent en éclats avant que les matraques des CRS ne dispersent les travailleurs. Le 13 septembre, une journée nationale d'action réunit de mornes cortèges, mais, à Lyon, 500 ouvriers de la Rhodia affrontent brièvement la police malgré les consignes du service d'ordre syndical.

Bien que localisés et sans gravité, ces incidents sont les signes avant-coureurs d'une tension sociale qui ne va cesser de croître jusqu'en mai 68. Avant cette date, une flambée de grèves et de violence va embraser certaines villes de l'Ouest, en particulier Caen et Redon.

**Blouses blanches,
blouses bleues,
bleus « propres »
et bleus « sales ».**

Dans quelle région, en 1968, un radical peut-il encore faire figure de dangereux « rouge » ? Dans le Calvados bien sûr! Dans ce département où les gaullistes à eux seuls recueillent près de 50 % des voix et où en 1966, les RI et les centristes ont enlevé les 5 sièges de députés. A Caen, la majorité ne redoute guère plus que l'irruption de quelques radicaux au conseil municipal. La vie politique s'y déroule dans le calme, et ce ne sont pas quelques gauchistes qui peuvent la troubler. Ceux-ci parviennent tout juste, avec un millier d'adhérents de l'UNEF, à chahuter Alain Peyrefitte venu en janvier 68 inaugurer la nouvelle faculté des lettres.

Pourtant, dans ce département traditionnellement voué au commerce et à l'agriculture, au fil des années l'industrialisation modifie les habitudes. Au centre sidérur-

gique de Mondeville se sont ajoutées autour de Caen d'importantes entreprises d'électromécanique (Sonormel, Jaeger, Moulinex) et de métallurgie (Saviem, Marrel, Tréfimétaux). Ces établissements emploient une majorité d'OS, hommes et femmes, d'origine rurale. Dans la région, les traditions ouvrières sont quasi nulles et le syndicalisme naissant : les trois grands syndicats sont présents à la Saviem, mais partout ailleurs il n'y a qu'une poignée de militants; chez Moulinex, il n'existe même aucun syndicat reconnu. Cette main-d'œuvre apparemment docile et peu exigeante a attiré les industriels : les salaires sont très bas, et, dans l'électronique, certaines femmes OS ne gagnent que 350 à 400 F par mois. Avec de tels revenus, on ne peut espérer trouver d'autres logements que les HLM de Blainville ou d'Hérouville, ou bien la maison familiale dans un lointain village. Progressivement, les travailleurs vont prendre conscience de leur condition. Ce sont ceux de la Saviem qui vont donner le signal de la révolte.

A usine neuve, personnel jeune : à la Saviem, 1 000 des 4 800 employés ont moins de vingt-cinq ans. Nombre de ces jeunes, bien que titulaires d'un CAP, sont très souvent employés comme simples OS ou manœuvres. Ils souffrent d'autant plus de cette déqualification que l'atmosphère de travail est mauvaise. Les cadres, venus pour la plupart de Paris, connaissent mal les Normands. La maîtrise, composée d'ouvriers promus issus des autres usines du groupe, méprise souvent les « péquenots » et, depuis un an, ne mange même plus avec eux au réfectoire. Dans l'usine, une rigoureuse hiérarchie est matérialisée par le vêtement : au sommet les blouses blanches des cadres, puis les blouses bleues et grises des petits cadres et de la maîtrise, ensuite les bleus « propres » de l'entretien, et enfin les bleus « sales » de la chaîne ou de la peinture. Les cadences sont rapides, les pointages permanents et les salaires faibles par rapport à Renault-Billancourt ou Saviem-Suresnes. Dans l'usine, les relations se tendent entre ouvriers et

Au Mans, l'hiver 67-68, grèves et meetings se succèdent. On se chauffe au brasero.

cadres. Les gestes de révolte individuelle se multiplient. Des jeunes, aussitôt remplacés, quittent
même l'entreprise pour tenter leur
chance ailleurs. La CFDT, majoritaire, essaie avec la CGT et FO de
prendre en charge ce mécontentement grandissant, qui aboutit en
janvier 68 à une grève très dure.

« Les triques à la mode de Caen » (le Canard enchaîné).

Le 20 janvier, les trois syndicats
de la Saviem lancent un mot
d'ordre de grève d'une heure et
demie. La base le juge insuffisant
et, le 23, un cortège de 500

ouvriers parcourt l'usine pour
faire cesser le travail jusqu'à satisfaction des revendications : 6 %
d'augmentation, aucune perte de
salaire en cas de réduction des
horaires, extension des droits
syndicaux. Dans la nuit glaciale,
les 400 membres du piquet de
grève montent la garde devant
l'usine; pour combattre le froid,
on allume des feux, on apporte
des thermos; pour interdire les
livraisons, on érige des barricades. Au matin, les grévistes sont
3 000, mais la direction refuse
toute négociation sans reprise
préalable du travail. La nuit suivante, redoutant un coup de

force, ils renforcent les défenses.
A 3 h 45, le directeur se présente
avec des cadres, 400 non-
grévistes et plusieurs pelotons de
CRS qui démantèlent les barricades. Les « jaunes » pénètrent dans
l'usine; l'affrontement est évité de
justesse. Au petit jour, les grévistes décident de marcher sur Caen.
Ils ne sont plus seuls en lutte : les
travailleurs de Jaeger et de Sonormel sont, eux aussi, en grève
illimitée.

A 8 heures, plusieurs cortèges,
regroupant 4 à 5 000 personnes,
convergent vers le centre-ville. On
chante, on crie; mais c'est les
mains dans les poches que les

A Caen, les grèves donnent lieu
à de véritables émeutes. On
relève 200 blessés.

manifestants se trouvent face à des gendarmes mobiles solidement équipés. Après quelques palabres, des charges brutales surprennent les ouvriers qui refluent. Plusieurs sont sérieusement blessés. La colère succède à la surprise. On ramasse des planches, des pierres et, une heure après, les forces de l'ordre se replient, débordées. Le lendemain, syndicats, partis de gauche, enseignants et étudiants apportent leur soutien aux grévistes et convoquent un meeting pour le 26 janvier à 18 heures.

Ce jour-là, 7 000 personnes se rassemblent place Saint-Pierre. Discours. Puis, malgré le service d'ordre syndical, des jeunes renversent des barrières et cherchent à pénétrer dans la préfecture. A 19 h 30, les gardes mobiles arrosent la place de grenades lacrymogènes et chargent. Mais cette fois les travailleurs, n'oubliant pas les coups de crosse du mercredi, ne se laissent pas surprendre : boulons, billes d'acier, barres de fer sortent des blousons de cuir et, jusqu'à 5 heures du matin, l'émeute gronde dans tout le centre de Caen. Étonnée par une telle résistance, la police ne reprend l'initiative que tard dans la nuit. On relève 200 blessés, dont 36 parmi les forces de l'ordre. Le samedi, traces d'incendies, vitrines brisées, débris de toutes sortes jonchant les rues stupéfient les bourgeois caennais. Pour se rassurer ils inventent une fable : des voyous incontrôlés auraient provoqué cette violence. Mais les faits sont têtus. Les condamnations sévères prononcées le lendemain contredisent cette thèse : si 5 des 6 personnes[1] jugées en flagrant délit ont de vingt à vingt-deux ans, tous sont ouvriers, comme tous les autres jeunes gens arrêtés la veille et relâchés après vérification d'identité. Ils sont de la région et ne peuvent en aucune façon être assimilés à la « pègre ». Pourtant, la justice a la main lourde : elle prononce 5 peines de prison *ferme*, de quinze jours à trois mois. Il s'agit de faire des exemples.

La tache d'huile.

Loin de calmer les esprits, cette répression durcit les attitudes. L'action s'étend à de nouvelles entreprises : la Radiotechnique,

1. Le sixième, un travailleur espagnol, est expulsé du territoire français.

Deux aspects des luttes ouvrières avant mai : prise de parole devant une usine de la Rhodia ; à Redon, des métallos bloquent la voie ferrée.

la SMN et Moulinex où les ouvrières débraient et créent leur premier syndicat pour la circonstance. Le mardi 30 janvier, on compte 15 000 grévistes à Caen. Pour le patronat, il devient urgent de régler le plus important conflit jamais vu dans la région.

Le 2 février, le préfet arbitre. Il décide par mesure d'apaisement de lever les sanctions contre les grévistes, il arrête les poursuites en cours et, de son côté, le

patronat accorde 3 ou 4 % d'augmentation. Mais le 5, si la reprise est effective dans les autres entreprises, elle est difficile à la Saviem. Dans l'après-midi, 200 jeunes ouvriers parcourent l'usine en chahutant. Ils cassent des pare-brise, retournent des fichiers et des bureaux, secouent des « petits chefs ». Leur cortège grossit et, parvenus à plus de 1 000 devant les locaux de la direction, ils parlent de séquestrer

De Boulogne à Cherbourg, les marins pêcheurs refusent les salaires de misère et l'exil.

le patron. Ils protestent contre l'absence de changement dans leurs conditions de travail, contre les cadences et contre l'autoritarisme de la maîtrise. La CGT et FO désapprouvent ces violences; la CFDT suit le cortège sans le condamner mais parvient à éviter la séquestration. Pendant tout le mois, l'agitation se poursuit. Un noyau de jeunes provoque plusieurs débrayages.

Ailleurs dans le Calvados, une grève illimitée éclate chez Marrel à Giberville. Alors le patronat, craignant un nouveau mouvement en tache d'huile, réprime durement dans les usines : 20 ouvriers de la Saviem sont mis à pied pour quarante-huit heures; chez Ferrodo, à Condé-sur-Noireau, 5 délégués CFDT sont poursuivis pour fait de grève, 10 autres mis à pied chez Marrel pour une durée indéterminée, tandis que 4 ouvriers de Citröen-Caen sont licenciés pour avoir tenté de créer un syndicat. En mars, les grèves se terminent à Caen dans le mécontentement général mais reprennent de plus belle ailleurs dans l'Ouest.

L'Ouest bouge.

D'autres villes de l'Ouest entrent en effervescence. A Fougères, le 28 janvier, des syndicalistes affrontent longuement les CRS. A

Quimper, 2 usines sont paralysées par la grève. A Redon, en mars, la tension monte pendant quinze jours; les travailleurs des 5 grandes usines entrent en lutte. Comme à Caen, ils affrontent durement la police avec pierres et boulons, et l'on compte une douzaine de blessés. A Honfleur, les employés d'une petite scierie donnent le signal à 4 autres usines qui ne reprendront le travail que deux semaines plus tard, au début du mois d'avril. A La Rochelle, une manifestation d'ouvriers de Sud-Aviation luttant pour conserver leur emploi se termine en bagarre.

De plus, en février, les marins pêcheurs de la Manche, de Boulogne à Cherbourg, ont déclenché une grève illimitée. Déjà en janvier, les 50 hommes du chalutier *Viking* à Fécamp et ceux du *Vidal* à Bordeaux avaient cessé le travail pour obtenir de meilleurs salaires et un plus long repos mensuel. En février, les artisans pêcheurs rejoignent les marins pêcheurs salariés. Leurs revendications portent sur les prix et les circuits de distribution. Des piquets de grève interdisent tout débarquement de poisson et, à Boulogne, on échange des coups avec la police qui protège des camions frigorifiques en provenance de l'étranger; à Fécamp, les grévistes arrosent de fuel des poissons importés. Les artisans ne reprennent la mer que le 28 février, tandis que les salariés poursuivent l'action quelques jours. Tous n'ont obtenu que très partiellement satisfaction.

Un parfum de mai.

Ces divers mouvements annoncent bien la vague qui va déferler en mai, non parce qu'ils précèdent immédiatement l'événement — il y a toujours de petites grèves avant les grandes — mais en raison de la forme prise par l'action.
Depuis les dernières grèves générales de 1947 et de 1953, les luttes sociales s'étaient progressivement assoupies, et le gouvernement de la Ve République s'était même permis d'exiger un préavis de grève de cinq jours pour le secteur public. Le patronat, lui, avait multiplié les primes « hors salaire » perdues en cas de débrayage, même limité. En 1967, alors que les directions syndicales, installées dans le ronron des

actions d'« avertissement » de vingt-quatre heures ou moins, jugent irréalistes des mots d'ordre plus durs, des délégués syndicaux d'ateliers, poussés par la base, prennent l'initiative de grèves de plusieurs semaines. Plus encore : les ouvriers de la Rhodia renouent avec une forme d'action quasi abandonnée depuis 1947 : l'occupation d'usine. Ce ne sont pas les seuls signes de tension. La réapparition de la violence, l'utilisation répétée des forces de police et la résistance opiniâtre qu'y opposent les travailleurs sont tout aussi annonciatrices du mois de mai.
Tout comme au printemps 68, les premiers grévistes demeurent rarement isolés. La grève fait « tache d'huile », soit dans l'ensemble d'un groupe (Rhodia), soit dans toute la ville, comme cela se vérifie à Caen, à Redon, à Saint-Nazaire ou à Honfleur. D'autre part, des liens de solidarité s'établissent souvent entre les ouvriers

en lutte et des enseignants, des petits commerçants ou des étudiants : une collecte à l'université de Caen a rapporté 2 000 F.
Les mots d'ordre eux-mêmes annoncent un ton nouveau. Au-delà des problèmes traditionnels de salaires, la remise en cause de la hiérarchie et l'allongement des congés deviennent aussi des préoccupations de premier plan. Enfin, les syndicats ne sont pas toujours capables de canaliser cette colère montante et à plusieurs reprises, à Caen, à Redon ou ailleurs, tous les appareils se trouvent débordés par de jeunes ouvriers très combatifs.
Une grande fermeté patronale préfigure les affrontements de mai et surtout de juin : refus prolongés de négociations, lock-out, mises à pied et même licenciements collectifs de délégués syndicaux sont plus souvent de mise que les concessions.
Oui, un parfum de mai flotte bien dans l'air épais des usines...

Les étudiants et la solidarité internationale :
Les Zengakurens manifestent à Tokyo contre la présence militaire américaine.
A Paris, cortège des CVB en faveur de la victoire du FNL.
Avril 68 : Rudi Dutschke, l'un des dirigeants du SDS allemand, est gravement blessé au cours d'un attentat.
Au quartier Latin, 3 000 étudiants soutiennent leurs camarades allemands.

l'agitation étudiante avant mai

Idées de mai

Pris dans des problèmes d'argent, de vacances, de parking ou de téléphone, les jeunes militants occidentaux, consciemment ou non, recherchent au-delà des frontières la révolution radicale qu'ils souhaitent mais pensent impossible chez eux. Sous-estimant la combativité des travailleurs face aux cadences, aux accidents du travail ou aux licenciements, beaucoup d'entre eux déclarent péremptoirement la classe ouvrière embourgeoisée; ils la pensent intégrée au système capitaliste par le mode de vie et surtout encadrée, freinée dans ses aspirations à la lutte par des syndicats et des partis qui se sont confortablement installés dans leurs habitudes légalistes.

Cette analyse entraîne des critiques violentes contre les partis communistes prosoviétiques accusés de trahir les principes du marxisme révolutionnaire pour sombrer dans le réformisme. L'URSS bureaucratisée, militarisée, devient symbole d'échec et d'oppression. Au contraire, Cuba, la Chine populaire et le Viet-Nam jouissent d'un prestige grandissant. De l'Allemagne de l'Ouest à l'Italie, des USA au Japon, les jeunes militants d'extrême gauche se passionnent pour les problèmes du Tiers Monde. Textes théoriques et ouvrages économiques sur le pillage de ces pays pauvres au profit de quelques nations privilégiées connaissent une grande faveur.

« Créer deux, trois... de nombreux Viet-Nam » (Che Guevara).

En 1967, les révolutionnaires cubains réunissent à La Havane la conférence de l'OSPAAL. Présidée par Fidel Castro, elle tente d'organiser la solidarité entre les peuples d'Asie, d'Afrique et d'Amérique latine, et ravive ainsi les espoirs d'une internationale

Symbole de l'impérialisme : le drapeau des USA publiquement brûlé.

réellement révolutionnaire et mondiale. Elle veut unir tous les peuples déshérités en un même combat contre l'impérialisme, particulièrement contre celui des USA.

Figure de proue de ce nouveau courant révolutionnaire : Che Guevara. Ex-médecin, argentin d'origine, il est pour toute une jeunesse la générosité et l'internationalisme faits homme. Il incarne l'intellectuel combattant qui joint les actes à la parole. Le regard vif, de longs cheveux bruns, un fin collier de barbe : son portrait est affiché en bonne place dans nombre de chambres d'étudiants. Son nom, cité dans les manifestations, symbolise le courage et la pureté face aux combines et aux compromissions des politiciens traditionnels. Partant du postulat d'une Amérique latine mûre pour la révolution, le Che prône la formation de foyers de guérilla dans tout le continent. Pour obliger l'adversaire à disperser ses forces et diminuer la pression américaine contre le Viet-Nam, il appelle à « créer deux, trois... de nombreux Viet-Nam ! ». Avec quelques compagnons, il choisit d'agir en Bolivie. Il y meurt les armes en main en novembre 1967. Dans son sillage, de jeunes intellectuels rêvent eux aussi de participer à la libération d'un continent écrasé de misère et d'ignorance. Pour avoir voulu le faire, Régis Debray croupira de longues années dans les geôles boliviennes.

En France, la mort du Che augmente encore sa popularité. Plus que jamais, en mai-juin 68, il est présent.

« Rejetez vos illusions et préparez-vous à la lutte ! » (Mao Tsé-toung).

Moins connue en Europe que Cuba, la Chine populaire exerce pourtant en 68 une profonde influence sur le mouvement communiste international. En rupture totale avec l'URSS, les Chinois recherchent une voie originale de transition vers le communisme. Mais dans l'appareil du parti et de l'État, les tenants des méthodes soviétiques, qualifiés de révisionnistes, restent nombreux. C'est contre eux que s'amorce, à l'automne 1965, la Grande Révolution culturelle prolétarienne. Mao Tsé-

HIROSHIMA 1945 VIETNAM 1967

PARCE QUE A 20.000 KM DE VOUS, AU NOM DE LA LIBERTÉ, ON ASSASSINE UN PEUPLE, UNE ÉQUIPE DE JEUNES CINÉASTES (Gérard CALISTI - Michel RIGAZZI - Daniel OLLIVIER - Giuseppe SALTINI - Pierre CAMUS) A DÉCIDÉ DE SE RENDRE AU NORD VIET-NAM POUR Y RÉALISER UN FILM LONG MÉTRAGE. AIDEZ-LES A RAPPORTER CET INDISPENSABLE TÉMOIGNAGE... CONTACTER Gérard CALISTI - 2, villa Boissière - Paris-16e COMITÉ DE PARRAINAGE : J.-L. BORY - A. BOURSEILLER - P. KAST - A. RESNAIS - C. ZAVATTINI

toung, Mme Chiang Ching son épouse, Chou En-lai et Lin Piao s'appuient sur la jeunesse et les masses populaires pour destituer, non sans luttes, les représentants de la « nouvelle bourgeoisie » : Liou Shao-shi, Teng Hsiao-ping, Peng Chen et des cadres de tous niveaux. L'agitation culmine pendant l'été 1966; les gardes rouges, les étudiants et l'armée, dirigée par Lin Piao, sont à la pointe du combat. Ils permettent à Mao Tsé-toung de sortir vainqueur, au printemps 1967, d'une difficile révolution.

De cette grande tempête, les Occidentaux ne perçoivent que des échos assourdis. Leur presse insiste sur la violence et les outrances des gardes rouges : diplomates molestés, boutiques d'antiquaires pillées, universités dévastées. Le culte de la personnalité développé autour de Mao (badges, statues, portraits, « petit livre rouge ») les inquiète.

En France, quelques milliers de personnes essaient de saisir le sens profond de cette révolution. Elles lisent *Pékin information* et les publications chinoises. Le soir, elles écoutent Radio-Pékin et Radio-Tirana dont le vocabulaire

laisse perplexe tout auditeur non averti. Elles se regroupent au sein des Amitiés franco-chinoises. A l'intérieur du PCF, des militants favorables à la Chine se structurent en groupes, scissionnent et forment le PCMLF et l'UJCML. Tous dégagent progressivement les lignes de force de la révolution culturelle : la remise en cause de la bureaucratie, de la hiérarchie et de la division entre le travail manuel et le travail intellectuel, la rotation des tâches pénibles, le contenu de classe de la littérature et de l'enseignement, etc. Autant de thèmes qui, en France, seront au centre des débats de mai.

L'anti-impérialisme : Black Panthers et Zengakurens.

La guerre du Viet-Nam divise plus que toute autre le peuple américain. Depuis 1965, l'opposition grandit dans les universités. Alors que les syndicats prônent volontiers le nationalisme et soutiennent aux côtés des patrons une politique d'intervention militaire, les étudiants mettent en cause l'attitude agressive de leur pays. Le philosophe Marcuse entretient l'idée que ces derniers forment une catégorie sociale plus perméable aux idées révolutionnaires que la classe ouvrière. De fait, certains, très déterminés, brûlent publiquement leur livret militaire, pour déserter ensuite vers le Canada et l'Europe du Nord. Mais, aux USA, le problème du Viet-Nam contribue aussi à relancer l'agitation de la minorité noire. Nombre de Noirs reviennent du Viet-Nam avec la conviction d'avoir été bernés, d'avoir fait une guerre qui n'est pas la leur. Ces « anciens combattants » forment un noyau dur, décidé à se faire

L'assassinat du militant pacificiste noir Martin Luther King suscite l'indignation dans le monde.

respecter par tous les moyens. Sensibles aux théories nationalistes noires avancées par Malcolm X, assassiné en février 1967, ils constituent les groupes de choc d'un petit parti très actif : les Panthères noires. L'été 1967 connaît de très graves émeutes : on déplore une centaine de morts dans 70 villes. L'affaire prend une dimension directement politique avec la revendication du « pouvoir noir » avancée par Stokely Carmichael qui, à La Havane puis à Hanoi, se déclare solidaire des Vietnamiens. En avril 1968, l'assassinat du pasteur noir pacifiste Martin Luther King relance le cycle des émeutes.

Au Japon, l'extrême gauche donne au monde entier, dès 1967, l'exemple d'une détermination et d'une violence étonnantes dont le Viet-Nam est le thème central. Des groupes de manifestants, divisés en unités reconnaissables à la couleur des casques, utilisent massivement les cocktails Molotov et chargent la police avec des lances de bambou. Les gauchistes japonais exigent aussi le départ des troupes US stationnées dans l'archipel nippon.

« Panthères noires » et manifestants japonais alimentent des rubriques régulières dans la presse d'extrême gauche française. Ils introduisent par l'exemple l'idée qu'une lutte violente ou même armée est possible dans des États capitalistes avancés, s'opposant en cela aux thèses du PCF sur le passage pacifique au communisme. Mais, pour la majorité des Français, USA et Japon restent lointains. Cela dérange, choque, irrite mais n'inquiète pas outre mesure : les émeutes, les batailles de rues, c'est bon pour les voisins...

Paix au Viet-Nam !
FNL vaincra !

Depuis la « guerre d'Indochine », le Viet-Nam est la mauvaise conscience des Français. Pour ou contre l'intervention américaine, partis et syndicats ont tous dû prendre position. La presse et la télévision donnent quotidiennement des informations sur la guerre. Le Viet-Nam est omniprésent dans la vie politique française.

Si l'extrême droite approuve bruyamment les opérations militaires américaines, il se dégage une large majorité, de la droite modérée au PCF, pour réclamer

sur tous les tons « paix au Viet-Nam ! ». Cette formule, très vague, recouvre des motivations différentes suivant les groupes. Pour la droite et le centre, il s'agit de revenir aux accords signés à Genève en 1954, partageant le pays en deux : le Nord au communisme, le Sud au capitalisme. Pour les socialistes et les humanistes, il faut avant tout faire cesser un massacre jugé inutile. Pour le PCF, il faut privilégier une

DECLARATION DU CAMARADE MAO TSE-TOUNG, PRESIDENT DU COMITE CENTRAL DU PARTI COMMUNISTE CHINOIS, POUR SOUTENIR LA LUTTE DES AFRO-AMERICAINS CONTRE LA REPRESSION PAR LA VIOLENCE

solution de paix par la voie diplomatique, une victoire militaire du FNL lui paraissant impossible.

Mais, à l'extrême gauche, on refuse un slogan jugé politiquement peu précis pour lui préférer le combatif « FNL vaincra ! », estimant que la paix au Viet-Nam passe par la victoire *militaire* du FNL. Dans tous les cortèges organisés par le PCF, c'est la guerre des slogans. On échange même des injures et des coups.

A partir de 1966, l'extrême gauche se structure, et le Viet-Nam est au centre de son action. Les trotskistes de la JCR, appuyés par des personnalités du monde des lettres et des sciences, fondent le Comité Viet-Nam national (CVN). Ils organisent meetings, manifestations, expositions, collectes; ils distribuent des milliers de tracts et popularisent le programme du FNL. Un corps d'une centaine de « volontaires pour le Viet-Nam » est même constitué dans l'esprit des Brigades internationales d'Espagne. Hanoi déclinera l'offre.

Criant le même slogan, vendant le même *Courrier du Viet-Nam,* trotskistes et marxistes-léninistes n'arrivent cependant pas à former une même organisation. L'UJCML crée donc les Comités Viet-Nam de base (CVB) regroupant, surtout dans les grandes villes, plusieurs milliers d'adhérents. Les CVB adoptent une attitude dure et n'hésitent pas à passer à l'offensive. Le 7 février 68, alors que l'extrême droite organise un mee-

ting en faveur des USA à la Mutualité, à Paris, ils encerclent la salle pendant trois heures. Des heurts sévères s'ensuivent avec la police, soucieuse de protéger la réunion et d'éviter un affrontement direct. Les membres des CVB, casqués et armés de manches de pioche, passent à nouveau à l'action le 21 février sur les grands boulevards. Ils font flotter quelques instants le drapeau du FNL à l'ambassade du Sud Viet-Nam, sur la façade de laquelle ils peignent « FNL vaincra ! ».

L'extrême droite ne reste pas inactive. A Paris comme en province (Grenoble, Rennes, Rouen), elle attaque avec virulence les membres des Comités Viet-Nam. On relève plusieurs blessés graves.

CVN et CVB contribueront tous deux à l'explosion de mai. En avril, l'attaque par les CVB et la destruction totale d'une exposition de soutien au régime du Sud Viet-Nam entraînent des menaces de très vives représailles du mouvement Occident, contribuant

LE COURRIER
du VIETNAM

Hebdomadaire d'information — 5e année — N° 150 — 10 Février 1968
Rédaction: 46 Tran Hung Dao, Hanoi — République Démocratique du Viet Nam

EDITION SPECIALE

LE PRESIDENT HO CHI MINH AU PRESIDENT NGUYEN HUU THO ET AU C.C. DU F.N.L.

RIEN NE PEUT SAUVER LES AGRESSEURS U.S. ET LEURS VALETS DE L'ECROULEMENT TOTAL

VICTOIRE pour le VIETNAM

journal des comités vietnam de base

N° 3 — NOVEMBRE-DÉCEMBRE 1967   Prix : 1 F.

Au lendemain du meeting des comités de base du 23 juin, paraissait « Victoire pour le Vietnam » n° 2. Un nouveau mot d'ordre était apparu, qui devait guider notre action pour les mois à venir : soutien prolongé à la lutte du peuple vietnamien. A l'image du combat acharné que, depuis sept ans, le peuple vietnamien en armes mène contre l'agresseur U.S., nous nous engagions à mener un travail de longue haleine pour isoler toujours davantage l'agresseur dans notre propre pays.

Pour réaliser ce mot d'ordre dans l'immédiat, les comités de base prenaient unanimement pour résolution : « Pas de vacances pour les amis du peuple vietnamien ». Il fallait en particulier mettre à profit les mois d'été pour développer de ce mouvement et à mesure les progrès accomplis depuis le 23 juin, à partir du tableau que les militants y font de leur propre expérience.

VIVE LE 7e ANNIVERSAIRE du Front National de Libération

Au *Courrier du Vietnam* imprimé à Hanoi, plusieurs publications françaises font écho : ci-dessus, *Victoire pour le Vietnam* publié par les CVB.

ainsi à la fermeture de Nanterre et au coup de filet policier de la Sorbonne le 3 mai.

La contestation étudiante.

En octobre 1966, des milliers de jeunes se réunissent à Liège pour une manifestation internationale contre l'impérialisme américain. Venus de toute l'Europe occidentale à l'invitation des jeunes gardes socialistes belges, des jeunes communistes révolutionnaires français (JCR), des Italiens du Falcemartello, de jeunes socialistes anglais, des Allemands du SDS et des représentants d'autres micropartis d'obédience trotskiste affirment leur soutien au FNL vietnamien. Cette réunion donne aussi l'occasion de confronter les problèmes et les expériences, de faire circuler l'information malgré les frontières. L'un de ces groupements retient particulièrement l'attention : le SDS. Il domine les autres par l'efficacité et l'impact de son action. Né d'une scission de l'organisation étudiante du puissant mais somnolent parti socialiste allemand, il regroupe diverses tendances d'extrême gauche. A partir de ses deux bastions de Francfort et de Berlin-Ouest, il mène l'offensive contre l'impérialisme et l'« université bourgeoise ». Utilisant les structures paritaires officielles mises en place depuis plusieurs années à

Berlin-Ouest, il s'oriente d'abord vers la cogestion, puis vers une critique radicale de l'institution universitaire. Le SDS dénonce le statut de l'étudiant coupé du monde du travail et conteste le contenu d'un enseignement jugé trop magistral et hiérarchisé. Mais il ne réussit pas à prendre pied dans le monde ouvrier où règnent en maîtres les syndicats sociaux-démocrates. Cristallisant l'opposition extra-parlementaire, le SDS entretient dans le pays une agitation sans précédent depuis 1933. Lors de la visite du shah d'Iran en juin 1967, il dispute la rue à la police, qui tue un étudiant, Benno Ohnesorg. 20 000 personnes assistent à ses obsèques. Le mouvement prend alors pour cible le groupe de presse Springer, dont le trust détient 40 % des publications allemandes. L'agitation, permanente dans toutes les villes universitaires, culmine en avril 1968 avec la tentative d'assassinat de Rudi Dutschke, dirigeant du SDS.

En Italie, un projet de réforme de l'Université, sans cesse ajourné depuis 1965, provoque des batailles rangées entre la police et les étudiants. De février à avril 1968, Rome, Pise, Turin, Milan et Venise sont gagnées par l'agitation.

En Espagne, les étudiants maintiennent une tension permanente d'octobre à juin 1968. Avec l'appui des Commissions ouvrières clandestines, ils tiennent la rue à

plusieurs reprises pour exiger la liberté d'expression, de réunion, d'opinion et la justice sociale. Dans ce pays de dictature sévère, la liberté de la presse et de l'édition est au centre du débat.

Au même moment, les pays de l'Est connaissent, eux aussi, une virulente contestation.

En Tchécoslovaquie, des écrivains prennent fermement position en faveur d'une évolution libérale du régime. Avec eux, et malgré la répression, la majorité des intellectuels s'enflamme pour un socialisme laissant plus de liberté et d'initiative individuelle. En octobre, une manifestation d'étudiants donne lieu à des violences policières. La crise gagne le parti, dont Dubcek prend la tête. Il libère les journaux, la radio et la télévision de la censure politique. C'est le « Printemps de Prague ». En janvier 1968, en Pologne, les intellectuels protestent contre l'interdiction d'une pièce ayant pour thème la tyrannie des tsars russes... En mars, les étudiants affrontent les « milices ouvrières ». Les peines de prison pleuvent, l'université est fermée. La presse polonaise *doit* faire le silence sur l'affaire. Isolés, les intellectuels rentrent dans le rang. L'appareil reste le plus fort.

Ces luttes retiennent l'attention des militants français. Socialistes et trotskistes approuvent chaleureusement le « Printemps de Prague » et affirment leur solidarité avec les intellectuels tchèques et polonais. D'autre part, malgré l'interdiction du doyen, l'UNEF tient le 29 mars à la Sorbonne un meeting sur « les mouvements étudiants en Europe ». Des délégués italiens, allemands, hollandais et belges y prennent la parole. Le 19 avril, 2 000 étudiants manifestent en faveur des révolutionnaires allemands, qui font école. L'expérience d'« université critique » d'outre-Rhin est connue d'une minorité qui, à Toulouse ou à Nanterre, sait l'utiliser.

Un vent de liberté.

De l'automne 1967 au printemps 1968, l'Europe connaît une poussée de fièvre. Une génération monte au combat, celle de l'après-guerre. Avide de liberté et d'égalité, elle refuse dans sa majorité les dogmes politiques ou religieux, l'étouffante bureaucratie, la pudibonderie, la hiérarchie aveugle et, à l'échelle mondiale, la

Le Printemps de Prague : « Dubcek tiens bon ! »...

les Anglo-Saxons des jeunes filles de dix-huit ans, majeures et émancipées, voyageant seules, utilisant des contraceptifs, exerçant divers métiers réputés « masculins ». Ils restent perplexes devant les distributeurs de préservatifs. Ils entrent en chahutant pour cacher leur gêne dans les « sex-shops » d'Amsterdam ou de Copenhague. Là, ils feuillettent des revues qui rejettent dans les rangs de la bibliothèque rose les quelques ouvrages spécialisés vendus à Paris.

Beaucoup reviennent avec les cheveux longs et des vêtements fantaisistes, couverts de badges et de breloques. Leur conception de la hiérarchie, de la famille, de la morale et de la femme se modifie lentement. Ils se sont frottés aux idées pacifistes et non violentes. Un vent de liberté souffle du Nord. Il ébranle les vieilles nations chrétiennes en s'attaquant à leur morale familiale et donc sexuelle, à leur conception étroite du nationalisme et au conformisme social. Ce vent deviendra tempête en mai.

loi du plus fort imposée par les USA et l'URSS. Seule l'Europe du Nord reste calme. Elle joue pourtant dans ce combat un rôle idéologique et culturel très actif.

Là comme aux USA, lycéens et étudiants français, au cours d'échanges ou de séjours, découvrent une manière d'être plus simple que chez eux. Ils apprécient puis imitent la musique de Bob Dylan, de Joan Baez ou des Beatles. Les plus audacieux se mêlent à la minorité hippie, ces

gens curieux qui, aux USA, roulent à vélo, font du tissage et de la poterie, élèvent des chèvres, rejetant avec dédain la « société de consommation ».

Des étudiants français vivent làbas dans des campus universitaires où l'étudiant est adulte, où la discussion politique, philosophique et religieuse est libre.

Nombre de potaches français font leurs premières armes avec leur correspondante étrangère. Ils rencontrent en Scandinavie ou chez

Gauchistes et enragés

Pour l'extrême gauche française, très ouverte aux idées venues de l'étranger, Mao Tsé-toung ou Guevara sont aussi familiers que Diderot ou Voltaire. Elle rejette souvent la notion même de fron-

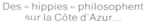

Des « hippies » philosophent
sur la Côte d'Azur...

tières au niveau des vieilleries. La guerre du Viet-Nam ou la cause des démocrates espagnols la mobilisent plus que les élections législatives dont elle se trouve écartée jusqu'à vingt et un ans.

La soupe tiédasse des combines électorales.

Or, la gauche française ne propose à ces militants que la soupe tiédasse des combines électorales. Le PCF incarne pour eux l'espérance révolutionnaire déçue. Ce parti tire à boulets rouges sur l'Europe en construction et l'« Allemagne revancharde ». Il classe à la rubrique « dégénérescence bourgeoise » la libération des mœurs venue de l'Europe du Nord. Dans ses propres rangs, il fait la chasse à tout ce qui ressemble à un « prochinois » ou à un trotskiste. A l'occasion, les membres de son service d'ordre « visitent » les meetings des marxistes-léninistes à la salle des Horticulteurs ou à la Mutualité. Le PCF devient la cible

privilégiée de la presse d'extrême gauche pour laquelle il incarne le révisionnisme, la bureaucratie ou le stalinisme selon les tendances. La vieille SFIO apparaît aux étudiants comme un rassemblement de notables et de parlementaires dont on constate l'existence surtout en période électorale. Son organisation étudiante est aussi squelettique que l'UEC devenue exangue à la suite de multiples purges et scissions. Seul des partis de gauche, le PSU a un réel impact sur la jeunesse universitaire.

Outre les groupes se réclamant du marxisme-léninisme ou du trotskisme, un grand nombre d'organisations étoffent la nouvelle extrême gauche. Les plus soucieux de liberté individuelle se regroupent autour des journaux anarchistes : *le Monde libertaire, le Libertaire* ou *Noir et Rouge*. Là, ils peuvent parler librement d'autogestion, de fédéralisme, de conseils ouvriers et de Wilhelm Reich. Les pacifistes et les non-violents appuient Jean Rostand et

Claude Bourdet dans leur dénonciation de l'arme atomique. Des étudiants catholiques de gauche grossissent souvent leurs rangs. De l'extérieur, ce monde militant, qui, avant mai, regroupe de 12 à 15 000 étudiants, est perçu comme un tout cohérent et solide. Vécue de l'intérieur, la réalité est tout autre. C'est un monde cloisonné, divisé en fractions rivales et parfois franchement hostiles. Les trotskistes ne pardonnent pas aux prochinois leur fidélité à Staline, tandis que ces derniers définissent le trotskisme comme le cheval de Troie de la bourgeoisie au sein du mouvement ouvrier. Les différentes tendances trotskistes s'empoignent au sujet du Viet-Nam, de la IVe Internationale et du Front unique ouvrier. L'UJCML refuse la qualité de parti au jeune PCMLF. Aux cris de « Cronstadt ! Budapest ! », les anarchistes mettent sur le même plan les marxistes et les fascistes, au nom de la liberté individuelle. Pacifistes et catholiques de gauche butent sur le problème de la violence et de l'athéisme militant. Formules à l'emporte-pièce et citations pleuvent dru. D'un groupe à l'autre, on se traite volontiers de « petit-bourgeois » et l'on s'accuse mutuellement de « se draper dans le drapeau rouge pour mieux le combattre ! ». En mai, c'est le pavé à la main que naît la solidarité. Elle ne dépassera pas le stade du pavé.

En face, pour les forces de l'ordre, les fascistes ou les bons bourgeois, il n'y a pas de nuances ou de subtilités. Il n'y a que des « bolchos » ou des « enragés ».

Une pépinière de groupuscules : l'UEC.

Depuis sa fondation par le PCF en 1956, l'UEC connaît crise sur crise. Pendant la guerre d'Algérie, les étudiants communistes du secteurs lettres animent le Front universitaire antifasciste et s'opposent violemment à l'extrême droite et aux forces de l'ordre. Très vite, ces militants accusent le PCF de mollesse dans le soutien au FLN algérien. En 1963, la guerre terminée, le FUA est dissous; la direction du Parti tente de reprendre en main ses sorbonnards trop critiques. Roland Leroy veille personnellement à la remise en ordre, tandis qu'Hermier et Catala, « gens sûrs », sont poussés à la direction de l'UEC.

Le « Che ».

Pourtant, à la fin 1965, le ralliement du PCF à François Mitterrand pour les élections présidentielles rencontre une vive opposition du secteur lettres, qui refuse un homme jugé proaméricain. Cette querelle s'ajoute aux désaccords au sujet du Viet-Nam et de la théorie du « passage pacifique au socialisme ». Pour y mettre un terme, le Parti dissout, en janvier 1966, le secteur lettres parisien et ceux de Caen et de Lyon qui défendent les mêmes idées. Or, le secteur lettres représente 40 % des effectifs parisiens, et la crise ébranle toute l'UEC : 5 des 7 secteurs de la capitale protestent énergiquement. En vain. Au printemps 1966, les opposants décident de créer une organisation dissidente : la JCR est née. Des étudiants de plusieurs villes de province (Rouen, Caen, Nice, Lyon) la rejoignent. Le Parti n'est pas pour autant débarrassé de toute opposition étudiante.

A l'automne 1966, la crise rebondit dans une UEC à peine reconstituée. Cette fois, la ligne de partage passe entre les partisans et les adversaires des thèses chinoises qui accusent de révisionnisme les dirigeants de l'URSS. La lutte ouverte commence avec la publication à l'ENS d'Ulm d'une brochure intitulée : « Faut-il réviser la théorie marxiste-léniniste ? », qui est une réponse directe aux attaques du Parti contre le professeur Louis Althusser. Des groupes s'organisent clandestinement à l'intérieur de l'UEC. Le premier, favorable au MCF (ML), futur PCMLF, domine le secteur lycées (dissous en octobre 1966). Le gros de l'opposition poursuit l'offensive et refuse de vendre un numéro du *Nouveau Clarté* contenant des attaques contre la Chine populaire. C'est le prétexte à un autre coup de balai en novembre 1966 : 600 exclusions. Les militants des ENS, de droit, « philo », « socio », santé, et ceux des cercles UEC de villes de province (Nantes, Nancy, Lyon) créent une nouvelle organisation : l'UJCML. L'UEC sort exsangue de ces purges successives. En mai 68, elle reste une petite organisation bureaucratique ayant peu de prise sur le monde étudiant et sur son principal syndicat, l'UNEF, où domine l'extrême gauche. Dans *l'Humanité,* le Parti attaque avec d'autant plus de virulence les « faux révolutionnaires » qu'il ne contrôle plus la situation dans les

Régis Debray : 4 ans de prison en Bolivie.

universités. Les groupes d'extrême gauche, qualifiés de « groupuscules », y sont régulièrement accusés de « faire le jeu du pouvoir gaulliste » et de publier des journaux qui ne peuvent que « paraître grâce à des ressources occultes » (Étienne Fajon). Georges Marchais s'en prend à l'anarchiste *allemand* Cohn-Bendit » et au « philosophe *allemand* Herbert Marcuse »; jouant sur la fibre ouvriériste, il qualifie les étudiants révolutionnaires de « ... fils de grands bourgeois méprisants à l'égard des étudiants d'origine ouvrière... ». Il conclut en appelant à « combattre et isoler complètement tous les groupuscules gauchistes ». En fait, en mai 68, le Parti est sur la défensive à l'université. Les déboires subis à l'UEC sont une des raisons de sa méfiance, voire de son hostilité, à l'égard du mouvement étudiant.

Groupuscules et monde ouvrier.

En 68, l'extrême gauche déploie une intense activité pour faire connaître ses idées dans le monde du travail. Les anarchistes, les « vieux » courants trotskistes, ou encore le PCMLF disposent

déjà de par leurs origines d'un enracinement ancien dans la classe ouvrière.

Une vieille implantation ouvrière.

Depuis le début du siècle, les syndicats ouvriers ont connu des luttes de tendance permanentes. A la CGT, les anarchistes, volontiers antimilitaristes et anticléricaux, ont progressivement cédé le terrain aux socialistes et aux marxistes. En 1939, l'arrivée de réfugiés espagnols leur a permis de reconstituer .en France un mini-syndicat anarchiste : la CNT. En 68, dans les usines, si leurs organisations meurent, leurs idées demeurent. Le thème de la grève générale insurrectionnelle, du « grand soir » n'a pas disparu des esprits, même si peu d'ouvriers le pensent encore possible. Sauf exception, anarchistes, trotskistes et marxistes-léninistes préfèrent intervenir dans les syndicats existants plutôt que de créer leurs propres organisations. Ainsi, les militants de *Voix ouvrière* occupent des positions dans les fédérations FO de la chimie et de la banque, tandis que l'OCI trotskiste est présente dans la métallurgie en Loire-Atlantique. Les « syndicalistes prolétariens » de l'UJCML militent à la CGT qu'ils pensent pouvoir « redresser de l'intérieur ».

Quant au PCMLF, issu du PCF, il est le plus ouvrier de tous les groupes d'extrême gauche; il est aussi le plus important et le seul à s'être constitué en parti. Nombre de ses militants travaillent en usine.

Tous ces groupes cherchent cependant à renforcer une implantation ouvrière réelle, mais trop ponctuelle.

« Tous aux usines ! »

La JCR et l'UJCML ont, en revanche, une origine exclusivement étudiante. Pour combler le handicap, elles multiplient les collages d'affiches, les « bombages » de slogans, les ventes de journaux et les distributions de tracts dans les banlieues rouges. Les militants reviennent avec une remarquable persévérance aux portes des entreprises. Toutefois, si la JCR compte quelques dizaines de militants ouvriers en 68, son influence sur les usines est minime.

De son côté, l'UJCML adopte une nouvelle tactique. En 1966, tous ses membres ont effectué des

LES TROTSKISTES

Trotski.

En opposition avec Staline et ses partisans, Trotski fonde en 1938 la IVe Internationale. Après son assassinat en 1940 (probablement par le KGB), ses idées lui survivent. Trois groupes se réclament de sa doctrine.

Lénine.

Union communiste pour la reconstruction d'un parti ouvrier révolutionnaire

Plus connu sous le nom de son hebdomadaire *Voix ouvrière,* ce mouvement estime que la IVe Internationale est à reconstruire. Fondé en 1963, il s'intéresse surtout au monde ouvrier, bien que des étudiants y adhèrent. Ses militants, présents dans de grandes entreprises de la région parisienne et de la province, agissent au sein de la CGT et de FO.

Fédération des étudiants révolutionnaires

Constituée en avril 68, elle est issue du COMITÉ DE LIAISON DES ÉTUDIANTS RÉVOLUTIONNAIRES, lui-même fondé en 1961 par des trotskistes du journal *Vérité.* Elle publie *Révoltes.* Ses militants sont très actifs au sein de l'UNEF, dont ils dirigent plusieurs associations de province. La FER anime des tendances syndicales minoritaires au sein du SNI et du SNES. Des ouvriers de la même tendance publient *Informations ouvrières.* Ses points forts : quelques usines de Loire-Atlantique et l'École normale d'Auteuil.

Jeunesse communiste révolutionnaire

Née en 1966 d'une scission des Étudiants communistes, la JCR, quasi absente du monde ouvrier, se montre très active à l'UNEF. Très sensible au conflit vietnamien et aux agressions impérialistes, ses militants animent avec succès le Comité Vietnam national et divers comités latino-américains. La JCR publie *Avant-garde;* elle est présente dans toutes les facultés de lettres et dans les villes universitaires où elle publie des feuilles locales. Dans les lycées, elle est à l'origine de Comités d'action créés à la rentrée 1967. Nombre de ses dirigeants adhèrent à la IVe Internationale.

LES ANARCHISTES

Proudhon, Bakounir

Les anarchistes se méfient de toute organisation trop rigou reuse; ils forment néanmoins des groupes durables. Tous pro pagent, sans trop y croire, l'idée ancienne de la grève générale insurrectionnelle : le *Grand Soir !* Ils développent les thème fédéralistes pour résister à l'Éta

Fédération anarchiste française

Publie depuis 1953 *le Monde libertaire.* Elle regroupe le plus grand

L'Union fédérale anarchiste

Qui a repris le titre prestigieux : *le Libertaire.* Mais ce groupe s'ato mise et ne peut même plus faire

Organisation révolutionnaire anarchiste

Dynamique et connue des étudiants, elle publie *l'Insurgé,* qu'elle

Les anarchistes-communistes

Peu nombreux, ils tentent de concilier l'esprit libertaire et le communisme. Ils s'inspirent aussi de Rosa

et Louise Michel.

hypercentralisateur et relancent
e vieux thème de l'autogestion.
Volontiers provocants, ils sont
es seuls militants politiques à
prôner une liberté sexuelle
otale et à faire connaître les
écrits de Wilhelm Reich. Ils sont
surtout divisés par des problèmes d'organisation

...taire

...nombre de militants. Une scission
en 1953 a donné naissance à :

...paraître son journal en 1967. En 68,
un petit groupe fait renaître *le
Libertaire*, mais n'assure que quatre numéros dans l'année.

...diffuse à Paris et dans plusieurs
villes de province.

...Luxemburg et prônent la création
de conseils d'ouvriers. Leur publication s'appelle *Noir et Rouge*.

LES MARXISTES-LÉNINISTES

Les « ML » estiment que la pensée de Mao est le marxisme-léninisme de
notre époque, mais ils revendiquent aussi l'héritage de Marx, d'Engels,
de Lénine et même de Staline, ce qui provoque de vives discussions
avec les trotskistes et les anarchistes. Le PCF les combat avec une
vigueur particulière.

l'Humanité nouvelle

Parti communiste marxiste-léniniste
de France

Issu des Cercles marxistes-léninistes, le PCMLF se constitue en parti après le
congrès de Puyricard en 1967. Il compte dans ses rangs des travailleurs et
d'anciens résistants des FTPF qui reprochent au PCF son abandon des
principes révolutionnaires au profit des combines électorales. Il refuse toute
alliance avec la social-démocratie. Il publie *l'Humanité nouvelle* (hebdomadaire). Ses points forts : Marseille, Lyon, le Val de Loire.

servir le peuple

Union des jeunesses communistes
marxistes-léninistes

Fondée en 1966 par des étudiants dissidents de l'UEC, l'UJCML estime qu'il est
trop tôt pour se constituer en parti. Elle publie *Servir le peuple* et *Garde rouge*.
Très ouvriériste, elle s'active beaucoup dans les quartiers populaires et certains
militants « s'établissent » même comme OS dans des usines.
Ses points forts : les Écoles normales supérieures et quelques grosses usines
de la région parisienne (Renault-Flins, par exemple).
Ses adhérents animent aussi les Comités Vietnam de base qui publient *Victoire
pour le Vietnam*.

enquêtes sur la condition ouvrière, vite jugées insuffisantes. Après un «grand mouvement de rectification», l'UJCML décide de s'intégrer totalement à la classe ouvrière. C'est le mouvement «d'établissement»; amorcé en 1967, il se confirme en 1968. Par dizaines, les militants abandonnent leurs études. Camouflant leurs diplômes, ils s'embauchent comme OS ou manœuvres. Ils tentent, parfois avec succès, d'établir des cellules d'entreprise. Très actifs, les «établis» contribueront au durcissement des grèves à Flins.

Tous les groupes soutiennent avec une même ardeur les grèves ouvrières. Dans l'hiver 1967-1968, dès qu'un conflit éclate, leurs militants arrivent. Des membres du PCMLF déclenchent même des actions victorieuses chez Paulstra à Châteaudun, ou Casino à Marseille. En janvier, sur le chantier de la «fac» des sciences à Paris, les 800 ouvriers de chez Schwartz-Haumont cessent le travail; ils acceptent l'aide et l'argent de l'UJCML et, avec son appui, poursuivent la grève malgré l'avis contraire de la direction de la CGT. Cela vaut à la fédération du bâtiment une circulaire interne incitant les responsables à la vigilance contre les infiltrations «prochinoises». Cette consigne va dans le même sens que les interventions d'Étienne Fajon dans *l'Humanité* qui mettent les lecteurs en garde contre les «distributeurs rétribués et recrutés hors de l'entreprise». Avertissement qui vise en bloc tous les «gauchistes», que le PCF commence à prendre au sérieux. Dès avant les grèves de mai, l'antagonisme PCF-«gauchistes» existe, le Parti ne tolérant pas que l'on empiète sur ce qu'il considère comme son fief : les usines.

L'UNEF.

Pendant la guerre d'Algérie, l'UNEF avait largement étendu son audience auprès d'étudiants très réceptifs, en raison de leur âge et de leur situation militaire, aux arguments des adversaires de la présence française. En 1962, on attribuait à l'UNEF 100 000 membres actifs qui manifestaient en masse contre cette guerre coloniale, aux côtés des syndicats et des partis de gauche.

La fin du conflit donne le signal du déclin. Très lent au début, il

L'EXTRÊME DROITE FRANÇAISE

A l'image de ceux d'extrême gauche, les mouvements d'extrême droite plongent leurs racines dans le XIXe siècle et se réfèrent même à l'Ancien Régime.

Très diverses, leurs théories vont du royalisme chrétien au fascisme xénophobe, en passant par un républicanisme musclé. Entre eux, les pommes de discorde ne manquent pas : la construction d'une Europe unie, Israël, la république, la chrétienté... Divisés en groupes rivaux et numériquement faibles, ils partagent cependant un goût prononcé pour l'Ordre (érigé en principe), la discipline, la hiérarchie et les valeurs militaires. Ils ne se gênent pas pour dénoncer ceux qu'ils jugent responsables des maux qui accablent la France : les métèques, les instituteurs gauchistes, les jeunes drogués et, bien sûr, les marxistes de tout poil. L'anticommunisme cimente cette coalition dont les projets de société et les motivations diffèrent d'un groupe à l'autre.

Les Étudiants et Lycéens Nationalistes adhèrent à la RESTAURATION NATIONALE

Mieux que le capitalisme libéral et bourgeois
Mieux que le capitalisme d'Etat soviétique
Un pouvoir plus fort que l'argent : le ROI

La Restauration nationale = l'Action française

Organisation monarchiste, sur le déclin depuis la Libération, en principe dissoute, l'AF se retranche derrière la revue *Aspects de la France*. Elle prône le «nationalisme intégral» et recherche dans ce domaine une doctrine inspirée de Charles Maurras. Elle espère restaurer une «monarchie populaire» autour du comte de Paris. Volontiers frondeuse, elle dénonce la bourgeoisie affairiste : «Mieux que le capitalisme libéral et bourgeois. Mieux que le capitalisme d'État soviétique. Un pouvoir plus fort que l'argent : le roi.» Ses étudiants n'hésitent pas à échanger quelques coups avec les «cocos» au cours de ventes à la criée, mais ne recherchent pas systématiquement l'affrontement.

L'AF trouve des sympathisants chez les officiers de carrière, surtout dans la cavalerie (les chars). Son support financier et moral, l'aristocratie foncière, possède encore de solides bastions dans le Bassin parisien et l'Ouest.

L'Alliance républicaine

Très active lors des élections présidentielles de 1965, l'Alliance républicaine, dont le dirigeant Jean-Louis Tixier-Vignancour était candidat, sommeille un peu en mai 68. En juin, elle se ressaisit et contribue à la formation d'un Front anticommuniste. Fidèle à l'idée d'une France corporatiste et traditionaliste à l'image de celle de Vichy, elle compte des partisans chez les magistrats, les artisans et les boutiquiers.

Occident

Le groupe le plus actif et le plus violent. Très structuré, il croit aux vertus de l'action directe et recherche volontiers l'affrontement avec les «bolchos». Il revendique plusieurs attentats au plastic et «visite» régulièrement les locaux de l'UNEF, laissant après son passage son sigle sur les murs : la croix celtique.

Mouvement xénophobe, proche du NPD allemand et du MSI italien avec lesquels il organise des réunions communes, il recrute quelques ouvriers, des lycéens, des chômeurs, d'anciens paras ou légionnaires et bénéficie de sympathies dans l'armée et la police.

Il est bien implanté à Paris et dans les villes universitaires du Midi.

L'Organisation armée secrète

Officiellement dissoute et durement poursuivie par les gaullistes de 1960 à 1963, elle n'existe en principe plus. Plusieurs de ses membres ont été exécutés, emprisonnés ou exilés. Toutefois, des réseaux de base et des amitiés subsistent localement, surtout dans le Midi. Née d'une guerre coloniale, l'OAS n'a pas de doctrine précise mais de solides antipathies pour toute la gauche jugée responsable du départ d'Algérie. Après de multiples purges, son influence dans l'armée et la police est devenue faible.

Fédération des étudiants nationalistes (FEN)

Créée en 1961, la FEN publie les *Cahiers universitaires*. Elle condamne la lutte des classes qui « détruit l'unité du corps national ». Dans le domaine universitaire, elle combat le plan Fouchet qui « entraînera l'uniformisation et la dévaluation des diplômes » et réclame l'autogestion des facultés par les étudiants et les professeurs. Elle demande la suppression des crédits d'aide au Tiers Monde, le retour des 29 000 professeurs français détachés dans les « pays arriérés », le renvoi des étudiants noirs et des facilités d'études pour les étudiants européens. Elle compte quelques centaines de militants.

le cafard guette 300.000 étudiants

De toutes les libertés humaines, la plus précieuse est

L'INDÉPENDANCE DE LA PATRIE

CHARLES MAURRAS

L'extrême droite présente dans la France de 68 : les *Cahiers universitaires* proposent un remède contre le cafard : la révolution... nationaliste ! L'Action Française a changé d'*Aspects*... mais pas d'inspirateur. Six ans après l'indépendance de l'Algérie, l'OAS et le gaullisme demeurent inconciliables.

---

s'accélère de 1965 à 1968, les nouvelles adhésions ne suffisant pas à compenser le départ des « anciens ».

Toutefois, en 68, avec 45 000 membres, l'UNEF, présente dans toutes les villes universitaires, demeure le premier syndicat étudiant, loin devant la FNEF, sa rivale corporative. Elle se bat sur plusieurs fronts :

- sur le plan social, elle protège les acquis des luttes étudiantes : Sécurité sociale, mutuelle, « restau » et « cités-U » ;

- sur le plan matériel, elle revendique plus de locaux, de maîtres, de bibliothèques...

Dans ces deux domaines, l'accord se fait facilement entre les diverses tendances, mais, face à la réforme Fouchet, et sur le problème du statut de l'étudiant, des divergences apparaissent.

En fait, depuis la Libération, l'Université est en réforme permanente. Le plan Fouchet, auquel l'UNEF s'oppose sans grande conviction, n'est qu'un replâtrage parmi beaucoup d'autres. Les militants les plus actifs sont maintenant préoccupés par d'autres problèmes : le statut de l'étudiant dans la société et la fonction de l'Université. Les plus avancés veulent rompre avec leur situation bâtarde : mi-enfants mi-adultes; ils ont choisi l'adulte. On les trouve surtout dans les cités universitaires où des étudiants, quelquefois mariés, se voient appliquer des règlements de collégiens. Dans les facultés, plus libres de leur temps, ils restent des mineurs prolongés dépendant financièrement et juridiquement de leurs parents. D'où un désir profond d'indépendance, un refus de l'autorité et de la tutelle pesante de la famille et de l'administration.

D'autres vont plus loin encore, remettent en cause le contenu et la forme de l'enseignement et

Toutes ces tendances se superposent aux tendances politiques, ce qui affaiblit et divise l'UNEF. Les groupes se livrent à une bataille permanente pour le contrôle de l'appareil, et chacun, par ville et par secteur, s'y taille son fief. Forum et carrefour des groupes d'extrême gauche, l'UNEF devient progressivement ingouvernable. On va jusqu'à se battre dans les Assemblées générales (AG) et les congrès pour garder la tribune. En mars 68, le bureau national doit publier un communiqué pour protester contre les méthodes « terroristes » de la tendance CLER : « ... Nous appelons métho-

tes parlent de faire scission. Jacques Sauvageot (PSU) assure l'intérim. C'est une UNEF divisée, désorganisée et sans président en titre qui aborde le mois de mai 68.

Les sanctuaires du quartier Latin.

Le quartier Latin s'identifie pour beaucoup à la fontaine Saint-Michel, où chaque jour se retrouvent des amours débutantes, à la librairie Gibert, point de transition entre le lycée et la faculté, ou au Trésor du musée de Cluny. Pourtant, de 1962 à 1968, discrètement, souterrainement, s'y est créée une vie politique parallèle, héritière de la guerre d'Algérie et de traditions plus anciennes. Dans un rectangle de 2 kilomètres sur 1 se trouve réunie une des plus fortes densités d'étudiants qui soit au monde.

Dans cet univers de facultés, de laboratoires, de librairies et de cafés, les militants étudiants évoluent comme des poissons dans l'eau. Ils connaissent chaque rue, chaque vitrine, chaque square. Ils se déplacent de meeting en réunion avec aisance, et partout polémiquent, discutent, s'affrontent. Ils sont chez eux. Depuis 1962, la police, redevenue discrète, n'a plus pénétré dans les universités. Chaque groupe possède des bases solides et sûres, connaît bien celles des autres et, suivant les cas, les évite ou les attaque.

Des librairies peuvent devenir le point de ralliement d'un mouvement. Ainsi le « Gît-le-Cœur » : deux vitrines grillagées jour et nuit donnent sur une rue peu passante aux murs tapissés de pages de *Servir le peuple* et de *Garde rouge*. Deux portes blindées peintes en rouge, formant sas, se referment sur chaque visiteur. Devant le nouvel arrivé, simple sympathisant, les conversations changent ou s'arrêtent; chacun fouine dans les œuvres de Mao Tsé-toung ou les classiques du marxisme-léninisme. Diffusés en sourdine : des chants révolutionnaires de tous pays. Sur les murs, des posters de Lénine, de Hô Chi Minh, de Mao, de Marx et de Staline. Une atmosphère feutrée, défiante, très « Taisez-vous, des oreilles ennemies vous écoutent », qui devient passionnée dès la fermeture, quand les membres de l'UJCML se retrouvent entre eux, tard dans la nuit.

Rue Soufflot : l'immeuble de l'UNEF.

luttent contre l'assiduité obligatoire aux cours et pour une participation des étudiants à la gestion des facultés. Certains considèrent la « condition étudiante » comme un mythe. Ils vont jusqu'à nier la possibilité d'un syndicalisme étudiant pour lui préférer l'action politique directe. Enfin, une minorité juge l'Université irrécupérable et veut tout simplement la détruire en la paralysant, pour en reconstruire ensuite une nouvelle.

des terroristes la constitution de commandos chargés d'expéditions punitives, les menaces physiques, le sabotage des réunions syndicales... »

Le 21 avril 1968, à Paris, une AG tente de dénouer la crise et de remplacer le président démissionnaire M. Perraud (PSU). L'extrême droite attaque, transformant la réunion en pugilat. On se sépare sans avoir pris de décision. Les associations les plus corporatis-

Le quartier Latin en 1968.

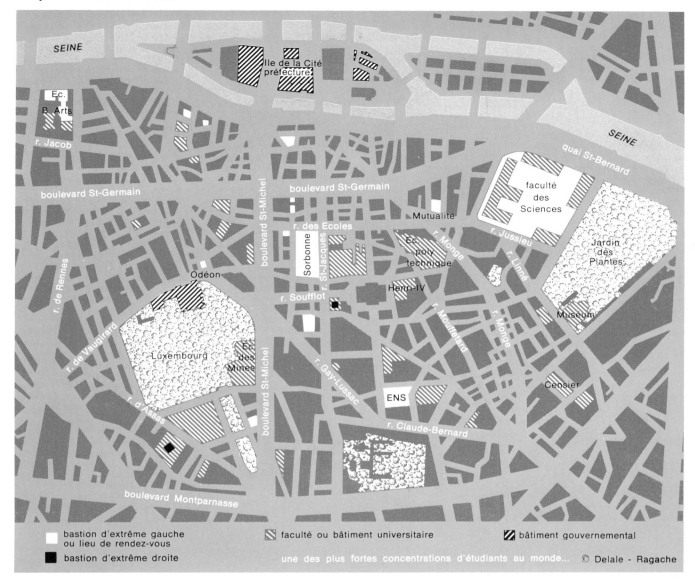

bastion d'extrême gauche ou lieu de rendez-vous
bastion d'extrême droite
faculté ou bâtiment universitaire
bâtiment gouvernemental

une des plus fortes concentrations d'étudiants au monde...   © Delale - Ragache

A 100 mètres de là, rue Saint-Séverin, *la Joie de lire* fondée par François Maspero pendant la guerre d'Algérie. Dans sa librairie, les étudiants peuvent s'initier aux multiples courants dérivés du marxisme : trotskisme et guévarisme en particulier. Formule neuve, la boutique reste ouverte jusqu'à minuit, permettant à nombre de noctambules d'y faire un tour. On y reste des heures à feuilleter, à lire ou à comparer Guevara, Trotski, Régis Debray et Blanqui. Une section revues militantes accueille des feuilles plus ou moins confidentielles, françaises et étrangères. Place Paul-Painlevé, les éditions Maspero, très orientées vers les problèmes du Tiers Monde, voisinent avec *Clarté.* Cette dernière, beaucoup plus qu'une librairie, est le lieu de

réunion des étudiants de l'UEC, dont la revue porte le même nom. Jusqu'aux scissions avec la JCR et l'UJCLM (1966), l'activité politique y est intense. En face, au café *Le Champo,* les tendances au sein de l'UEC se sont organisées autour d'un verre et d'un sandwich, hors des réunions formelles. A deux pas de là, dans les étages de la Sorbonne, le local de la FGEL (UNEF) est un bastion trotskiste. Il est l'objectif fréquent des nationalistes souvent venus de la faculté de droit, rue d'Assas. Dans cette dernière, un ensemble ultra-moderne de verre et d'acier, des juristes, en majorité fils et filles de la grande bourgeoisie, maintiennent une garde vigilante contre le bolchevisme et ses alliés. Tenir une table de vente de l'UNEF dans le grand hall rue

d'Assas représente un réel risque physique. Pour se maintenir dans les lieux, les militants de l'UNEF demandent souvent du renfort à la Sorbonne.
A l'opposé, rue d'Ulm, une base rouge : l'École normale supérieure. On y publie les *Cahiers marxistes-léninistes,* en opposition ouverte avec le PCF. L'UJCML y est née, et son siège se confond avec les « turnes » des normaliens. Le costume coupe Mao s'y porte avec avantage, les *dazibaos* (affiches manuscrites) abondent dans les couloirs. En raison du libéralisme traditionnel de l'École, l'UJCML a pratiquement occupé une partie des locaux. Une « école de formation théorique » y fonctionne en 1966-1967. On y monte un atelier de sérigraphie, et les machines à

écrire et les ronéos de l'administration sont largement mises à contribution. La direction de l'UJCML se réunit dans les souterrains, ou, plus prosaïquement, dans un amphithéâtre. La rue d'Ulm : un sanctuaire marxiste-léniniste où l'on se flatte de combattre sans concessions l'idéologie « petite-bourgeoise ».

Sur la montagne Sainte-Geneviève, l'École polytechnique relève de l'armée. Pourtant, l'UNEF et quelques anarchistes s'y sont infiltrés. Peu nombreux, ils rencontrent un certain écho en attaquant le sévère règlement intérieur. Tous les militants UNEF des grandes écoles (UGE) retrouvent rue Christine ceux des classes préparatoires (AGEP). Dans un étroit deux-pièces au fond d'un couloir sombre, on élabore la savante cuisine des majorités et des minorités de bureau, à l'abri d'une épaisse porte de bois, calcinée à deux reprises par les activistes de droite. Les dirigeants nationaux de l'UNEF, eux, siègent rue Soufflot, dans un immeuble en pierre de taille. Téléphone, fichier, stock de revues, tracts, ronéo, pagaille, rafles diverses, bagarres, rien n'y manque. Du balcon : vue sur le Panthéon et le Luxembourg. Ce jardin appartient autant aux étudiants qu'aux gosses du quartier. On s'y détend, « sèche » des cours, rêve; on y « baratine » de belles étrangères, tout en évitant les chaisières !

Sur le haut du « Boul'Mich », près du restaurant universitaire Bullier, l'austère librairie Norman Béthune, point de ralliement des militants des CVB. On y trouve le *Courrier du Viet-Nam*. Portraits de l'Oncle Hô, photos de combattants du FNL, un ton sérieux, grave : on ne plaisante pas avec le martyre d'un peuple, tout le monde est d'accord sur ce point. Parler des trotskistes du CVN y est tout de même mal vu.

Baies vitrées, béton, acier, salles fonctionnelles et claires, un bâtiment qui sent le neuf : Censier, annexe d'une Sorbonne trop étroite, n'a pas encore d'histoire. La fermeture de sa grande sœur, en mai, et sa position légèrement excentrique la transformeront vite en base arrière du mouvement. Rue Saint-Victor, les salles de la « Mutu » sont louées à toutes les collectivités. Les meetings s'y succèdent : libertaires, maoïstes, monarchistes, fascistes, pacifistes... Une atmosphère enfumée, enfiévrée : slogans scandés, discours, tonnerres d'applaudissements, silences religieux, chants révolutionnaires. On se compte, compare les taux de remplissage de la grande salle; on prend des contacts. Les grands soirs, les groupes rivaux se pressent devant la porte, chacun dénonçant, sa presse à bout de bras, les pseudo-révolutionnaires d'en face. Cris, bousculades, c'est l'indispensable baptême du militant.

Sur la frange nord du quartier : les quais, les bouquinistes, les touristes. Au square du Vert-Galant, sur l'île Saint-Louis et rue de la Huchette, étudiants, jeunes de toutes les nationalités, clochards et hippies font bon ménage. On échange idées, poèmes, serments, combines en tout genre; là, les cheveux longs dominent. En principe, on y fait peu de politique, mais les idées pacifistes, l'opposition à une morale jugée trop rigide et les tracasseries permanentes de la police conduiront ces jeunes à grossir les rangs des manifestants de mai.

Cette intense vie du quartier Latin, étrangère aux loisirs des travailleurs, plus à l'aise sur les boulevards, n'est guère plus familière aux bourgeois, petits ou grands, qui lui préfèrent les Champs-Élysées ou le bois de Boulogne. Aucun grand parti ou syndicat n'y siège, pas même le PSU qui campe dans un pavillon ouvert à tous vents rue Mademoiselle. Le monde étudiant fermente donc en vase clos. Ses problèmes, ses fantasmes et ses inquiétudes échappent aux travailleurs comme aux hommes politiques. Quelques milliers d'étudiants seulement veulent radicalement changer la société, mais regroupés, en terrain de connaissance, sûrs de la justesse de leur cause, enthousiastes et pressés de vivre, ils vont s'accrocher à leur quartier et à leurs espérances. Bien rares ceux qui comprennent que cette minorité active exprime très haut ce que beaucoup pensent ou formulent secrètement.

En mai, le quartier Latin en ébullition va surprendre, inquiéter, fasciner le pays tout entier. Il va

Pour les marxistes-léninistes, Mao est plus familier que Diderot ou Voltaire.

devenir le symbole d'une révolte à laquelle jeunes travailleurs et militants syndicalistes se trouveront vite sensibles. Paradoxalement, c'est de la Sorbonne que partira, fin juin, le slogan : « Trop tard bourgeois, la Révolution n'a pas de temple ! »

Nanterre « la folie »

« La Folie » : une baraque branlante, planches disjointes, air penché, tient lieu de gare. Chaque matin, étudiants et ouvriers jaillissent des wagons en un même flot et franchissent une passerelle couverte d'affiches et de slogans (« Libérez Debray ! » « Vive Guevara ! »). Puis la foule se scinde en deux groupes bien distincts. L'un marche vers les usines; l'autre longe des murs gris, contourne des hangars en démolition, patauge dans la boue des chantiers et rejoint les bâtiments neufs de la faculté.

Rêve et contestation politique feront bon ménage en mai.

« Nous ne remercierons jamais assez l'État de nous avoir offert une cité et une université si fonctionnelles... »

C'est un campus à l'américaine dernier cri : de grandes tours reliées à la base par des galeries, des amphithéâtres éclairés au néon, de vastes couloirs, des ascenseurs réservés aux professeurs, des murs aux peintures immaculées, de beaux panneaux destinés exclusivement à l'affichage administratif, un hall spacieux où l'on déambule entre deux cours. Tout a été pensé par des technocrates sûrs d'euxmêmes. Tout se veut fonctionnel, rationnel, scientifique. Tout est impersonnel. Il n'y manque qu'une chose : LA VIE !
Pour la majorité des étudiants, cette fac est un simple lieu de passage, une usine à apprendre. On s'y assoit sagement dans les amphithéâtres pour écouter les professeurs qui laissent tomber parcimonieusement des Vérités Majuscules sur un auditoire studieux. Un ennui insidieux, latent, diffus colle à Nanterre. Les seuls lieux de rencontre y sont le restau-U, avec ses longues files d'attente où l'on s'interpelle en resquillant, et la cafétéria. La vie sociale, affective, culturelle se déroule hors du campus.

« Nous proclamons la liberté de circulation et d'information à l'intérieur de la cité-u ! » (l'ARCUN le 22 mars 1967, 2 h du matin).

Pour les 1250 étudiants de la Cité universitaire qui logent sur place, Nanterre, c'est le QUOTIDIEN. De leur fenêtre, ils contemplent un chantier permanent, l'énorme tranchée du RER, des voies ferrées, des usines, le plus vaste bidonville de France et des HLM. Le soir, dans cette banlieue déserte, ils ne peuvent que travailler dans des chambres au mobilier standard qu'il est interdit de déplacer, tout comme il est, en principe, interdit d'afficher sur les murs. Cela n'empêche pas chacun de personnaliser *ses* murs par des posters hippies, des photos de femmes nues ou des affiches politiques.
Pour se changer les idées, on se réunit dans une « turne » où l'on discute, à en perdre le souffle, du monde futur ou d'ailleurs exotiques : Népal, Afghanistan, Amérique latine. Ou bien encore, on mange un couscous dans un troquet arabe voisin, avant de s'entasser à 6 ou 7 dans une 2 CV pour faire une sortie à Paris.

Dans les bâtiments, aucune liberté d'expression; pas d'affichage ni de réunions à caractère religieux, politique ou philosophique. Dans les salles-foyers organisées autour d'une télévision, on peut jouer aux échecs, aux cartes, à la rigueur danser. Il n'y a pas non plus de liberté de circulation dans le bâtiment des filles : le règlement intérieur qui les considère comme mineures (même audelà de vingt et un ans), empêche tout mâle d'y pénétrer. En revanche, les petites amies sont tolérées, y compris le soir, dans le bâtiment des garçons...
Tous ces interdits sont prononcés au nom de l'Université Laïque, Neutre, Apolitique et Asexuée... Le petit monde fermé de la cité-U, coupé de la ville, vit et fermente en vase clos. Chacun y prend lentement conscience de ses frustrations, de sa solitude et de celle des autres.
Refusant la passivité, une association de 500 résidents s'organise : l'ARCUN. Elle lutte pied à pied contre ce règlement désuet, plus proche de l'internat de collégiennes que du monde étudiant. En quelques mois, les militants de l'ARCUN vont faire voler en éclats ce qu'ils considèrent comme des

Joyeuses cavalcades à Nanterre.

tartufferies. Le 16 mars 1967, après une AG, l'ARCUN abolit le règlement intérieur et instaure la liberté de circulation et d'expression. Mise devant le fait accompli, l'administration appelle (avec l'accord du doyen Grappin) les forces de police qui, dans la soirée du 21 mars, encerclent le bâtiment des filles pour y arrêter les 150 garçons qui l'occupent. Mais ces derniers, refusant de se laisser embarquer, se barricadent au neuvième étage avec leurs compagnes. Ils bloquent les escaliers avec des meubles et s'arment d'extincteurs et de barres de fer. La police parlemente, l'affaire s'éternise et, à 2 h 30 du matin, les assiégés font publier par leurs camarades de l'extérieur un communiqué réclamant la liberté de circulation, de réunion, d'information. Au matin, la situation devient critique pour la police qui est, à son tour, encerclée par un flot grandissant d'étudiants venus de la faculté. Pour éviter une violente bagarre, le doyen autorise les assiégés à sortir sans arrestations ni contrôles d'identité. Victoire morale pour l'AR-CUN, certes, mais la presse ironise, grinçante, sur les « étudiants coureurs de jupons »; elle ne saisit pas la revendication fonda-

La lutte pour un statut d'adulte

L'agitation dans les cités universitaires remonte à 1965 : à Montpellier, l'occupation du bâtiment des filles provoque l'intervention de la police; à Bordeaux et à Antony, le règlement intérieur est vigoureusement dénoncé.

En 1967, Nanterre n'est pas la seule résidence en ébullition. Depuis plusieurs mois, des associations, coordonnées entre elles nationalement par la FRUF, mènent diverses actions : grève des loyers, affichages sauvages, suppression des règlements. Antony et Buressur-Yvette sont à la pointe du mouvement; à Lille, à Rennes et à Nancy, des garçons occupent symboliquement les bâtiments réservés aux étudiantes. A Caen, 80 % de ces dernières se déclarent d'ailleurs favorables au « droit de visite »...

mentale des résidents : être reconnus comme adultes.

« Occident vaincra ! » « Le fascisme ne passera pas ! »

A deux pas de la cité se développe une agitation plus directement politique. Après l'ouverture, en 1966, d'une faculté de droit, les groupes d'extrême gauche et l'UNEF voient rompue leur situation de monopole : la FNEF et l'extrême droite tentent de prendre pied à Nanterre; toutefois, le rapport de forces restant en faveur de la gauche, elles font appel à des groupes extérieurs qui organisent de véritables

actions de commandos. En novembre 1966, l'UNEF se dote d'un service d'ordre pour assurer la protection de ses distributions quasi quotidiennes de tracts. Le groupe Occident, fortement structuré, agit surtout le jeudi (jour de repos des lycéens). Ses membres opèrent très vite. Ils débarquent soit par le train, soit en camionnettes et déclenchent des bagarres brèves mais très dures : manches de pioches, pierres, bouteilles, tout est bon. Au cri d'« Occident vaincra ! » répond « Le fascisme ne passera pas ! ». On relève des blessés de part et d'autre. En octobre 1967, les affrontements reprennent de plus belle, espacés mais réguliers, pour ne plus cesser jusqu'au mois de mai 68. Ils contribuent au climat de violence qui, progressivement, va paralyser la faculté.

Non au plan Fouchet !

L'UNEF dénonce sans cesse le plan Fouchet de réforme de l'Université. En octobre 1967, son application pose des problèmes aux étudiants en cours d'études qui s'estiment lésés par le système d'équivalence établi entre l'ancien et le nouveau régime des examens. La grève éclate en novembre. Des piquets déterminés interdisent l'accès de la faculté aux non-grévistes. L'UNEF et le département de sociologie jouent un rôle moteur. La plupart des professeurs rentrent dans leur coquille, laissant les assistants dialoguer avec les étudiants. L'administration se dérobe. Elle s'abrite derrière le ministre et, comme lui, considère les grévistes comme des trublions irresponsables. Des Comités de liaison étudiants-enseignants mis en place pour la circonstance fonctionnent mal, sauf en sociologie. La grève, malgré son ampleur, échoue. La masse des étudiants reprend sans joie les cours. Mais une minorité refuse de désarmer et décide de recourir à l'action directe. Elle va concentrer ses attaques contre la forme et le contenu de l'enseignement. Elle dénonce l'accumulation gratuite des connaissances, les cours magistraux, la coupure entre une

Le mouvement du 22-Mars et Daniel Cohn-Bendit

Le Mouvement du 22-Mars, né d'une situation locale, n'est lié à aucun parti en particulier. Trois tendances principales y coexistent : anarchiste et trotskiste au début, maoïste plus tard. L'UJCML, représentant cette dernière tendance, après avoir affirmé : « Le caractère de ce mouvement est réactionnaire à 100 %... », le rejoindra fin avril à la suite d'une retentissante autocritique. En pratique, les militants anarchistes et trotskistes (ceux de la JCR en particulier) animent le mouvement qui, à son apogée, compte 1 200 adhérents. Quelques figures se détachent : J.-P. Duteuil, Y. Fleish, X. Langlade et Daniel Cohn-Bendit.

Dany, bon orateur, sympathique même à bien des adversaires, a vu son rôle grossi par la presse. Lucide, il reconnaît lui-même dans un ouvrage récent que, si son action personnelle est certaine dans la phase nanterroise de l'agitation étudiante, il n'en est plus de même au quartier Latin à partir du 3 mai. Au-delà du 10 mai, les déclarations qu'il fait sur les ondes françaises, et *a fortiori* étrangères, relèvent du subjectivisme et n'engagent que lui. En exil, récupéré par le monde du journalisme, il perd progressivement tout contact avec la réalité française : « Je ne faisais que ça. Parler en public et dans les émissions de télévision... Je devenais une vedette, avec tout ce que cela implique dans la société du spectacle... »

culture livresque et poussiéreuse et un monde en pleine évolution. Le sabotage d'examens partiels, l'obstruction dans certains cours multiplient les incidents. A partir de janvier 68, trois types de revendications convergent au point de rendre la faculté ingouvernable :
- remise en cause du statut de l'étudiant par les résidents de la cité et les sociologues;
- remise en cause du contenu et de la forme de l'enseignement, des « mandarins », du plan Fouchet et de l'administration.

- contestation directement politique, avec les actions pour ou contre le FNL vietnamien.

« Si vous avez des problèmes sexuels, trempez-vous dans la piscine ! »

Le 8 janvier, Daniel Cohn-Bendit (étudiant en sociologie) interpelle le ministre Missoffe venu inaugurer une piscine sur le campus. Lui demandant pourquoi il n'y a aucune allusion à la sexualité dans le rapport sur la jeunesse qu'il vient d'éditer, Cohn-Bendit

22 mars 67 - Le dernier cercle : celui des manifestants encercle celui de la police qui encercle les occupants du bâtiments des filles. Un an plus tard, l'arrestation de X. Langlade (de dos) sera à l'origine du 22-Mars.

s'entend répondre : « Si vous avez des problèmes sexuels, trempez-vous dans la piscine ! », réplique qui reflète la conception répressive de la majorité des adultes dans ce domaine. Par la suite, « Dany le rouge », citoyen allemand, est menacé d'expulsion.

Le 27 janvier, la police intervient en force pour mettre fin à une curieuse exposition sauvage dans le hall de la faculté : celle des portraits agrandis de policiers en civil opérant sur le campus depuis quelques mois. Mal lui en prend. Un millier d'étudiants en colère reconduisent à coups de chaises et de pierres la police jusqu'à ses cars.

En février et en mars, l'intensification de la guerre du Viet-Nam relance l'agitation. A Paris, de violentes manifestations en faveur du FNL se succèdent. L'arrestation d'un étudiant de Nanterre, Langlade, après un attentat contre l'American Express, provoque la colère de 300 de ses camarades, qui tiennent un meeting sauvage le 22 mars 68 dans un amphithéâtre baptisé « Che Guevara ». Dans la nuit, 142 d'entre eux occupent la salle du Conseil, au sommet de la grande

Nanterre : les murs ont déjà la parole.

tour. Ils exigent la libération de Xavier Langlade et le droit à l'expression politique. Peu après, ils décident de poursuivre l'action commune : le Mouvement du 22-Mars est né.

Le « cocktail de Dany » (inefficace !).

COMMENT FAIRE UN COKTAIL MOLOTOV

chiffon imbibé d'essence

2/3 d'ESSENCE

1/3 de sable + savon en poudre

Suite page Rapport Université Critique.

2) D'autre part, les étudiants subissent sans aucun moyen de regard des décisions qui influent sur leur vie future et présente. Ils n'ont aucun pouvoir sur leur mode d'existence, même au travers

« Professeurs, vous êtes vieux et votre culture aussi. »

Slogans peints, graffiti, affiches, fresques même, submergent alors les murs des amphithéâtres, des couloirs, gagnent les étages en une marée irrésistible. Chacun s'exprime, règle ses comptes : « Professeurs, vous êtes vieux et votre culture aussi », « Laissez-nous vivre », « Prenez vos désirs pour des réalités ».

Soucieux de ne pas se démobiliser, le M22 annonce pour le 29 mars une journée « université critique » à l'image des actions du SDS allemand. Le doyen fait alors suspendre les cours (jusqu'au 1er avril) et ferme la faculté. Le 29, 400 étudiants, assis sur les pelouses du campus, critiquent dans le calme le système universitaire. Mais le 2 avril, à la réouverture, devant 1 000 étudiants, Cohn-Bendit déclare : « Nous refusons d'être les futurs cadres de l'exploitation capitaliste. » Les professeurs réagissent de manière conservatrice. Le 22 avril, 18 d'entre eux, dont quelques hommes de gauche, réclament « les mesures et les moyens pour que les agitateurs soient démasqués et sanctionnés ». Le doyen fait alors adopter trois mesures répressives : création d'une force de sécurité placée sous son autorité et d'un conseil de discipline propre à Nanterre; libre accès de la police aux voies de circulation du

campus. Mais le mouvement grossit lentement et se radicalise. Il ne touche encore qu'une minorité, et la presse quasi unanime se déchaîne contre les « enragés », les « groupuscules », les « anarchistes ». Au congrès de la Jeunesse communiste, Waldeck-Rochet appelle à la vigilance envers les gauchistes présentés comme des opportunistes de droite.

« Juquin petit lapin court sur les gazons de Nanterre. »

Le 26 avril, Pierre Juquin, membre du Comité central du PCF, vient à Nanterre défendre les thèses de son parti : « Les agitateurs-fils à papa empêchent les fils de travailleurs de passer leurs examens... » L'exposé tourne court avec l'intervention vigoureuse de l'UJCML, et Juquin ne doit son salut qu'à la fuite.

D'autre part, le cycle des bagarres sur le campus reprend. Les opposants de droite se regroupent, et 400 d'entre eux, membres de la FNEF, réclament des sanctions contre les agitateurs. Le groupe Occident intervient à nouveau. Un membre de la FNEF blessé au cours d'une bagarre porte plainte contre X. Cohn-Bendit, nullement mêlé à l'affaire, est pourtant arrêté le 27 avril. En fait, il est inculpé pour avoir publié, en dernière page du *Bulletin du 22-Mars*, la recette (inefficace) d'un cocktail

« Au boulot, les fils à papa ! »

Depuis 1954, le gouvernement interdit tout défilé populaire le 1er mai à Paris. En 1968, la CGT, officiellement soutenue par le PCF, se déclare décidée à rétablir cette « ancienne tradition du mouvement ouvrier ». Bien qu'elle ne juge pas l'initiative « particulièrement souhaitable », la préfecture de police finit par autoriser la manifestation, de la République à la Bastille.

La CGT voudrait faire de cette « grande première » une démonstration de masse : non contente de mobiliser activement ses troupes, elle propose à tous les autres syndicats et partis de gauche de se joindre à elle afin de faire du 1er mai une journée d'opposition unitaire au régime gaulliste. Mais elle ne parviendra pas à établir le « front populaire » qu'elle appelle de ses vœux.

La CFDT a, dit-elle, des raisons de mettre en doute les professions de foi démocratiques du PCF et refuse de considérer ce parti comme la force appelée à *diriger* une révolution. Le 25 avril, par exemple, les métallos CFDT réunis en congrès lancent un appel en faveur du regroupement de la gauche non communiste, « afin de ne pas permettre au PC d'avoir un rôle moteur qui risquerait de devenir rapidement un monopole et de supprimer le caractère démocratique du pouvoir ». L'union des syndicats CFDT de la région parisienne refuse alors de s'associer au défilé du 1er mai. La CGT ne peut que déplorer cette attitude, qui repose à son avis « sur des arguments anticommunistes qu'on croyait révolus ».

FO, qui tient à maintenir le mouvement syndical en marge de la politique « quand les libertés démocratiques ne sont pas en cause », fait elle aussi bande à part, et se contente d'organiser une série de meetings sur le thème de la solidarité avec les syndicats espagnols clandestins. La FGDS préfère, dans ces conditions, décliner à son tour l'invitation de la CGT.

Le projet de rassemblement unitaire a échoué dans la capitale. Il n'en va pas de même dans certaines villes de province, où, les années précédentes, continuaient à se tenir des défilés communs : la tradition se maintient en 1968 à Marseille, où 4 000 personnes manifestent sous l'égide de la CGT, de la CFDT, de la FEN, de l'UNEF, de la FGDS et du PCF. Dans les autres villes, les effectifs sont encore plus réduits : 1 000 manifestants à Clermont-Ferrand; 300 à Strasbourg, où se livre une petite guerre des hymnes : la CGT ayant entonné *la Marseillaise,* les étudiants répliquent instantanément par *l'Internationale.*

Le cortège parisien de la CGT réunit, place de la République, plus de 70 000 personnes. Nombreux sont les étudiants qui se sont présentés. Ceux de l'UNEF s'insèrent sans trop de difficultés dans la manifestation, mais le service d'ordre de la CGT refoule sans ménagement ceux qui se réclament ouvertement du gauchisme. Les drapeaux noirs qui apparaissent ici et là sont arrachés; des coups sont échangés, tandis que des militants UEC scandent : « Au boulot, les fils à papa ! » Ces bousculades font au total 17 blessés légers.

Le 3 mai, Georges Marchais publie dans *l'Humanité* un très violent éditorial contre les étudiants d'extrême gauche : « Ces faux révolutionnaires doivent être énergiquement démasqués car objectivement ils servent les intérêts du pouvoir gaulliste et des grands monopoles capitalistes. » Le même jour, Georges Séguy menace, dans *la Vie ouvrière,* de reprendre sa liberté d'action si la CFDT persiste à mettre des conditions politiques à la réalisation de l'unité syndicale « pour les revendications matérielles de la classe ouvrière ».

Molotov. Il est relâché le lendemain. Occident menace par tract de « remettre de l'ordre chez les bolcheviks ». L'UNEF et le 22-Mars mobilisent leurs militants, qui s'arment de gourdins et de lance-pierres. Des guetteurs placés sur les toits (avec pavés et bouteilles) surveillent les envi-

rons. Une banderole avertit : « Fascistes échappés de Diên Biên Phu, vous n'échapperez pas à Nanterre. » Le doyen, craignant des morts, fait fermer et boucler totalement sa faculté. Nous sommes le 2 mai 1968. De Nanterre va partir l'étincelle qui fait sauter la poudrière.

la révolte étudiante

Jusqu'à la fin du mois d'avril 68, la guérilla qui oppose les militants d'extrême droite aux étudiants d'extrême gauche n'intéresse, à l'exception de la faculté des lettres de Nanterre, que des minorités actives. Le 3 mai, avec l'investissement de la Sorbonne par la police, l'affrontement change brutalement de nature.

Le gouvernement, excédé par les désordres universitaires, décide en effet de « briser » les groupuscules gauchistes. Mais, par leur démesure, les moyens répressifs mis en œuvre déclenchent une réaction de scandale, puis un mouvement de protestation active : à l'issue d'une semaine d'épreuves de force, la grande masse des étudiants, des professeurs et des lycéens est amenée dans tout le pays à défier l'autorité du pouvoir gaulliste.

Bien plus, la révolte étudiante bénéficie de la sympathie ouverte de la majorité de la population : à partir du 8 mai, des militants ouvriers et paysans, chaque jour plus nombreux, se solidarisent avec la rébellion universitaire, qui va finalement prendre des allures insurrectionnelles.

Il est interdit d'interdire

En ce mois d'avril 68, les incidents se multiplient entre étudiants extrémistes, à Paris comme en province : la violence devient une réalité quotidienne, même si les effectifs engagés au cours de chaque accrochage sont encore peu nombreux.

« La chasse aux bolcheviques est ouverte. »

Une exposition organisée en faveur du gouvernement sud-vietnamien du général Thieu est saccagée à Paris; deux bombes artisanales explosent à Aix-en-Provence devant les domiciles de dirigeants d'extrême droite. Un peu partout, meetings et distributions de tracts dégénèrent en échauffourées.

A Toulouse, le 23 avril, l'UNEF et le CVN décident de créer un mouvement unitaire de lutte au sein de l'université. Le doyen de la faculté des lettres accepte qu'un meeting constitutif se tienne deux jours plus tard dans un amphithéâtre. La FNEF, qui « tient » une partie de la faculté de droit, réagit violemment : elle se déclare prête à « interdire par tous les moyens la tenue de cette

« Et les Bastilles, on les prendra ! »

réunion politique ». Le doyen, craignant des bagarres, revient sur son autorisation.

L'extrême gauche décide de passer outre et, le jeudi 25, occupe l'amphithéâtre Marsan. La FNEF est au rendez-vous : les vitres volent en éclats, pierres et bombes fumigènes sont lancées dans la salle. Les assiégés tiennent bon. La police, appelée par le recteur, fait alors évacuer les locaux universitaires; la bataille reprend en ville. Pour finir, l'ex-

trême gauche reste maîtresse du terrain, et un cortège s'improvise place du Capitole. Le Mouvement du 25-Avril, créé sur le modèle du 22-Mars, a vu le jour.

A Paris, le mouvement Occident décrète la mobilisation générale de ses troupes : « Puisque les marxistes veulent la guerre, ils l'auront. Tous nos militants sont mobilisés. Ils écraseront d'ici une semaine la vermine bolchevique. La police a laissé faire les provocateurs marxistes. Tant pis pour elle. Elle n'aura qu'à ramasser les blessés qui vont s'allonger dans les rues du quartier Latin. » Dans la nuit du 2 mai, un incendie criminel ravage les locaux de l'UNEF-Sorbonne; une croix celtique « signe » l'attentat.

A Aix-en Provence, des opérations de commando, dirigées contre des militants de la JCR et de l'UNEF, se déroulent devant le restaurant universitaire et dans la cour de la faculté des lettres. L'ensemble de l'extrême gauche se met à son tour en état d'alerte.

Brusquement, le gouvernement se décide pour la fermeté à tout prix : les examens de fin d'année commencent le 6 mai, et il s'agit de reprendre les choses en main avant cette date. Son calcul est simple : la plupart des étudiants étant plongés dans leurs révisions, ils ne penseront pas à se

A Toulouse dans la rue, étudiants du 25-Avril et jeunes ouvriers côte à côte.

solidariser avec les « victimes de la répression ».

Une minorité de contestataires semble, quant à elle, décidée à entraver le déroulement normal des examens. Le 2 mai, un tract, distribué au centre Censier à Paris, propose les actions suivantes : divulgation immédiate de corrigés, occupation des salles d'examen, destruction des sujets, vol des dossiers administratifs des étudiants...

Vestales universitaires, prenez peur dans votre temple.

Le 2 mai aussi, le doyen Pierre Grappin décide, pour la seconde fois dans l'année, de fermer la faculté des lettres de Nanterre. Le lendemain, 500 CRS et gendarmes mobiles occupent le campus, fouillent les voitures, arrêtent les « porteurs d'armes » (lance-pierres, boulons, etc.). Il y aura 6 condamnations à des peines de prison avec sursis.

Le vendredi 3 mai, l'épreuve de force va pouvoir s'engager. A midi, l'UNEF et le 22-Mars organisent, cour de la Sorbonne, un meeting de protestation contre la fermeture de Nanterre. 300 militants répondent à l'appel, une misère ! A deux pas, la bibliothèque Richelieu demeure remplie d'étudiants qui « bûchent » ferme. Pour compenser ce relatif échec, une manifestation est convoquée le lundi 6 mai à 10 heures, au moment même où 8 militants du 22-Mars, Cohn-Bendit en tête, devront comparaître devant une commission disciplinaire. Mais le meeting n'en finit pas de se dissoudre. Des discussions s'enga-

gent, particulièrement âpres lorsqu'elles mettent aux prises des militants gauchistes aux quelques étudiants communistes présents. A 15 heures, le bruit court qu'un fort commando d'Occident se dirige vers la Sorbonne. Le service d'ordre de l'UNEF prend position dans la cour. Une longue attente commence, ponctuée par l'*Appel du Kominform,* que l'on scande sur le pavage à coups de manches de pioche.

Occident ne se montre pas aux portes de la Sorbonne; 1 500 policiers investissent, en revanche, le quartier Latin. En quelques minutes, la Sorbonne est bloquée. L'administration universitaire exige le retrait immédiat des « gardes prétoriens de l'UNEF ». Refus des étudiants, qui s'engagent pourtant à éviter tout incident avec les forces de l'ordre. La bibliothèque, les salles de cours

Paris, 6 mai : le boulevard Saint-Germain.

sont fermées par les appariteurs; les « étudiants studieux » quittent alors peu à peu le bâtiment. A 17 h 15, les « trublions » étant isolés, la police envahit la Sorbonne. Le service d'ordre de l'UNEF fait la chaîne et des négociations s'engagent. Les forces de l'ordre acceptent de laisser tout le monde sortir librement, mais par groupes de 25, garçons et filles séparément.

Les filles peuvent effectivement s'en aller; les garçons ont la surprise d'être enfournés dans des cars de police. Il y a quelques protestations, quelques coups de matraque, mais l'UNEF maintient ses consignes de non-résistance. L'opération « panier à salade » prendra plus de deux heures.

Feu de paille ou début d'incendie ?

Deux heures de va-et-vient, de déploiement policier... La foule se presse sur les trottoirs, sur la place de la Sorbonne. Des cris fusent : « CRS-SS » « Salauds ! » Les policiers s'énervent; l'un d'eux voit — ou croit voir — une pierre jaillir : les grenades lacrymogènes pleuvent sur la place de la Sorbonne, qui est dégagée en quelques minutes. Une poignée d'étudiants, disséminés le long du boulevard Saint Michel, attaque alors les cars de police bloqués au milieu de la circulation. Les jeunes qui stationnent sur les trottoirs ne se contentent pas d'applaudir : ils se lancent à leur tour dans l'action.

Quelques dirigeants de la FER sont là; ils veulent apaiser les esprits, mais personne ne les écoute. Les policiers, d'abord pris au dépourvu, organisent bientôt des charges, sans parvenir à mettre fin à la manifestation : ils ne sont pas assez nombreux pour occuper tout le quartier.

Des renforts parviennent des deux côtés, et les escarmouches se multiplient, de la place Maubert à Port-Royal, pendant quatre heures. Plus d'une fois la police doit céder localement du terrain.

En fin de soirée, la police demeure maîtresse du quartier et se regroupe autour de la Sorbonne, qu'elle verrouille hermétiquement. Bilan de cette première bataille : 72 policiers blessés — l'un d'eux sera trépané —, 600 arrestations.

Va-t-on en rester là ? La machine gouvernementale joue l'intimidation. Un important dispositif policier campera nuit et jour aux abords de la Sorbonne; le 5 mai au matin, 6 émeutiers — ou présumés tels — comparaissent en audience des flagrants délits : le parquet fait témoigner 3 policiers, non sur les actes qui sont reprochés aux accusés, mais sur le déroulement général de la manifestation. Résultat : 4 condamnations à des peines de prison ferme. C'est la première fois depuis la fin de la guerre d'Algérie qu'une telle sanction est prononcée à l'encontre d'étudiants. L'UNEF réagit immédiatement : elle appelle à une grève nationale et illimitée des cours à partir du 6

Des groupes se forment, les discussions vont bon train. D'innombrables tracts appellent à la résistance, à la formation de comités d'action. Les mots d'ordre du mouvement sont déjà dans toutes les bouches : « Les flics hors du quartier Latin » « La Sorbonne aux étudiants » « Libérez nos camarades ».
On attend la journée du lundi.

La rage au ventre.

Les grandes manifestations des étudiants parisiens, qui vont se succéder du lundi 6 au vendredi 10 mai sur un rythme endiablé,

jour, un compromis s'établit entre ces volontés divergentes. De « longues marches » à travers Paris précèdent ou suivent les scènes de barricades au quartier Latin.
Le lundi 6 mai, la manifestation demeure toute la matinée aux abords de la Sorbonne, ce qui donne lieu à de nombreux accrochages. Après un meeting à la faculté des sciences, le cortège, qui s'est étoffé au fil des heures, passe sur la rive droite et s'avance jusqu'au Palais-Royal. Il entreprend alors son « retour au bercail » et, au croisement de la rue Saint-Jacques et du boulevard Saint-Germain, un cri retentit : « A la Sorbonne ! » La première des batailles de la journée s'engage alors. Vers 18 h 30, 16 000 manifestants se retrouvent place Denfert-Rochereau. Le quartier Latin est contourné par l'ouest, et une seconde bataille se déroule à Saint-Germain-des-Prés. Pour ce premier jour de mobilisation, les étudiants ont tenu la rue seize heures d'affilée, et la police a subi de lourdes pertes : 487 blessés. Le lendemain 7 mai, 45 000 jeunes en colère (étudiants, lycéens, professeurs, mais aussi ouvriers et chômeurs) se rassemblent sur la rive gauche. Jacques Sauvageot promet : « Le cortège va chercher à gagner dans la soirée le quartier Latin », et il fait prendre à l'immense foule le chemin des Champs-Élysées. Malgré les injonctions de la police, la Seine est franchie par surprise et l'Internationale retentit sous l'Arc de triomphe. Retour au quartier Latin : malgré les ordres de dispersion de l'UNEF, la bataille s'engage après minuit aux alentours du boulevard Raspail.

Pour Geismar et Sauvageot, déclarations et conférences de presse se succèdent.

mai; malgré l'interdiction, les étudiants de la région parisienne sont appelés à manifester le même jour devant la Sorbonne. Le SNESup se prononce, lui aussi, pour un arrêt général du travail, mais ne parle pas de grève illimitée : chaque section de faculté reste libre de déterminer la forme de son action. Le ministre de l'Éducation nationale fait savoir que ce mot d'ordre, n'ayant pas été précédé d'un préavis de cinq jours, est illégal.
Il y a, le samedi 4 au soir et le dimanche 5, une foule inhabituelle au quartier Latin. De nombreux étudiants sont venus voir la Sorbonne occupée par la police.

devront choisir entre deux attitudes : ou bien contourner sans cesse et assiéger le dispositif policier du quartier Latin, ce qui entraîne inévitablement des combats, ou bien sillonner les autres quartiers de la capitale en d'imposantes démonstrations de force, et qui ont toutes les chances de demeurer pacifiques. Les organisations syndicales, qui se sont vues portées à la tête du mouvement, penchent vers la seconde attitude, car elles répugnent à « prendre la responsabilité d'une boucherie ». Mais une masse toujours plus nombreuse de manifestants décidés veut « prendre la Sorbonne » à tout prix. Chaque

« Si l'ordre est rétabli, tout est possible » (Alain Peyrefitte).

Le mercredi 8 au matin, rien n'a changé, semble-t-il, dans l'attitude gouvernementale. Le conseil des ministres se prononce pour la plus grande fermeté, et Alain Geismar, secrétaire général du SNESup, promet : « Libérée ou non par la police, ce soir la Sorbonne sera à nous. »
En fin de matinée, pourtant, des discussions s'engagent entre un groupe de professeurs de la faculté des sciences et le recteur de l'université. Celui-ci indique qu'il est possible de procéder très

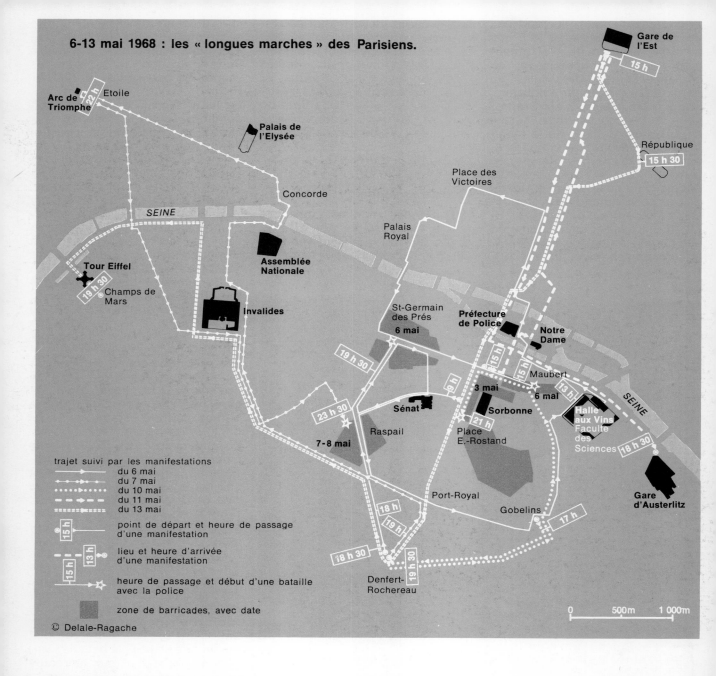

6-13 mai 1968 : les « longues marches » des Parisiens.

Arc de Triomphe — Etoile — 22 h

Palais de l'Elysée

République — 15 h 30

Place des Victoires

Concorde

SEINE

Palais Royal

Assemblée Nationale

Tour Eiffel — 19 h 30 — Champs de Mars

Invalides

St-Germain des Prés — **6 mai**

Préfecture de Police

Notre Dame

Maubert — 6 mai

Halle aux Vins Faculté des Sciences — 13 h

SEINE

19 h 30

23 h 30

Sénat — 9 h

3 mai — **Sorbonne** — 21 h

Gare de l'Est — 15 h

15 h

15 h

7-8 mai

Raspail

Place E.-Rostand

18 h 30

Port-Royal

Gobelins — 17 h

Gare d'Austerlitz

18 h 30 — 19 h

18 h 30 — 19 h 30

Denfert-Rochereau

trajet suivi par les manifestations
du 6 mai
du 7 mai
du 10 mai
du 11 mai
du 13 mai

15 h — point de départ et heure de passage d'une manifestation

13 h — lieu et heure d'arrivée d'une manifestation

15 h — heure de passage et début d'une bataille avec la police

zone de barricades, avec date

© Delale-Ragache

0   500m   1 000m

---

rapidement à la réouverture des facultés si l'ordre n'est plus troublé dans la rue.

Dans l'après-midi, le ministre de l'Éducation nationale semble à son tour s'engager dans la voie de l'apaisement : « Si ces conditions paraissent réunies (le retour au calme), la reprise des cours à la Sorbonne et à Nanterre pourrait intervenir dès que les doyens concernés le jugeront possible, c'est-à-dire, je l'espère, dès demain après-midi. »

La révolte étudiante, qui touche maintenant toute la France, pose d'ores et déjà un problème politique d'ampleur nationale. Un débat sur la crise universitaire vient de s'ouvrir à la Chambre des

députés. Une certaine angoisse se fait sentir parmi les centristes, et Edgard Pisani, député de la majorité, s'exclame : « Devant mon fils et ses camarades, il me faut me taire parfois, ou mentir parce que je ne trouve pas toujours de réponses aux questions qu'ils me posent. » Gaston Defferre, au nom de la gauche, dépose un projet d'amnistie.

30 000 personnes se rassemblent, le mercredi 8 au soir, à la faculté des sciences de la Halle aux vins. La majorité des manifestants est persuadée que la nuit, comme l'a annoncé Alain Geismar, va être décisive, et beaucoup d'étudiants se sont équipés en conséquence. La CGT, qui est représentée au

meeting, se fait abondamment siffler : outre les récentes déclarations de ses dirigeants, farouchement hostiles aux militants gauchistes, on lui reproche de « vouloir prendre le train en marche ».

Ce que les étudiants ignorent, c'est qu'en coulisse de fiévreuses négociations se poursuivent avec les autorités universitaires. Un accord vient même d'être conclu : si tout se passe « bien » ce mercredi soir, les facultés seront rendues aux étudiants. Geismar et Sauvageot laissent entendre que, ce résultat obtenu, ils se contenteront d'organiser une « grève sur le tas », pour obtenir la libération des 4 étudiants incarcérés.

La liberté des cours

L'enjeu de la bataille que le gouvernement livre à une masse chaque jour plus nombreuse d'étudiants, de professeurs et de lycéens est à ses yeux parfaitement défini. Alain Peyrefitte déclare le 8 mai devant le conseil des ministres : « Dans l'immédiat, l'essentiel est de parvenir à ce que les cours puissent reprendre dans des conditions normales et d'assurer la liberté des examens et des concours. Le gouvernement s'emploiera à ce qu'il en soit ainsi. »

Effectivement, dans une Sorbonne en état de siège, les épreuves de l'agrégation se déroulent « normalement » à partir du lundi 6 mai. Le même jour à 10 heures, 8 étudiants de Nanterre se présentent devant la commission disciplinaire de l'université. Ils chantent, il est vrai, *l'Internationale*, exigent et obtiennent d'être entendus ensemble; l'un d'eux récuse ses juges et refuse de répondre aux questions qu'on lui pose. Mais l'instruction de l'affaire a pu avoir lieu, et le jugement sera « normalement » rendu le vendredi 10 par le Conseil de l'université.

A cette date pourtant, le Conseil décide de reporter sa session, car il juge que les « conditions de sérénité requises ne sont plus réunies ». Entre-temps, les noms, adresses et numéros de téléphone de ses membres ont été diffusés par voie de tracts anonymes : « A vous de jouer, camarades ! », y est-il conseillé.

Le lendemain matin, les candidats à l'agrégation refusent de composer, quittent les salles d'examens et vont s'asseoir devant les cordons de CRS.

Sur ces deux points, qu'il considérait comme essentiels, le gouvernement subit une défaite totale.

Un cortège se forme, qui contourne le quartier Latin et parvient, à 22 heures, place Edmond-Rostand. L'appel à la dispersion est lancé, et le service d'ordre de l'UNEF demeure sur place afin d'empêcher quelques milliers de « jusqu'au-boutistes » d'en « découdre avec les flics ». La discussion dégénère en injures. Rien à faire ! on ne se battra pas cette nuit. Les « émeutiers » rentrent chez eux, criant bien haut qu'ils ont été trahis.

Le jeudi 9 au matin, le recteur décide, conformément à l'accord passé la veille avec l'UNEF et le SNESup, que les cours vont reprendre à Nanterre et à la Sorbonne. Tous les postes de radio annoncent la nouvelle.

Dans l'après-midi, un immense *sit in* s'improvise sur le boulevard Saint-Michel. Quelques centaines d'étudiants, qui pensaient pouvoir se remettre au travail, sont surpris de se trouver nez à nez avec les CRS. Des milliers d'autres se sont rassemblés pour mener le procès de leurs dirigeants syndicaux. Ceux-ci reconnaissent avoir été dupés, puisque la Sorbonne n'est toujours pas conquise, et Geismar procède à une autocritique personnelle pour ses rodomontades de la veille. Deux décisions fondamentales sont prises : une nouvelle manifestation aura lieu vendredi 10 au soir, et la Sorbonne sera *occupée* jour et nuit dès que la police l'aura évacuée.

Le poète Aragon, membre du

6 mai 68 au quartier Latin. Pour conquérir la Sorbonne, la volonté d'en découdre avec la police.

9 mai 68 : le dialogue imprévu Cohn-Bendit—Aragon.

l'ORTF ! » D'autres crient : « A l'hôpital Saint-Antoine, récupérer nos morts ! » On se décide pour l'ORTF, avec un détour par la prison de la Santé et le ministère de la Justice.

Il est 19 h 30. 15 000 manifestants s'engagent boulevard Arago, passent sous les murs de la Santé en criant : « Liberté ! Liberté ! » (Les étudiants incarcérés sont à la prison de Fresnes, mais qu'importe !) Le cortège se trouve sur le boulevard Saint-Germain, lorsque les premiers rangs apprennent que tous les ponts de la Seine sont bouclés par la police. La colonne bifurque alors, s'engage sur le boulevard Saint-Michel et parvient place Edmond-Rostand. Un mot d'ordre circule : « Il faut

PCF, est venu exprimer sa solidarité avec le mouvement étudiant; il est violemment pris à partie par Daniel Cohn-Bendit. L'atmosphère s'échauffe. La police reçoit d'importants renforts; tout laisse présager une importante bataille. Cohn-Bendit « sauve » *in extremis* la situation : « Nous tenons aujourd'hui un meeting pacifique. » Et il emmène 3 000 étudiants vers la Mutualité, où la JCR organise une soirée de solidarité internationale.

Deux mondes s'affrontent.

Peu avant minuit, coup de théâtre : le ministre oppose son veto à la réouverture de la Sorbonne. A titre de test, la faculté des lettres de Nanterre ouvrira bien ses portes, mais « le ministre de l'Éducation nationale a décidé de ne pas laisser des éléments irresponsables s'installer dans les facultés pour en empêcher le fonctionnement ».

Tant qu'il y aura un étudiant en taule...

Le vendredi 10 au matin, Nanterre reprend donc vie. Les professeurs du SNESup appellent à une grève des cours. A 10 heures, 300 étudiants du 22-Mars se réunissent dans un amphithéâtre. Ils hésitent sur la conduite à tenir. Faut-il interdire le déroulement des examens prévus pour l'après-midi ? Ils décident finalement d'interrompre les quelques cours qui se donnent et d'appeler à la manifestation du soir au quartier Latin. C'est une solution d'attente : ni occupation, ni retour au calme ministériel.

A 16 h 30, 5 000 lycéens se retrouvent aux Gobelins. Accompagnés de quelques-uns de leurs professeurs, ils se rendent en cortège jusqu'à la place Denfert-Rochereau, où ils tiennent un meeting. Deux heures plus tard, ils sont rejoints par la masse des étudiants. Que va-t-on faire maintenant ? Un représentant de l'UJCML propose : « Allons par petits groupes dans les quartiers ouvriers. » Certains scandent : « A

10 mai 68 : les détenus de la Santé répondent aux manifestants parisiens.

occuper le quartier coûte que coûte. » Malgré l'opposition de l'UNEF, une partie des manifestants commence, dès 21 heures, à édifier des barricades. Au cours des heures qui suivent, plus d'une soixantaine seront ainsi dressées. Vers 22 heures, le recteur se déclare prêt à recevoir une délégation étudiante. Un double dialogue s'engage alors sur les postes périphériques : Geismar répond au vice-recteur sur Radio-Luxembourg, Sauvageot au recteur sur Europe n° 1. Les négociations achoppent sur le problème des étudiants condamnés : le recteur se déclare incompétent en la matière. A 0 h 15, 3 professeurs et 3 étudiants sont autorisés à pénétrer dans la Sorbonne. Avant de partir, Cohn-Bendit, qui fait partie de la délégation malgré l'interdiction du recteur, fait passer une consigne : « Occupation du quartier Latin, mais sans attaquer les forces de police. » Une heure et demie plus tard, les tractations aboutissent à une impasse.

C'est alors qu'à 2 h 15 du matin, après les sommations d'usage, la police attaque les manifestants. La bataille, d'une extrême violence, dure quatre heures, faisant des centaines de blessés de part et d'autre.

Dans toute la France, le choc psychologique est immense : l'émeute, décrite minute après minute par les stations de radio périphériques, prend des allures d'insurrection. La Nuit des Barricades entre directement dans l'histoire.

Sorbonne :
rue des Écoles = école de la rue.

C'est d'un côté le désarroi, et de l'autre l'indignation. Dans la matinée du samedi 11 mai, des cortèges d'étudiants, de lycéens et de jeunes ouvriers se forment spontanément aux alentours du quartier Latin et, toute la journée, sillonnent la ville. Le travail s'arrête dans la plupart des facultés et des lycées de province. A Stras-

Destination : le centre de tri de Beaujon.

11 mai 68 au matin : une agitation diffuse renaît au quartier Latin.

bourg, à Lyon, à Nantes et à Bordeaux, une dizaine d'établissements universitaires sont occupés.

Jusqu'au doyen de la faculté de droit de Paris, qui « demande solennellement aux autorités responsables de mettre fin à la répression ».

Le gouvernement a joué le tout pour le tout, et il a perdu. Le Premier ministre, qui se trouve depuis le début du mois en Iran et en Afghanistan, et qui peut sembler ne pas avoir été mêlé aux récentes initiatives du pouvoir, se charge dès son retour d'entériner la défaite de l'État. Il annonce dans la soirée que le quartier Latin sera évacué par la police le lundi 13 au matin, la Sorbonne ouverte sans conditions, et les étudiants condamnés libérés en cour d'appel.

Exagérer, voilà l'arme

La victoire étudiante n'a cependant pas été acquise par la seule action des manifestants parisiens. La rébellion universitaire s'est, dès le départ, présentée comme un phénomène national qui tend, jour après jour, à dessaisir les autorités gouvernementales de tout pouvoir réel sur le fonctionnement des facultés françaises.

« Les enragés à l'asile ! »

Il serait pourtant faux de croire qu'à l'annonce des événements du 3 mai à Paris tous les étudiants et enseignants de France se sont immédiatement levés et ont crié : « Halte à la répression ! Grève illimitée ! » Avant que ne soit réalisé, le 13 mai, le blocage effectif de l'institution universitaire, bien des hésitations, des résistances, des oppositions se sont manifestées, dans chaque ville, dans chaque faculté.

A Dijon, 600 étudiants de droit forment un Comité de défense des libertés étudiantes, et défilent dans les rues de la ville en scandant : « Les enragés à l'asile ! » « Pas de Nanterre à Dijon ! »

Les organisations syndicales n'appellent pas toutes à la grève. Certaines, comme la FNEF chez les étudiants et le syndicat autonome chez les enseignants, s'y opposent farouchement.

Le SGEN-CFDT, quant à lui, proteste le 6 mai contre l'intervention

Strasbourg, 9 mai : libérez nos camarades...

des forces de police, mais « refuse toute solidarité avec les groupes dont l'action incohérente compromet une véritable réforme ». Prise de position qui sera désavouée, deux jours plus tard, par le bureau confédéral de la CFDT.

Au sein de l'UNEF, les bureaux tenus par des étudiants communistes déclarent la grève inopportune ; ils ne s'y rallieront que tardivement, et en ordre dispersé. D'autres associations locales, de tendance corporatiste (médecine, droit, pharmacie en particulier), ne se sentent pas concernées : beaucoup de bruit pour pas grand-chose, tel est le fond de leur position.

Au SNESup, la situation est à peu

près comparable. Les sections de Rouen entendent, par exemple, « respecter avant tout la légalité », et se contentent de déposer un préavis de grève pour la fin de la semaine. D'autres envisagent une simple « journée d'action » pour le jeudi 9 ou le vendredi 10.

Être étudiant, c'est facile. Le rester ? c'est la grève.

En province, le mouvement de protestation est donc animé au départ par les noyaux durs au sein du milieu étudiant. Les clivages politiques traditionnels se retrouvent alors : les facultés des lettres et des sciences sont, dans presque tous les cas, à la pointe du combat. L'action prend d'abord la forme de discussions pendant les cours, de meetings dans les amphithéâtres, d'arrêts spontanés ou imposés des enseignements. Dans un second temps, l'UNEF installe des piquets de grève et prend à partie les « jaunes ». Certains professeurs, soupçonnés d'entretenir des sympathies pour le gouvernement, sont violemment apostrophés par leurs élèves.

En médecine et en droit, on reste calme d'abord. Les mouvements de grève ne débutent véritablement qu'à partir du jeudi 9, et sur un mot d'ordre unique : « Halte à la répression ! »

De nombreuses bagarres éclatent pourtant. A Nantes, des étudiants en médecine qui suivent des cours dans le bâtiment de la faculté des lettres prétendent forcer les piquets de grève : une étudiante est hospitalisée avec une fracture du crâne. A Clermont-Ferrand, 3 membres de la FNEF sont sérieusement contusionnés au cours d'une empoignade.

Aux mots d'ordre nationaux s'ajoutent parfois des revendications locales, qui ont pour effet de renforcer le mouvement. A Nantes et à Besançon, il s'agit d'obtenir l'arrêt des poursuites engagées contre des militants syndicaux à la suite de bagarres survenues au début du printemps. A Toulouse et à Rennes, on exige la « liberté d'expression politique », car tous les meetings y ont été récemment interdits. Les étudiants de Rennes

Reims, 7 mai : contre la répression policière...

vont jusqu'à occuper, le mercredi 8 au soir, le hall de la faculté des lettres : le doyen cède en moins d'une heure et suspend son interdiction. A Caen, les étudiants en sociologie occupent dès le 6 mai deux salles de cours; ils réclament pour leur spécialité l'ouverture immédiate d'un second cycle d'études.

L'attitude des autorités universitaires est presque toujours hésitante. Sans oser mettre ouvertement en cause la politique gouvernementale, elles répugnent à « couvrir » leurs supérieurs hiérarchiques parisiens. Le doyen de la faculté des lettres d'Aix-en-Provence se déclare même prêt à transmettre et à appuyer les doléances des étudiants : il est acclamé par les grévistes.

Ouvrons les portes des asiles, des prisons - et autres lycées.

La révolte étudiante trouve, dès les premiers jours, de profonds échos dans les lycées. Des grèves sporadiques démarrent le 6 mai dans les classes préparatoires aux grandes écoles. Ces « khâgneux » et ces « taupins » sont en réalité des bacheliers, inscrits en faculté. Leur mouvement, à quelques jours des concours, constitue avant tout un témoignage de solidarité.

Dans les lycées un malaise diffus couve depuis plusieurs années : la discipline demeure très stricte, et l'enseignement traditionnel — cours magistraux et devoirs écrits — est de plus en plus mal supporté.

Les groupes politiques d'extrême gauche recrutent dans les classes de terminale et, à partir de la rentrée 1967, des Comités d'action lycéens (CAL) se fondent un peu partout. L'administration les considère comme illégaux, et toute initiative de leur part donne lieu à des poursuites disciplinaires.

Dès le 6 mai, nombre d'élèves s'agitent. Ils « sèchent les cours » pour participer, à titre individuel ou par classes entières, aux manifestations étudiantes. La mobilisation prend vite une très grande ampleur : un mouvement lycéen autonome se constitue dans la plupart des grandes villes de France et dans un certain nombre de petites agglomérations. On demande la réintégration d'élèves récemment exclus, et on établit des catalogues de revendica-

Bordeaux : meeting d'explication de l'UNEF.

10 mai au matin :
les lycéens parisiens préparent la manifestation du soir.

tions : reconnaissance des CAL, liberté d'expression politique, autodiscipline, participation des élèves à la vie de leur établissement.

Sur ces bases, des grèves actives, des meetings, des manifestations s'organisent. Deux points « chauds » : les grands lycées, à Paris comme en province, et les lycées techniques; en Moselle par exemple, il y aura 99 % de grévistes le 8 mai dans ce type d'établissement.

Les lycéens trouvent à leur tour aide, assistance et solidarité auprès des étudiants : les réunions de coordination inter-établissements, qui sont interdites par les proviseurs, se tiennent en faculté. A Rouen, un Comité central de grève lycéen se constitue le 9 mai dans un amphithéâtre de la faculté des lettres, occupé pour la circonstance.

Chaque fois que la chose est possible, les élèves agissent sur place. Des manifestations, réunissant quelques centaines d'adolescents, « font le tour des bahuts » et organisent aux heures de sortie meetings en plein air, distributions de tracts, « bombages » et discussions. Dans la banlieue est

de Paris, les lycées de Bondy, du Raincy, de Villemomble et de Chelles sont ainsi à la pointe du combat.

Dans la capitale, le 10 mai, 2 000 élèves se rassemblent à 8 heures place Clichy et arpentent toute la ville. On les retrouve à midi aux portes du lycée Condorcet; à 16 h 30, ils participent à la manifestation des Gobelins et, au milieu de la nuit, se battront sur les barricades.

Si vous ne voulez pas de pépins, évitez le noyautage.

Le mouvement de protestation contre la fermeture de la Sorbonne apparaît donc à la fois comme uni par un élan de solidarité très puissant, et divers dans ses manifestations sectorielles et locales. Aucune organisation constituée ne peut en revendiquer la paternité — mais bien des groupuscules ne dédaigneraient pas d'en prendre la direction politique.

Il est vrai que la grande masse des étudiants et les lycéens s'y perd encore un peu dans ce maquis de doctrines, de sigles et d'organisations. Elle aura tendance à parler

de l'extrême gauche comme d'un tout, et d'un tout qui a sa place dans le mouvement : les groupuscules ne disposent-ils pas de cadres politiques, d'orateurs chevronnés, de services d'ordre structurés ? Mais en même temps, on se méfie un peu : le sectarisme dont la plupart font preuve cadre mal avec l'ampleur et la variété du mouvement étudiant. Très vite, certains groupes vont, du fait de leur « ligne », se retrouver isolés.

Pour l'UJCML, il n'y a pas d'étudiants révolutionnaires en tant que tels, mais seulement des étudiants progressistes « qui se mettent au service du peuple ». Réclamer la réouverture de la Sorbonne, c'est réclamer la remise en marche d'une « machine à produire des intellectuels bourgeois, ennemis du peuple ». Il faut donc détacher du mouvement « l'avant-garde de la jeunesse » et l'entraîner vers les usines et les quartiers populaires. Pour le reste, on a affaire à une explosion de mécontentement typiquement « petite-bourgeoise », donc réactionnaire en son essence.

La FER, partie de principes totalement opposés, parvient presque aux mêmes conclusions pratiques. Pour elle, la lutte étudiante est immédiatement révolutionnaire, car « il n'y a pas de problèmes étudiants, mais des aspects étudiants des problèmes généraux ». La lutte des classes reste pourtant une affaire sérieuse. A quoi sert de dire : « Nous prendrons la Sorbonne ! », alors que les étudiants ne disposent pas des forces nécessaires pour réaliser

BRISONS L'ETAU

COMITÉ D'ACTION LYCÉEN C.A.L.

militairement cet objectif? Il faut avant tout faire venir « 500 000 travailleurs au quartier Latin ». Le vendredi 10 au soir, la FER organise sur ce thème un meeting à la Mutualité, puis se rend en cortège jusqu'à la place Edmond-Rostand. Le quartier est déjà couvert de barricades. La FER n'en a cure et, après avoir scandé ses mots d'ordre, envoie dormir ses militants.

La JCR, en revanche, participe pleinement au mouvement et lance dès les premiers jours une série de slogans qui sont appelés à faire fortune : « Prague, Berlin, Rome, Madrid, Varsovie... Paris ! » « Nous sommes un groupuscule, une dizaine d'enragés ! » Mais dans les manifestations, elle forme un groupe compact, solidement organisé, auquel il n'est pas facile de s'intégrer sans devenir pour ainsi dire membre à part entière de l'organisation.

A l'UNEF et au SNESup, lieu de rencontre, d'explication et de lutte entre les différentes tendances, échoit alors le rôle de fournir directives d'action et « porte-parole nationaux ». Jacques Sauvageot, militant PSU, se trouve depuis peu à la tête de l'UNEF, où il remplace le président démissionnaire. Chez les professeurs, Alain Geismar représente la tendance revendicative « dure ». La base les laissera parler au nom du mouvement parisien, quitte à les désavouer lorsqu'elle les soupçonne de « vendre la Sorbonne pour un plat de lentilles ».

L'opinion publique est, quant à elle, désorientée par l'absence apparente d'« organisateurs res-

A Clermont-Ferrand, les cortèges de protestation donnent lieu à quelques incidents.

ponsables »; elle va consacrer, par l'intermédiaire des journaux et de la radio, le trio Sauvageot-Geismar-Cohn-Bendit « leader du mouvement ». Paradoxalement, les trois intéressés, qui multiplient interviews, conférences de presse et déclarations, vont peu à peu perdre le contact avec leurs organisations respectives. Ils joueront le rôle de symboles, et non celui de véritables dirigeants.

Une dizaine d'enragés...

Pendant la première quinzaine de mai, les habitants de toutes les grandes villes de France voient défiler dans leurs rues des cohortes chaque jour plus nombreuses d'étudiants en colère. Certaines manifestations peuvent paraître secondaires : à Metz par exemple, le défilé du 9 mai ne regroupe qu'un millier de participants, étudiants et lycéens réunis; mais si l'on sait que les collèges universitaires de la ville n'ont que 1 580 inscrits, on peut se rendre compte de l'extraordinaire mobilisation qu'il représente en fait.

Le 7 mai au soir, 300 étudiants du Mans décident de bloquer la nationale de Rennes. Un convoi de gendarmes mobiles, en route vers la Bretagne, se heurte par hasard au *sit in* étudiant. Il faudra que les gendarmes traînent un à un les manifestants sur le bord de la route pour pouvoir continuer leur chemin.

Outre les lycéens, de jeunes ouvriers et de jeunes chômeurs se joignent au mouvement de protestation. On en voit à Clermont-Ferrand dès le 6 mai; à Lyon, trois jours plus tard, plusieurs centaines de militants ouvriers CFDT participent à la manifestation étudiante qui se réunit devant la Bourse du travail.

Dans certaines villes, le siège de journaux « vendus au pouvoir » constitue une cible privilégiée. A Paris, *le Figaro;* à Strasbourg, *les Dernières Nouvelles d'Alsace;* à Lyon, *Le Progrès* et *la Dernière Heure lyonnaise* se trouvent régulièrement conspués.

Partout, *l'Internationale* se fait entendre jusqu'à extinction de voix. Partout, le drapeau rouge fleurit, parfois mêlé de noir. Par-

Seule parmi les grands syndicats ouvriers, la CFDT accepte le dialogue avec l'UNEF
De gauche à droite : Sauvageot, Jeanson, Descamps.

1-13 mai 68 : manifestations étudiantes, ouvrières, paysannes.

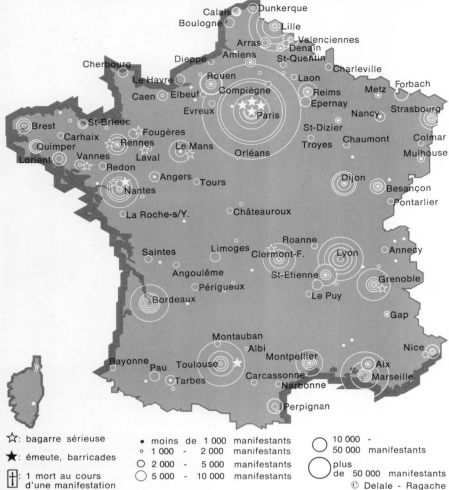

☆ : bagarre sérieuse
★ : émeute, barricades
[†] : 1 mort au cours d'une manifestation

• moins de 1 000 manifestants
○ 1 000 - 2 000 manifestants
○ 2 000 - 5 000 manifestants
◯ 5 000 - 10 000 manifestants

◯ 10 000 -
      50 000 manifestants
◯ plus
      de 50 000 manifestants

© Delale - Ragache

Toutes les grandes villes de France sont touchées par l'agitation.

dre du jour. Les votes se font à main levée. Le Conseil peut décider de la formation de commissions, mais celles-ci doivent rendre compte de leur travail à chaque réunion du Conseil et peuvent être à tout moment dissoutes ou remaniées. Aucune commission ne dispose d'un pouvoir exécutif central, chacune exerçant son autorité dans le domaine précis qui lui a été attribué.

Le jeudi 9 mai, le Conseil se réunit pour la première fois et prend une décision capitale : il proclame l'autonomie de l'université. Il y a là l'amorce d'une véritable prise du pouvoir, puisque l'autorité de l'État et du régime gaulliste se trouve théoriquement supprimée dans le domaine universitaire.

Le lendemain, la grève est pratiquement totale dans toutes les facultés de la ville, et chacun vote ou non son rattachement à la nouvelle université autonome. C'est ainsi que les élèves des écoles d'art décoratif et de masseurs-kinésithérapeutes accèdent au statut d'étudiants, tandis que les chirurgiens-dentistes forment une nouvelle faculté; les collèges universitaires de Mulhouse s'unissent à l'université de Strasbourg, ceux de Metz s'en séparent.

Ayez de l'imagination, de l'imagination en permanence, au moins un peu plus que les petits vieux.

A partir du 8 mai, un groupe d'étudiants strasbourgeois décide de « veiller » chaque nuit dans les locaux de la faculté des lettres. Dans la nuit du 10 au 11, les « étudiants de garde » sont à l'écoute de la radio, et au petit matin, en réponse à la Nuit des Barricades du quartier Latin, hissent le drapeau rouge sur les bâtiments de la faculté. Quelques heures plus tard, le Conseil étudiant vote à l'unanimité en faveur de l'occupation permanente et illimitée des locaux universitaires. Plus qu'une réaction d'indignation, cette décision constitue l'aboutissement du processus engagé depuis le début de la semaine.

Le pouvoir étudiant est désormais une réalité. Reste à savoir comment vont réagir les anciennes autorités administratives. Le recteur de l'université refuse de présenter sa démission, mais s'engage à ne faire en aucun cas

tout, des slogans originaux font leur apparition, comme le « Peyreflic, Fouchez-nous la paix » des manifestants strasbourgeois[1]. Des fenêtres et des trottoirs, la population applaudit : la violence de l'offensive gouvernementale a en effet scandalisé un grand nombre de Français. A ces encouragements, les étudiants répondent, suivant le quartier traversé, par un « les bourgeois avec nous » mi-flatté, mi-goguenard, ou un plus sérieux : « ouvriers-étudiants solidaires ».

Pouvoir étudiant !

Dès le 8 mai, en province surtout, de nouvelles possibilités s'offrent au mouvement étudiant : la lutte contre la répression policière déclenche une réaction de fond. Grèves des cours et manifesta-

tions en ville, armes purement revendicatives, ne suffisent plus. Pour beaucoup d'étudiants, il n'est pas question d'en revenir, après la « libération de la Sorbonne », à la situation d'avril. Dans certains endroits, un véritable *pouvoir étudiant* se constitue spontanément.

L'université de Strasbourg joue à cet égard un rôle de pionnier. Depuis l'« affaire des situationnistes » en 1966-1967, l'UNEF a perdu toute autorité dans cette ville. La grève étudiante y démarre donc en lettres le lundi 6 au soir, à l'initiative d'éléments politisés agissant en dehors de toute organisation syndicale. Dès le 7 mai, au cours d'une Assemblée générale, il est décidé que la lutte sera dirigée par un *Conseil étudiant* souverain fonctionnant suivant le principe de la démocratie directe. Ce conseil se réunit autant de fois et aussi longtemps qu'il le désire; chacun peut présenter des motions sur les sujets mis à l'or-

1. Alain Peyrefitte et Christian Fouchet sont alors respectivement ministre de l'Éducation nationale et ministre de l'Intérieur.

L'affaire des situationnistes

Un groupe de l'Internationale situationniste s'est formé à Strasbourg dans le courant des années soixante. Il se prononce pour la « révolution intégrale » par les Conseils ouvriers, préconise l'autogestion et, tout imprégné de surréalisme, pratique la subversion idéologique tous azimuts.

Pendant l'été 1966, il s'empare du bureau de l'UNEF strasbourgeoise et, affirmant bien haut son mépris pour le syndicalisme étudiant, épuise les fonds de l'association en publiant une plaquette : *De la misère en milieu étudiant.* Ce virulent pamphlet s'achève par l'affirmation suivante : « Les révolutions prolétariennes seront des *fêtes* ou ne seront pas, car la vie qu'elles annoncent sera elle-même créée sous le signe de la fête. Le *Jeu* est la rationalité ultime de cette fête, vivre sans temps morts et jouir sans entraves sont les seules règles qu'il pourra reconnaître. »

Le 11 janvier 1967, l'Internationale situationniste décide de fermer le Bureau d'aide psychologique universitaire, accusé d'être une atteinte psychiatrique à la liberté de pensée étudiante. C'en est trop. Le président local de l'UNEF est exclu de l'université, et les élections de l'année précédente déclarées nulles par voie de justice.

Un an et demi plus tard, l'association des étudiants ne s'est pas remise de cette « mésaventure », qui a pourtant fourni d'innombrables mots d'ordre au mouvement de mai 68.

appel à la police. Le 14 mai, une solution de compromis semble en voie d'élaboration : Alain Peyrefitte consent à ce que « l'université de Strasbourg explore les possibilités de l'autonomie et fasse des propositions pour cette expérience ». L'ancien Conseil de l'université, instance officielle, est chargé de superviser l'opération. Le Conseil étudiant va-t-il se laisser coiffer au poteau ? La réponse est donnée le soir même. Sont exigées en préalable à tout dialogue : la démission du ministre de l'Éducation nationale; la reconnaissance officielle du Conseil étudiant; la proclamation de l'autonomie pour toutes les universités françaises.

Le Conseil de l'université tente de se réunir le 15 mai au palais universitaire. La salle est rapidement envahie par une masse d'étudiants qui demandent : « Avez-vous demandé l'autorisation de vous réunir au Conseil

9 mai 68 : sit in impromptu devant le Palais universitaire de Strasbourg.

étudiant, seule autorité compétente en ce qui concerne l'utilisation des locaux universitaires ? » Les membres enseignants du Conseil de l'université préfèrent suspendre leur séance et, pendant plus d'un mois, éviteront soigneusement de faire parler d'eux.

Pour le Conseil étudiant, la victoire est donc complète. La révolte étudiante débouche sur la prise du pouvoir au sein des universités françaises.

La dure réalité du pavé

La violence constitue un élément fondamental du mouvement étudiant en mai-juin 68. Par son apparition spectaculaire et surprenante, elle joue le rôle d'un détonateur, crée un climat, dévoile des contradictions. A travers elle, de nombreux étudiants prennent conscience de leur force, apprennent à surmonter le doute et la peur. A travers elle aussi, le pays tout entier prend conscience de la « crise universitaire », dont il ne s'était guère préoccupé jusqu'alors.

Mettez un flic sous votre moteur[1].

Au cours de l'année 1967-1968, les heurts n'ont pas manqué entre étudiants d'extrême gauche et forces de l'ordre. Mais, même à Nanterre, la volonté d'en « découdre avec les flics » reste le fait d'une minorité de militants, et la bagarre est considérée comme une affaire de commandos ou de services d'ordre politiques et syndicaux.

Cette attitude se modifie radicalement à partir du 3 mai. Les services d'ordre existent toujours, à Paris comme en province, et ceux de l'UNEF en particulier participent à la plupart des manifestations. Paradoxalement, leur rôle consiste surtout à encadrer les cortèges afin d'empêcher tout contact physique entre la masse des étudiants en colère et les cordons de policiers. Seuls les « enragés » poussent à l'émeute; les organisations politiques d'extrême gauche se contentent au

1. Ce mot d'ordre fait allusion au slogan publicitaire adopté à l'époque par une marque d'essence : Mettez un tigre dans votre moteur.

72

Répondre à la violence...

retrouve, le temps d'une soirée, la situation qui règne toute une semaine au quartier Latin.

Faut-il alors parler de spontanéisme, d'anarchie absolue du mouvement ? Rien ne serait plus inexact.

Il s'agit d'une violence de masse, affaire de tous ceux qui désirent y participer, et qui ignore délibérément toute notion de discipline hiérarchique; mais les manifestants suivent un certain nombre de règles qui leur sont dictées par les circonstances, la topographie, l'armement et le rapport de forces. On est en droit de parler de *tactiques de combat* avec, dans certains endroits, une véritable coordination de l'action.

Une préfecture — un lycée

6 mai 68. Un cortège étudiant se rend à la préfecture de l'Isère. Le préfet refuse de recevoir en personne la délégation chargée de lui remettre une motion de protestation contre la fermeture de la Sorbonne. Des cris fusent; en deux endroits différents, les manifestants tentent de forcer les barrages. Ils sont brutalement repoussés : bilan, 15 blessés.

7 mai 68. Un lycéen toulousain membre des CAL est poursuivi pour distribution de tracts et graffiti injurieux. Une délégation étudiante exige du recteur l'arrêt immédiat des poursuites. Celui-ci répond : « Voyez le conseil de discipline. » Un cortège de 4 000 étudiants se dirige vers le lycée Pierre-de-Fermat, bouclé par la police. Bousculades, coups de matraque, invectives... Les manifestants barrent les rues avec des voitures, s'arment dans un chantier voisin, dressent des barricades. Le combat durera presque une heure, et on relève 30 blessés de part et d'autre.

... par la violence.

mieux de la justifier, et à l'occasion d'y participer quand elle a lieu.

La violence n'est donc jamais provoquée ni dirigée par des « groupes d'agitateurs professionnels », mais découle d'une situation particulière : la fermeture de bâtiments universitaires ou scolaires. Tant que la Sorbonne demeure inaccessible, tant que d'imposants cordons de CRS et de gendarmes mobiles en bloquent nuit et jour les accès, les étudiants se battent.

En province, la Sorbonne interdite et le pavé qui vole constituent des symboles, déclenchent un réflexe de solidarité. Mais à Grenoble, le 6 mai, à Toulouse, le 7, éclatent aussi des bagarres entre étudiants et policiers. Dans les deux cas, les manifestants exigent de pénétrer dans un bâtiment dont l'accès leur a été interdit et que la police a reçu l'ordre de défendre. On y

La plus belle
sculpture
c'est le pavé
de grès
le lourd pavé
cubique c'est
le pavé qu'on
jette sur la gueule
des flics.

Dès les premiers heurts se constituent des groupes organisés de combattants : il est rare qu'on vienne seul à la « manif », et la plupart des participants s'insèrent dans le cortège en fonction de leurs affinités universitaires, syndicales ou politiques. Plus simplement encore, on a plaisir à retrouver tel ou tel camarade, rencontré la veille sur une barricade et qui « en veut » aussi.

Les groupes se dissolvent au hasard des charges de police; d'autres se reforment sans cesse au coin des rues, dans la cour d'un immeuble, sur une barricade, autour d'un « chantier de dépavage ». D'un couvercle de poubelle on se fait un bouclier, d'un morceau de bois une massue, d'une pierre un projectile. Les chantiers de travaux publics sont abondamment mis à contribution, mais le pavé demeure l'arme de prédilection; pour s'en procurer au quartier Latin, il suffit d'avoir assez de temps entre deux charges de police pour entamer la chaussée à l'aide d'une barre de fer.

Un pavé peut infliger des blessures graves, enfoncement thoracique ou traumatisme crânien. Les manifestants savent qu'il leur est de cette façon possible de « se payer un flic ».

Les groupes de manifestants peuvent agir de façon totalement indépendante. On aura alors une multitude d'accrochages très violents mais brefs, les étudiants jouant avant tout sur leur mobilité. Il s'agit le plus souvent d'attaquer par surprise un cordon de CRS, de gendarmes mobiles ou de gardiens de la paix. Chacun lance son pavé à petite distance et disparaît le plus rapidement possible dans les rues adjacentes, à

travers un nuage de gaz lacrymogènes.

Les policiers se trouvent alors localement sur la défensive; leur unique ressource consiste à organiser des charges répétées, à opérer des rafles (mais la plupart de ceux qui se font prendre ne participent pas directement à l'action) et, quand ils disposent d'effectifs suffisants, à boucler totalement le quartier.

Cette « guérilla étudiante » donne parfois des résultats spectaculaires : le 3 mai par exemple, un groupe de manifestants attaque un panier à salade gardé par 3 municipaux seulement. Mettant à profit la confusion découlant de l'escarmouche, une vingtaine d'étudiants qui avaient été arrêtés dans la cour de la Sorbonne s'échappent du car et disparaissent dans la nature.

La barricade ferme la rue mais ouvre la voie.

Quand les manifestants sont, à un endroit donné, plus nombreux que les policiers, ils forment une ligne de combattants capable de barrer les plus larges avenues. On obtient alors un véritable front, et les manifestants disposent d'un territoire, qui se transforme en base arrière lorsqu'il se trouve

hors de portée des grenades lacrymogènes. On peut venir y souffler ou pleurer tout son soûl, mais on y prépare surtout les phases ultérieures de la bataille. Des dépaveurs travaillent de façon continue. D'autres manifestants arrachent les bancs publics, les panneaux de signalisation, les grilles des arbres; d'autres encore renversent des voitures en travers de la chaussée. Tout un système de barricades ou de barrages échelonnés, pourvus de réserves de pavés, se constitue rapidement.

En avant, la bataille se déroule sans interruption; les deux lignes de combattants se font face à une vingtaine de mètres; attaques et contre-attaques se succèdent. Dans un premier temps, les forces de police arrosent littéralement la zone qui se trouve devant elles avec des grenades lacrymogènes. Une variante consiste à faire intervenir des canons à eau, le but étant toujours de faire refluer les manifestants de première ligne. Ce résultat obtenu, les cordons de policiers s'ébranlent au pas de course afin d'occuper l'espace préalablement « nettoyé » et, après de solides matraquages, d'embarquer les manifestants qui se sont accrochés à leur position. Mais quand elle se heurte au

Dépavage à la chaîne.

premier barrage établi par les étudiants, la ligne des policiers se rompt, la charge s'atomise. C'est le moment que choisissent les étudiants pour passer à la contre-attaque : des petits groupes s'élancent et tentent de coincer les policiers isolés ou trop aventurés. Ceux-ci doivent rejoindre précipitamment leurs lignes de départ, où ils sont couverts par de nouveaux tirs de grenades. Les émeutiers mettent à profit ces quelques instants de flottement pour s'avancer à leur tour, lancer leurs pavés et retrouver l'abri de la barricade reconquise.

Au bout de quelques minutes, nouvelle charge de police. Finalement, la barricade est prise, les étudiants qui la défendaient n'étant plus assez nombreux pour organiser la contre-attaque. Vingt mètres plus loin se trouve une autre barricade avec un groupe encore frais de défenseurs, et l'affrontement se poursuit.

Si les policiers restent au bout du compte maîtres du terrain, leur progression a été lente et leurs pertes sévères : le nombre des blessés graves est sensiblement le même dans les deux camps — pavés contre grenades lacrymogènes.

Ce type de bataille rangée s'ébauche dès le 3 mai à Paris : vers 19 heures, plusieurs centaines de manifestants barrent le boulevard Saint-Michel et passent à l'offensive en direction de la place de la Sorbonne. Surpris, les policiers refluent, et ne peuvent réoccuper le terrain perdu qu'après avoir reçu d'importants renforts.

Le 6 mai, une première bataille rangée se déroule autour de la place Maubert entre 15 et 17 heures, une seconde à Saint-Germain-des-Prés entre 18 et 23 heures. Au cours de cet affrontement, le plus violent de la journée, 2 autopompes de la police sont prises d'assaut par les manifestants, ce qui oblige la police à reculer de plusieurs dizaines de mètres sous une grêle de projectiles.

Le lendemain, on compte encore une bataille de ce type entre 20 et

11 mai 68, à 9 heures du matin : la police occupe les barricades du quartier Latin.

21 heures à Toulouse, et à Paris, boulevard Raspail, entre 1 et 2 heures du matin.

Le feu réalise.

Le 10 mai à Paris, nouveau pas en avant dans l'organisation de la violence. Pendant la longue attente de la soirée, les manifestants édifient des barricades à travers tout le haut du quartier Latin. Outre les classiques barrages de voitures disposées en quinconce, ils dressent de véritables remparts, à l'aide de pavés et de « matériaux de récupération ». On a parlé à l'époque de la constitution d'un réduit défensif et statique, correspondant au principe

révolu de la forteresse médiévale. On a dit aussi que l'importance de ces ouvrages était uniquement due au fait que les policiers étaient restés plusieurs heures l'arme au pied, face à des manifestants qui faisaient preuve d'une intense et aveugle activité de bâtisseurs.

Le « réduit du quartier Latin » correspond en fait à un nouveau type de rapport de forces entre policiers et manifestants. Ayant tiré la leçon des batailles des 6 et 7 mai, les chefs de la police interdisent à leurs hommes tout combat rapproché avec des groupes compacts de manifestants. Les barricades ne sont alors prises d'assaut qu'après un nettoyage intense et prolongé. Quand les policiers avancent, ils sont précédés de salves de grenades offensives particulièrement fournies.

Cette nouvelle tactique est moins coûteuse pour les forces de l'ordre, mais sa mise en œuvre demande plus de temps. Des salves prématurément trop fournies risquent de provoquer un nombre important de blessés graves, et même des morts parmi les étudiants massés au coude à coude

Un tract étudiant abandonné dans la mêlée trouve des lecteurs inattendus.

dans un espace restreint. Il faut donc attendre que des tirs préparatoires relativement sporadiques aient peu à peu repoussé le gros de la foule au-delà de la zone à occuper.

« Les grenades lacrymogènes sont désagréables, certes, mais pas nocives. »

Cette déclaration de Maurice Grimaud, préfet de police de Paris, résume le point de vue officiel sur la question des armes employées par la police en 1968. Elle reste cependant sujette à caution.

— La grenade lacrymogène « simple » contient un gaz de combat employé depuis la guerre de 1914. Le bromure de benzyle, l'un de ses constituants, provoque une irritation persistante des muqueuses, des spasmes et des vomissements, et sous forme de liquide rend aveugle pour quelques jours ou quelques semaines.

— La grenade offensive contient une charge de poudre dans une enveloppe légère. Elle provoque un effet de souffle dangereux dans un rayon de quelques mètres. Le bouchon allumeur provoque des incendies au contact de l'essence.

— La grenade *Criquet* contient un peu de gaz CB, abondamment utilisé par les Américains au Viet-Nam. Celui-ci brûle la peau humide et provoque une intoxication généralisée de l'organisme. Respiré à doses massives, il est mortel.

On comprend alors que de nombreux observateurs n'ont pas voulu croire à l'affirmation de la police selon laquelle, entre le 3 et le 13 mai, il n'y a pas eu de morts dans les rangs des manifestants.

Mais tout dépend de la façon dont de telles armes sont utilisées sur le terrain — et la police avait reçu à ce sujet des consignes très strictes. C'est ainsi que les grenades offensives ne doivent jamais être lancées sur des foules denses, ni les grenades Criquet à l'intérieur des appartements.

Les « accidents », malgré tout, ne sont pas à exclure. Du 3 au 13 mai, plusieurs manifestants qui tentent de « renvoyer à l'expéditeur » des grenades offensives, ou qui sont atteints par des tirs tendus, ont le bras ou le pied arraché; le 24 mai, à Paris, un homme reçoit un éclat de grenade dans la région du cœur, et meurt sur le coup.

11 mai 1968 : la nuit des barricades.

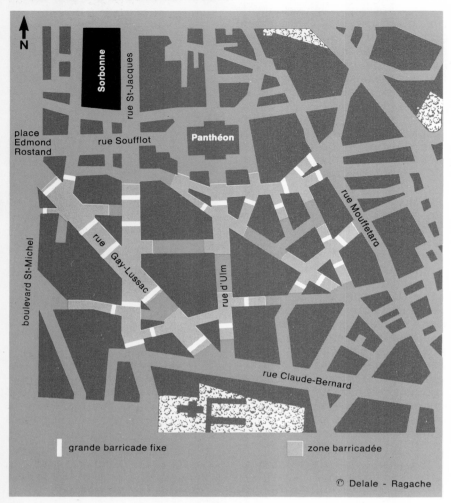

N

Sorbonne

rue St-Jacques

place
Edmond
Rostand

rue Soufflot

Panthéon

rue Mouffetard

boulevard St-Michel

rue Gay-Lussac

rue d'Ulm

rue Claude-Bernard

▮ grande barricade fixe

▮ zone barricadée

© Delale - Ragache

d'un petit nombre; elle a pris toutes les caractéristiques de l'émeute. Un doute — ou un espoir — apparaît confusément de part et d'autre : que se passera-t-il si, au petit matin, la police n'a pas pu reprendre possession des quartiers insurgés ?

Dix ans, ça suffit !

Tout comme le gouvernement, les grandes centrales syndicales ouvrières ont été prises de court par le déchaînement de la révolte étudiante.

« L'outrancière prétention d'éléments troubles et provocateurs... »

Le samedi 4 mai, à l'issue de la première bataille du quartier Latin, la CFDT se trouve quelque peu gênée par les prises de position en grande partie négatives du SGEN; FO se réfugie dans son apolitisme traditionnel; la CGT se contente de faire écho, sur le plan syndical, aux récentes déclarations du PCF : nous n'avons « aucune complaisance envers les éléments troubles et provocateurs

La marchandise, on la brûlera !

Les émeutiers ont eux aussi tiré certaines leçons des batailles précédentes : l'effondrement des « fronts » avait presque toujours suivi un mouvement tournant des forces de police, qui réussissaient à prendre à revers tel ou tel groupe de barricades particulièrement coriaces. Le 10 au soir, les défenses sont construites de façon à permettre une résistance « tous azimuts ». Il n'y a donc pas eu de « grande forteresse » (bien des rues du périmètre tenu par les étudiants n'ont pas été barrées), mais une bonne dizaine de réduits successifs, que les policiers durent prendre les uns après les autres.

Ce soir-là aussi, un nouvel élément est entré systématiquement en jeu : le feu. Les premiers incendies de barricades, le 6 mai, ont, semble-t-il, été déclenchés par des tirs de grenades : beaucoup de voitures ayant été retournées, l'essence s'était répandue sur la chaussée. De tels incendies

gênaient visiblement les charges de police. Le 10, les manifestants mettent eux-mêmes le feu à certains barrages de voitures. C'est que l'incendie présente un second avantage : l'effet d'air chaud qu'il provoque clarifie un peu l'atmosphère devenue irrespirable du fait des tirs permanents de grenades en tout genre.

Dernier recours, enfin, pour les manifestants : le cocktail Molotov. Son efficacité n'est pourtant pas très grande, dans la mesure où il est impossible de le projeter à grande distance. Il n'est alors dangereux que lancé du haut des toits; bien peu nombreux sont, avant le 20 mai, les émeutiers qui accomplissent le geste : les policiers, qui occupent par définition la chaussée au moment du tir, interdisent toute possibilité de fuite à l'attaquant. Reste l'espoir de trouver refuge dans un appartement.

Dans de telles circonstances, la violence n'est plus du tout l'affaire

Dans les deux camps, le mouchoir sur la bouche est de rigueur.

qui dénigrent la classe ouvrière, l'accusant d'être embourgeoisée, et ont l'outrancière prétention de venir lui inculquer la théorie révolutionnaire et diriger son combat... Le mouvement ouvrier français n'a nul besoin d'encadrement petit-bourgeois. Il trouve dans la classe ouvrière ses cadres expérimentés et ses dirigeants responsables », déclare encore Georges Séguy le 7 mai.

A partir du lendemain, le ton change. L'union régionale parisienne de la CFDT, « débordant » ses propres professeurs syndiqués, se déclare solidaire des revendications étudiantes; les confédérations CGT, CFDT et la FEN protestent contre les brutalités policières et acceptent de rencontrer une délégation de l'UNEF afin d'étudier les possibilités d'une action commune. L'entrevue se tient le jeudi 9 au soir. Les syndicats ouvriers proposent d'organiser avant le 15 une journée de manifestations sur le thème : « Adaptation de l'Université à la société industrielle moderne et protestation contre la politique économique du gouvernement. » L'UNEF, qui désire avant tout préserver l'autonomie politique du mouvement étudiant, s'en tient au mot d'ordre : « défense du droit d'expression syndical et politique et contre la répression policière ».

Nouvelle entrevue le 10 au soir; l'UNEF obtient cette fois gain de cause. On se met d'accord sur le texte d'un communiqué commun : « Pour l'amnistie de tous les manifestants condamnés, pour les libertés syndicales et politiques », les signataires organiseront le 14 mai des manifestations dans toute la France. FO refuse de s'associer au mouvement, malgré les protestations de quelques-unes de ses fédérations : chimie, ingénieurs et cadres, etc.

« Nous voulons vivre. »

L'unité d'action entre étudiants et ouvriers s'est pourtant déjà concrétisée le 8 mai dans l'Ouest. Ce jour-là, les syndicats CGT, CFDT (et FO en Loire-Atlantique), le CNJA, l'UNEF et, dans certains cas, la FEN avaient prévu d'organiser des manifestations sur le thème : « L'Ouest veut vivre ! », et pour la défense de l'emploi.

Il y a partout des débrayages, et de grands cortèges se rassemblent dans la plupart des agglo-mérations de la région. A Quimper et à Lorient, les commerçants ferment boutique; à Concarneau, les marins-pêcheurs laissent leurs bateaux à quai. Dans les villes universitaires, la présidence des meetings est laissée aux représentants de l'UNEF, qui affirment, avec les autres responsables syndicaux : « Nous ne voulons pas voir la Bretagne transformée en parc national. » Des incidents opposent de jeunes manifestants à la police (à Fougères et à Redon), ou à des membres d'Occident (à Nantes). Au Mans, la foule arrache un drapeau américain, le brûle en grande pompe, et hisse à sa place un emblème de la RDV. A Brest enfin, un groupe de jeunes ouvriers tente de saccager un centre commercial Leclerc, en signe de protestation contre une déclaration de son propriétaire : « La Bretagne meurt de l'inaction des Bretons. »

En tout, près de 150 000 personnes ont défilé dans les rues des villes de l'Ouest, ouvriers, professeurs, étudiants, lycéens, paysans, marins-pêcheurs confondus. Dans chaque cas, le mouvement étudiant a été acclamé, et ses participants reconnus membres à part entière du mouvement populaire. Bien plus, le gouvernement a dû faire transférer en toute hâte des unités de CRS et de gendarmes mobiles de Paris vers la Bretagne, dégarnissant ainsi dangereusement la capitale : de là sa relative « modération » dans l'après-midi du 8 mai.

Le 10 à Saint-Étienne, le 11 à Forbach et à Lille, des manifestations du même genre et sur des mots d'ordre semblables seront organisées. Dans le Nord, pourtant, les agriculteurs ne se joignent pas aux ouvriers qui veulent défendre l'avenir du bassin minier, et se retrouvent à Arras.

La bureaucratie n'embrasse pas, elle étouffe.

Mais, dans d'autres régions, l'unité se révèle plus difficile à réaliser, lorsqu'il s'agit de soutenir un mouvement étudiant dont la CGT et FO désapprouvent les mots d'ordre les plus radicaux.

De leur côté, certains étudiants condamnent l'apparition de la « politique partisane » dans les affaires universitaires; et les enragés n'ont que sarcasmes pour les « dirigeants syndicaux bureaucratisés » qui sont restés à la traîne

De part et d'autre, des blessés.

1000 Blessés 3 Morts Gaz de combat

"GROUPONS NOUS ET DEMAIN..."

POURQUOI?

Parce que des étudiants refusent de devenir des cadres complices et bénéficiaires de l'exploitation des travailleurs.

Parce qu'ils refusent le prétendu "dialogue" qui ne porte que sur des décisions déjà prises en haut lieu.

Quand ce refus passe des paroles aux actes (occupation des salles de cours, projections de films politiques interdits par la censure dans la faculté, boycottage des examens, etc...)

Quand pour les travailleurs ce refus n'a qu'une expression: LA VIOLENCE.

L'Etat bourgeois n'a qu'une réponse: LA REPRESSION:

        Chantage des bourses
        Menaces d'expulsions
        Listes noires
        Intervention des flics dans les locaux universitaires
        Arrestations massives
        Emprisonnements
        Menaces de licenciements pour les travailleurs

DENONCONS:

- La réouverture des facs décidée dans le seul but de faire passer les examens. Nous ne voulons pas être les chiens de garde du Capital
- Le détournement par les appareils bureaucratiques habituels d'un mouvement de contestation globale de la société en un simple mouvement réformiste s'inscrivant dans le cadre de l'immobilisme de l'université bourgeoise.

AGISSONS:

- Refusons le fonctionnement normal de l'université jusqu'à la libération des étudiants étrangers et des travailleurs. Dès aujourd'hui les étudiants occuperont massivement les locaux universitaires afin d'y imposer:

LE POUVOIR DE LA CONTESTATION POLITIQUE

LA LEVEE IMMEDIATE DES SANCTIONS CONTRE TOUS CEUX QUI SONT ENCORE MENACES SUR LE PLAN PENAL ET ADMINSITRATIF

NOUS NE CEDERONS PAS AU CHANTAGE.

Ce tract étudiant, daté du 7 mai,
fait état de 3 morts dans les rangs des manifestants;
la fausse nouvelle se propage :
une odeur d'apocalypse.

du mouvement et rêvent maintenant d'en tirer un « bénéfice électoral ».

A Toulouse, en particulier, le torchon brûle. Un cartel d'organisations syndicales (CGT, CFDT, SGEN, FEN et UNEF) organise, le 9 au soir, un meeting au palais des sports de la ville. Le Mouvement du 25-Avril, qui dirige la grève étudiante depuis le début de la semaine, n'est pas représenté à la tribune. Une bonne partie de l'assistance manifeste bruyamment sa désapprobation; un groupe s'élance, veut s'emparer du micro; il est repoussé par le service d'ordre de la CGT. Les organisateurs acceptent finalement de donner la parole au président démissionnaire de l'UNEF, membre du 25-Avril et blessé deux jours plus tôt lors d'une bagarre avec la police. Son intervention fait scandale dans les rangs des « militants syndicaux responsables » : le 25-Avril exige l'abolition des examens universitaires, des recteurs et des doyens, et préconise la participation d'ouvriers et de paysans aux futurs organes de gestion des « universités critiques » !

A 20 heures, un défilé s'improvise. Le 25-Avril, qui n'est pas d'accord avec les mots d'ordre des syndicats, se retire immédiatement. Il y avait 3 000 personnes au meeting; le défilé n'en réunit pas un tiers.

La Nuit des Barricades au quartier Latin modifie la situation : l'indignation unanime qu'elle suscite précipite la formation d'un front uni étudiants-ouvriers. A Marseille, dans la journée du 11 mai, une foule de plusieurs dizaines de milliers de personnes descend la Canebière : la CGT a prêté son service d'ordre, et l'on remarque, outre des étudiants et des lycéens, qui sont venus en masse, d'importantes délégations de professeurs du second degré, d'instituteurs et d'ouvriers. Gaston Defferre, maire SFIO de la ville, est présent, entouré de nombreux élus. Il a, quelques heures auparavant, aidé à fixer le calicot « CRS = SS » sur la façade de l'hôtel de ville.

A Paris, les choses prennent un tour nouveau. Au cours d'une réunion UNEF-CGT-CFDT-FEN, qui se tient à la Bourse du travail le samedi 11 au matin, il est décidé que le mot d'ordre de manifestation pour le mardi 14 mai est annulé au profit d'une journée nationale de grève et de manifestation le lundi 13. Un appel, lancé à midi par les deux grandes centrales ouvrières, proclame : « Halte à la répression, liberté, démocratie ! Vive l'union des travailleurs et des étudiants ! » Dans la soirée, la centrale FO se rallie au mouvement de grève. Seules la CFTC, la CFT et les autonomes refuseront jusqu'au bout de participer à l'action.

Le pouvoir est dans la rue.

La journée du 13 mai, quoique officiellement organisée par les centrales syndicales, a une signification essentiellement politique. Comme la réouverture de la Sorbonne ne met pas un point final à la crise universitaire, c'est l'orientation du régime gaulliste qui se trouve désormais remise en question.

Les plus forts pourcentages de grévistes se rencontrent dans le secteur public : enseignement, services municipaux, PTT, transports urbains, navigation aérienne et banques d'État, qui sont touchés à plus de 50 %, avec des pointes dans l'enseignement, les centres de tri postaux, l'EDF-GDF, les pompes funèbres. Dans certaines régions, les usines ne peuvent fonctionner, faute de courant électrique : c'est le cas en Haute-Savoie, dans le Doubs, le Territoire de Belfort, le Bas-Rhin, et, pendant la matinée, dans la région parisienne. Les patrons sont alors forcés de donner congé à leurs ouvriers.

Dans l'industrie, en revanche, les consignes de grève sont très inégalement suivies. A la Régie Renault, l'absentéisme atteint 100 % à l'usine du Mans (il y a des piquets de grève), mais 10 % seulement à Flins et à Sandouville. L'usine de Billancourt, privée d'électricité au début de la journée, fonctionne presque normalement dans l'après-midi.

Les manifestations sont partout imposantes, et il y a quelques cortèges monstres : de 700 000 à 800 000 personnes à Paris, 50 000 à Toulouse et à Marseille, 40 000 à Lyon, 20 000 au Mans et à Nantes. Dans presque tous les cas, les partis de gauche se sont fait représenter; à Clermont-Ferrand, les syndicats d'agriculteurs se joignent au cortège. Quelques slogans dominent : « Enseignants, étudiants, travailleurs solidaires ! » « 10 ans ça suffit ! » « Bon anniversaire, mon général ![1] » « Gouvernement populaire ! »

L'échec relatif de la grève générale, face à l'énorme succès des manifestations de rue, s'explique aisément : ceux qui, parmi les ouvriers, apportent leur soutien au mouvement étudiant entendent le faire savoir publiquement.

1. Le général de Gaulle est revenu au pouvoir le 13 mai 1958.

11 mai 68 : Gaston Defferre, maire de Marseille, descend la Canebière.

13 MAI 1958
L'émeute d'Alger a amené
de Gaulle au pouvoir.

13 MAI 1968
LA LUTTE ET LES BARRICADES
DES ETUDIANTS
l'ont ébranlé et
MONTRENT LA VOIE
pour l'en chasser.

Bon anniversaire,
mon général !

13 mai 68 : « Bon anniversaire, mon
général ! » A Paris, le Bureau politique
du PCF s'est intégré au sein du cortège.
A la tombée du jour, meeting étudiant
au Champ-de-Mars. Si les militants
de la CFDT n'ont pas oublié les émeutes
de Caen, ceux de la CGT mettent en avant
des revendications matérielles.
Les manifestations en province :
en bas, les grévistes de Sidélor;
page 81 en haut à gauche : Lyon;
en haut à droite : Strasbourg;
en bas : Nantes.

Pourtant, les relations entre la CGT et les étudiants contestataires ne s'améliorent guère. A Paris, ces derniers tiennent à se rassembler à part : un meeting préliminaire se déroule à la gare de l'Est; le soir, ils refusent l'ordre de dispersion donné place Denfert-Rochereau par les syndicats ouvriers. Un cri jaillit spontanément : « A l'Élysée ! » Les dirigeants de l'UNEF et du 22-Mars, qui trouvent l'idée particulièrement aventureuse, proposent : « Rendez-vous au Champ-de-Mars. » 5 000 étudiants se retrouvent bientôt devant l'École militaire, et un meeting s'improvise : tout le monde est d'accord pour continuer la lutte en liaison étroite avec les « ouvriers révolutionnaires » et pour occuper toutes les facultés de la ville. Après un court face-à-face avec les policiers qui verrouillent les ponts de la Seine, ils rentrent par petits groupes à la Sorbonne, occupée dès le matin par une cinquantaine d'« enragés-situationnistes », qui ont créé un premier Comité d'occupation. Plusieurs incidents éclatent en province : à Nantes, à Clermont-Ferrand et au Mans, les étudiants, mécontents du « manque de tonus de la manifestation unitaire », attaquent dans la soirée la préfecture. Ces batailles rangées avec la police durent plusieurs heures et font une centaine de blessés. A Caen, un groupe de jeunes manifestants voudrait en faire autant : il en est empêché par le service d'ordre de la CGT. Une délégation étudiante se rend au siège de ce syndicat pour protester : elle est sommée d'évacuer les lieux, car « nous avons fait 36 et n'avons de leçons à recevoir de personne ».

Cette journée unitaire n'a donc pas été celle de la réconciliation. L'âpreté de certaines réactions donne la mesure des rancœurs accumulées : Georges Séguy reprochera jusqu'au bout à la CFDT la poignée de main qu'Eugène Descamps échange avec Daniel Cohn-Bendit; il est vrai que ce dernier s'est écrié publiquement : « Ça m'a fait plaisir de défiler devant les crapules staliniennes ! »

De Dunkerque à Bonifacio, la France s'arrête : les grévistes d'Usinor à Denain.

la France s'arrête

Au lendemain des imposantes manifestations du 13 mai, la France retient son souffle. Les étudiants monopolisent toujours l'attention des journalistes et du gouvernement. Il est vrai qu'il y a du spectacle : la Sorbonne en délire s'autoproclame Assemblée constituante, puis, franchissant verbalement un degré de plus, elle décide de devenir Commune libre ! A l'Odéon et aux Beaux-Arts transformés en Atelier populaire, l'imagination a aussi pris le pouvoir.

Spontanéité ouvrière

Pourtant, le 14, le mouvement n'est déjà plus strictement universitaire. Dans les usines, les ouvriers qui ont manifesté la veille renâclent pour se mettre à la tâche et discutent plus qu'à l'accoutumée. Dans bien des ateliers, des groupes se forment malgré de fréquents rappels à l'ordre de la maîtrise. A l'heure du repas, dans les réfectoires, les étudiants sont au centre des débats : ont-ils eu raison d'employer la violence ? Les ouvriers doivent-ils faire de même ? Les réponses varient d'un groupe à l'autre, mais dans les esprits l'idée d'une grève longue fait son chemin.

La province devance Paris.

La GRANDE GRÈVE débute bien modestement le 14 mai à Woippy, en Lorraine : au petit jour, 500 métallos de l'usine Claas refusent de reprendre le travail. Après un bref meeting, ils exigent l'application d'un accord paritaire dans la métallurgie, la refonte de la grille des salaires, l'amélioration des conditions de travail et la révision des normes de chronométrage. Le lendemain, ils votent la grève illimitée. Mais ils ne sont déjà plus seuls en lutte : les travailleurs de Loire-Atlantique bougent à leur tour.

Depuis des mois, menaces de licenciements et réductions d'horaires entretiennent une vive tension au sein de la firme Sud-

A Roubaix, on recommence comme « en 36 ».

Aviation. Déjà, le 30 avril, les ouvriers de Bouguenais, près de Nantes, avaient paralysé leur usine et l'aérogare voisine. Le directeur n'avait échappé à la séquestration qu'en se réfugiant dans la tour de contrôle. A partir du 2 mai, les débrayages deviennent quotidiens. Le 6, alors que les pavés volent au quartier Latin, le délégué FO propose l'occupation des ateliers; la CGT, préférant les grèves courtes et répétées, s'y oppose; la CFDT arbitre en faisant

voter les travailleurs sur les deux formes d'action : l'occupation est provisoirement repoussée. A Nantes, la manifestation du 13 mai donne lieu à des bagarres avec les CRS. De jeunes travailleurs de Sud-Aviation y participent aux côtés des étudiants.

Le 14 dans la soirée, l'occupation illimitée de l'usine est décidée; symboliquement, la porte centrale en est soudée. Le directeur, M. Duvochel, et ses adjoints sont séquestrés dans un bureau. Dans la nuit, un millier d'étudiants nantais portant des flambeaux marchent vers Bouguenais. A l'arrivée, ils fraternisent avec les grévistes et participent au piquet de grève. Le lendemain, les ouvriers s'organisent : duvets, casse-croûte, matériel de camping, sonorisation. La séquestration des cadres de l'entreprise attire l'attention des journalistes, et tous les grands quotidiens consacrent quelques lignes à l'événement.

Quand Renault éternue, la France s'enrhume.

Dans la soirée du 15, le mouvement gagne Renault-Cléon. Là, 300 jeunes ouvriers en colère quittent les chaînes de montage, marchent sur les bureaux, y séquestrent le directeur avec une dizaine de cadres, hissent un drapeau rouge sur les grilles et, tambour battant, décrètent l'occupation illimitée des locaux. Le soir même, la grève, totale chez Renault, paralyse 2 autres firmes de la région : Kléber-Colombes à

Elbeuf et La Roclaine à Saint-Étienne-du-Rouvray. Le lendemain 16 mai, le drapeau rouge flotte successivement sur les usines Renault de Flins, de Sandouville, du Mans et enfin de Billancourt.

Billancourt en grève, c'est un symbole. Vers 18 heures, dès que la nouvelle est confirmée, la presse et la radio s'en font largement l'écho. Les autres luttes se trouvent ainsi rejetées au second plan, à tort car, à cette même heure, 45 000 autres grévistes (dont 44 000 en province) ont déjà occupé spontanément une cinquantaine d'usines.

Le principal foyer d'agitation correspond à l'axe de la Seine, de Paris au Havre; dans cette dernière ville, on compte déjà 10 usines en grève le 16 au soir. Un autre foyer se dessine dans le Nord, de Lille aux Ardennes, où l'exemple victorieux de la Wisco est contagieux, et un troisième en Lorraine, autour de Woippy. En Loire-Atlantique, à Bordeaux et dans les autres régions, la grève demeure ponctuelle.

Le 17 mai, la barre des 200 000 grévistes est franchie. Le mouvement se renforce en tache d'huile

Piquet de grève chez Sud-Aviation.

autour des régions d'origine, puis gagne le Sud-Est, de Besançon à la Provence. En banlieue parisienne, le drapeau rouge apparaît sur plusieurs usines mais, jusqu'au soir du 17, ce sont surtout les travailleurs de province qui mènent l'action.

M. Duvochel, directeur de Sud-Aviation-Nantes : le premier patron séquestré.

« Lorsque Renault éternue, la France s'enrhume » a-t-on coutume de dire. Pourtant, en mai 68, la Régie n'a pas éternué seule. De plus, la « forteresse ouvrière » de Billancourt, bastion de la CGT et du PCF, n'a pas éternué la première. Loin de là...

Tout un peuple se lève

A l'instant même où, en Roumanie, de Gaulle se fait applaudir par des étudiants et des ouvriers, en France, occupations de facultés et d'usines se multiplient. De son côté, le Premier ministre, Georges Pompidou, a conscience du danger que représente pour le pouvoir une conjonction de l'agitation ouvrière et étudiante; il ne fait pourtant aucune allusion aux conflits sociaux dans son allocution radiotélévisée du jeudi 16 au soir. Le lendemain, il réunit un conseil restreint sur le maintien de l'ordre, au cours duquel il apprend du ministre de l'Intérieur l'occupation d'une centaine d'établissements industriels. Ce n'est cependant qu'un début.

Ouvriers-étudiants
même combat.

Dans les usines en grève le 17 au soir, les jeunes ouvriers dominent. Beaucoup d'entre eux, titulaires de CAP, sont souvent employés comme OS ou même comme manœuvres. Ils s'estiment déclassés, sous-employés, brimés et s'adaptent mal aux dures conditions de travail. Ils vont se montrer très réceptifs à la révolte des étudiants dont la violence et la détermination leur plaisent. Timidement d'abord, puis franchement à partir du 13 mai, ils vont leur tendre la main.

La radio, la presse et la télévision ont diffusé, à plaisir, l'image des étudiants parisiens piétinant sans grand succès devant les portes hermétiquement closes de Renault-Billancourt. Or, cette image est fausse : elle ne reflète pas l'état d'esprit de la majorité des travailleurs *au début* du mouvement. Il convient, en effet, de distinguer nettement deux phases :
- du 14 au 17 mai, 200 000 ouvriers se mettent en grève sans consignes précises de leurs confédérations.
- dans un deuxième temps, à partir du 18, les appareils syndicaux tentent de développer et de canaliser l'action; leurs consignes ne seront en fait connues dans l'ensemble du pays que le 19.

Jusqu'au 17 mai, c'est donc la base ouvrière qui donne le ton. Billancourt, bastion CGT-PC depuis trente ans, constitue l'exception et non la règle. A Clermont-Ferrand, par exemple, de jeunes ouvriers viennent aux nouvelles dès le 14 dans la faculté occupée; à Cléon, ils décident le soir même de se rendre en délégation à l'université de Mont-Saint-Aignan; à Besançon, des ouvriers de la Rhodia s'installent dans les « amphis » de la faculté des lettres et participent à un

Au Mans, comme ailleurs, les grévistes s'organisent pour tenir.

13-17 mai : la grève « spontanée » (1).

▲▲▲ <u>Woippy</u> : en grève dès le 15 mai ou avant   ● [Chauny] : séquestration de cadres

●●● Landrecies : mise en grève le 16 mai   ○○○ Besançon : mise en grève le 17 mai

(1) Le 18 mai au matin la grève prend un essor tel (1 million de grévistes à 12 heures et 2 millions le soir) qu'il devient impossible d'en dresser une carte.   © Delale - Ragache

La Basse-Seine, le Nord, quelques usines de Nantes et de Lorraine donnent le signal; Lyon et Marseille suivent, ensuite c'est le raz de marée.

comité de coordination; à l'inverse, la cantine de l'usine est mise chaque après-midi à la disposition des étudiants. A Caen, dès les premières heures de la grève, ouvriers et étudiants, qui se connaissent depuis les manifestations de février, fraternisent. A Sud-Aviation-Nantes et aux NMPP de Paris, des étudiants participent au piquet de grève.

La tendance générale dans cette courte période est à la fraternisation; elle se maintiendra localement malgré l'attitude hostile de la direction d'une CGT particulièrement méfiante envers les étudiants gauchistes. A la CSF de Brest, la CFDT invitera à plusieurs reprises des militants étudiants à participer, dans l'usine, à des débats sur l'autogestion.

Berliet = Liberté.

Les premiers jours, la spontanéité ouvrière est évidente. « Usine occupée : nous en avons plein les

bottes ! » proclame le calicot apposé sur l'usine Vinco à Dieppe. Ce n'est pas un cas isolé. L'anagramme que réalisent les ouvriers avec les lettres du fronton de BERLIET déplacées pour former LIBERTÉ se charge d'une valeur symbolique. Aucune de ces actions ne correspond à un mot d'ordre précis, pas plus que la proposition, repoussée de justesse à Cléon, de remettre en marche une chaîne pendant une heure avec pour personnel les cadres et la maîtrise « pour leur faire voir ce que c'est ! ».

Chez ces premiers grévistes, le profond désir de changement donne naissance à une tactique très dure. Le plus souvent, ils occupent l'usine, hissent des drapeaux rouges sur les grilles et, lorsqu'ils le peuvent, portent un rude coup à la hiérarchie en séquestrant les cadres. 29 d'entre eux sont ainsi retenus de force à Nantes (Sud-Aviation), à Cléon (Renault), à Elbeuf (Cipel et

La grande grève débute dans les Ardennes et à Woippy. Quelques-uns des premiers grévistes ardennais.

La première usine occupée

A Givet, dans les Ardennes, le patron de l'usine Wisco refuse depuis avril d'appliquer une convention collective régionale. Les ouvriers ripostent par une série de débrayages sans résultat. Le 9 mai, par surprise, ils décident donc d'occuper l'usine : à 2 heures du matin, les piquets de grève prennent position. Le patron fait alors appel à 2 pelotons de gendarmerie et à un huissier. Pour toute réponse, les grévistes se barricadent dans le bâtiment (des syndicalistes CFDT, CGT et FEN viennent en cortège les soutenir). Le face-à-face dure deux jours. Craignant des incidents, le préfet obtient du patron l'application de la convention. Victorieux, les premiers « occupants » de mai rentrent chez eux le 10 mai, à 21 h 30.

Kléber-Colombes), à Déville-lès-Rouen (Sidelor), à Chauny (Thomson), à Vireux (Fonderies) et à la manufacture de Bayonne. Enfin, l'adversaire est parfois symboliquement pendu : une vingtaine de mannequins sont ainsi « accrochés à la lanterne ». Ils représentent le plus souvent un capitaliste aussi anonyme que sa société. Un écriteau peut parfois les personnaliser : il porte le nom d'un petit chef local, d'un patron de l'entreprise, de « Nenesse le Jaune » ou, beaucoup plus rarement, celui

d'un membre du gouvernement. Ce premier carré de grévistes bouleverse donc les habitudes sociales des vingt années précédentes. Comme l'indique le slogan qu'ils peignent dans la banlieue d'Elbeuf, ils veulent « le temps de vivre et plus dignement ! ».

Les syndicats dans la lutte.

Les deux premiers jours, les syndicats ne réagissent pas aux occupations d'usines, publique-

ment du moins. Le 15, la journée d'action contre les ordonnances, prévue de longue date, ne rencontre pas le succès attendu : quelques débrayages, des délégations et de rares cortèges ne suscitent pas l'enthousiasme. Les travailleurs ne s'intéressent pas à cette grévette de routine, ils ont d'autres idées en tête...

Le même jour, la CFDT affirme à nouveau sa volonté de rapprochement avec les étudiants progressistes. Des responsables confédéraux et des militants dialoguent avec les occupants de la Sorbonne. La fédération de la métallurgie conseille même à ses adhérents : « Il serait opportun de développer les débats avec les étudiants, non seulement pour leur dire notre accord sur leurs revendications, mais aussi et surtout pour que nos préoccupations de démocratie dans l'entreprise, du droit au travail, de la démocratisation réelle de l'enseignement soient comprises et partagées par eux. »

Au nom de FO, André Bergeron rencontre square Montholon les dirigeants de la CFDT. Il se déclare prêt à appuyer les occupations, mais en restant indépendant de la CGT.

Cette dernière demeure dans une froide réserve. Les revendications d'autogestion et les réformes de structure réclamées par la CFDT sont abruptement qualifiées de « formules creuses » par Georges Séguy. A Billancourt, la section CGT désapprouve l'initiative de l'UNEF d'organiser une marche de solidarité sur l'usine, alors que les sections CFDT et FO se déclarent heureuses de cette marque de sympathie. Cependant, la confédération CGT n'est pas inactive. Le 16, elle publie un communiqué dans lequel on relève un appel, devenu rituel, à « la formation d'un front syndical sans faille », et une phrase discrète envisageant « le remplacement du pouvoir actuel par un gouvernement populaire ». Cet appel du pied à la FGDS n'est pas nouveau. Il n'implique qu'un hypothétique changement de gouvernement, non de régime. Il sera repris avec beaucoup plus de vigueur après l'échec de Grenelle. Enfin, la CGT appelle à « la mobilisation des travailleurs » pour régler « les comptes en retard ». Par cette déclaration, elle pose des jalons sans s'engager vraiment, car ce terme de mobilisation n'indique aucune forme d'action précise.

De fait, si les syndicats ne sont pas absents des premiers jours de lutte, ce sont les sections de base qui donnent le ton, et non les confédérations. A Sud-Aviation, les militants trotskistes de FO lancent l'occupation, mais, dans la majorité des premières usines en grève, la CFDT domine ou est très fortement représentée. C'est le cas à Cléon, à Contrexéville, à Caen, à Elbeuf, etc., à tel point que la CGT a pu croire que la CFDT tentait de la déborder sur sa gauche. De plus, dans certaines sections CGT, comme à Flins, les militants marxistes-léninistes mènent l'action; même à Billancourt, les gauchistes conjuguent leurs efforts pour précipiter l'occupation.

Ce n'est que le 17 dans la soirée, après un comité national extraordinaire, que la CGT décide d'exploiter le mouvement, sans pour autant parvenir à l'unité d'action, puisque Séguy, péremptoire, déclare que, « aussi bien à la CFDT qu'à la FEN, il n'y a pas encore une vue très claire des choses ».

« Nénesse le Jaune » symboliquement pendu à l'entrée d'une usine ardennaise.

A partir du 18, les forces additionnées des trois centrales ouvrières, de la FEN, de l'UNEF et des gauchistes aboutiront en cinq jours à la paralysie totale du pays. Le nombre des grévistes croît avec rapidité : le 18, vers midi, ils sont 1 million et, le soir, plus de 2 ! Après la pause du dimanche, les arrêts de travail atteignent toutes les régions, tous les corps de métier : plus de 4 millions le lundi soir, 6 à 7 millions le mardi, 8 millions le mercredi 22 mai et, au lendemain de l'Ascension, on frôle les 9 millions de grévistes.

La France paralysée

Du 23 mai au 2 juin, les nouveaux arrêts de travail qui se produisent compensent les rares reprises. La grève se stabilise donc à un niveau record pendant une dizaine de jours. Elle ne déclinera que lentement et non sans problèmes.

Des métallos aux croque-morts.

Les métallos ont donné le signal de l'action. Dès janvier 68, les patrons de la métallurgie avaient tendu les relations en refusant aux syndicats des négociations globales.

Du 14 au 17 mai, parmi les premières usines en grève, 45 relèvent de la métallurgie lourde ou de la mécanique, 19 autres travaillent pour l'automobile et 13 pour l'aéronautique. Cependant, la présence massive, dans cette avant-garde, d'ouvriers de la chimie et des textiles artificiels (23 usines), de l'électrotechnique (17), de l'alimentation (15), du meuble (2) et d'autres secteurs encore, indique un mécontentement profond et global dépassant les simples problèmes catégoriels.

Imitant leurs camarades des usines, les employés des services publics bougent à leur tour. Le 17 dans la nuit, plus un train ne roule, plus un avion ne vole. Le 18,

Dans l'Eure, même de très petites entreprises n'échappent pas à la grève.

Les dernières grandes grèves						
année	population active	nombre de grévistes	pourcentage de grévistes	nombre de paysans	population active (sans paysans)	pourcentage de grévistes (sans paysans)
1936	19 300 000	3 000 000	$\simeq$ 15,5	7 140 000	12 160 000	$\simeq$ 25
1947	18 000 000	1 900 000	$\simeq$ 10,5	6 120 000	11 880 000	$\simeq$ 16
1953	19 000 000	850 000	$\simeq$ 4,5	5 130 000	13 870 000	$\simeq$ 6
1968	20 000 000	9 000 000	$\simeq$ 45	3 000 000	17 000 000	$\simeq$ 53

dans la région parisienne, métros et bus restent au dépôt. Dans tout le pays, les bureaux de poste ferment un à un. Les jours suivants, l'EGF et les enseignants rejoignent le mouvement, lui donnant des allures de raz de marée. Dans les petites villes ou dans les provinces conservatrices (Alsace, Auvergne, Savoie, Vendée...), la fermeture et l'occupation des gares, des bureaux de poste et des lycées donnent le signal aux entreprises de la région qui, une à une, débrayent.

La grève prend alors toute son ampleur. Elle se consolide dans le monde ouvrier, chez les dockers et les mineurs, puis, débordant le secteur traditionnel des usines et des transports publics, elle gagne les laboratoires de recherche, le bâtiment, les centres atomiques, les banques et les compagnies d'assurances, les centres de Sécurité sociale, les mairies et même des préfectures. Les grands magasins ferment leurs portes, les marins pêcheurs et ceux du commerce restent à terre, les employés des péages et des douanes lèvent leurs barrières. Dans les campagnes, ouvriers agricoles et cantonniers cessent le travail. Dans les grandes villes, il n'est parfois plus possible d'enterrer un parent décédé : des métallos aux croque-morts, tous se croisent les bras. La France est paralysée.

Le repli sur la province.

En devenant massive la grève s'assagit. Minoritaire elle était dure, majoritaire elle se veut « responsable ». Progressivement, les mots d'ordre locaux s'uniformisent et les négociations vont se dérouler à Paris entre le patronat et les permanents syndicaux, éloignant les travailleurs de leurs propres revendications. La grève canalisée devient sage. Les confédérations reprennent la situation

Plus nombreux qu'en 36 !

Pendant le Front populaire, les grévistes ne représentaient que 16 % de la population active totale et 25 % de la population active non agricole, soit 1 salarié sur 4. En 68, plus d'un salarié sur deux se croise les bras. Rappelons que petits paysans, ouvriers agricoles et étudiants sont infiniment plus nombreux qu'en 36 à soutenir le combat des ouvriers. Le peuple français connaît en 68 la plus grande grève de son histoire.

Chez Usinor, à Denain, l'autorité des vigiles n'est plus à l'ordre du jour.

On occupe aussi chez Citroën, où les grèves sont pourtant rares.

en main : elles font relâcher les cadres[1], accrocher des drapeaux tricolores à côté des rouges et décrocher des mannequins expiatoires.

N'ayant plus à négocier sur place, les grévistes consacrent le plus clair de leur temps à s'organiser. Du 22 mai au 4 juin, la vie sociale s'émiette, se parcellise, se décentralise. Le courrier ne circule plus. Si le téléphone automatique fonctionne à peu près, les lignes non automatiques sont soumises à un blocus rigoureux de la part des grévistes du standard. Toute communication non urgente est impitoyablement coupée. Cela accentue l'isolement des régions de montagne. Chamonix, par exemple, sera privé de téléphone pendant dix jours. La presse quotidienne régionale continue parfois de paraître, mais sa distribution devient hypothétique. Les hebdomadaires et les feuilles professionnelles ne reparaissent pas avant le 9 ou 10 juin. Les journaux parisiens, occasionnellement disponibles dans les grandes villes, sont introuvables ailleurs. Les transports collectifs sont inexistants; seuls de très rares cars privés circulent d'une ville à l'autre.

Chaque gréviste vit donc *sa* grève de mai, à l'image de *sa* région ou même de *son* entreprise : à ce

1. Ceux de Sud-Aviation ne seront libérés que le 28 mai.

Les ouvriers agricoles eux aussi...

Dispersés dans les campagnes, les ouvriers agricoles connaissent traditionnellement des difficultés pour coordonner leurs actions. Toutefois, en 68, la grève prend aussi un caractère massif dans cette corporation.

Dès le 13 mai, la CFDT (largement majoritaire) et la CGT appellent à la solidarité active avec les étudiants. Puis, la grève se généralisant dans le pays, les ouvriers agricoles refusent en de nombreux endroits de faire cause commune avec leurs employeurs syndiqués à la FNSEA ou au MODEF; c'est sur leurs propres mots d'ordre qu'ils veulent se battre pour améliorer leur sort. Ils exigent :
— un salaire minimum au moins égal à celui pratiqué dans l'industrie,
— de meilleures conditions de logement,
— une réglementation de la durée du travail,
— un régime de retraite permettant une vie décente.

Le mouvement prend naissance dans les grandes fermes du Valois où Stéfane K. (militant CFDT) est, avec ses camarades, à l'origine de deux manifestations : l'une à Crépy, l'autre au Plessis-Belleville où, avec l'aide d'une trentaine d'étudiants, un barrage est établi sur la route nationale.

A partir du 24 mai, l'agitation s'étend : 6 000 grévistes en Picardie, 5 000 en Anjou (des ouvriers maraîchers défilent à Angers aux côtés des ouvriers d'usine), 2 000 en Provence (surtout des forestiers), 6 000 dans le Languedoc... Dans ces régions, les ouvriers agricoles recherchent plus volontiers le contact avec les autres salariés qu'avec les paysans.

Dans le sud-Ouest, en Bretagne et dans les montagnes, où la petite exploitation domine, on ne constate pas de mouvement autonome important. Là, les petits paysans mènent l'action, mais localement des ouvriers agricoles peuvent « déborder » la FNSEA. Partout, des coopératives et des instituts de recherches agricoles sont occupés.

En 68, les salariés agricoles ne sont pas restés en marge. Le calme reviendra progressivement dans les fermes à partir du 6 juin

niveau de base, l'information passe bien. Des contacts s'établissent avec les communes voisi-

nes mais, si le champ d'action s'élargit trop, l'information devient floue, inexacte, inconsistante. Les Parisiens n'échappent pas à la règle. Ils vivent leur mai en s'imaginant que la province « ne suit pas », ce qui est inexact car elle les a parfois précédés.

Le seul lien commun à tous, provinciaux ou Parisiens, grévistes ou non, CRS ou manifestants, c'est la radio. Les transistors, omniprésents, fonctionnent jour et nuit. Les étudiants, les responsables confédéraux, les ministres et même le président de la République utilisent les ondes pour lancer leurs appels. Mais la radio ne joue un rôle décisif que dans les grands moments : discours présidentiels, manifestations de masse, nuits d'émeute. La vie, elle, se déroule à l'échelle de l'entreprise ou de la commune.

Une France parallèle

Brusquement libérés des contraintes quotidiennes, mais présents dans leurs usines, les ouvriers s'y organisent du mieux qu'ils peuvent. Aux premières heures, il s'agit de constituer des piquets de grève. Dans la métallurgie, c'est très souvent affaire d'hommes; à Flins la première nuit, seuls les femmes et de vieux travailleurs sont autorisés à regagner leur domicile, mais dans le textile ou l'électronique, les femmes montent elles-mêmes la garde dans leurs ateliers. Seules les mères d'enfants en bas âge en sont dispensées. Dans tous les cas, des équipes assurent un roulement : aux Chantiers de l'Atlantique par exemple, la relève se fait tous les jours à 13 heures.

Dès le début, ces occupations posent un problème : le ravitaillement.

Le pain quotidien.

La première nuit, les occupants tiennent à l'aide de solides casse-croûte et de boissons apportées par les familles, mais cela se révèle insuffisant. Ils se cotisent alors pour acheter massivement de la nourriture et improvisent des mini-cuisines avec des réchauds de camping. Deux ou trois jours après, les occupants passent à un autre stade d'organisation : dans de grandes entreprises, ils remettent en service la cantine; ailleurs, comme au Havre, on transforme en cuisine un atelier de forge du port.

Pour se procurer des vivres, on fait appel aux bonnes volontés : à Vernon, un boulanger fournit gratuitement 200 pains par jour et des paysans offrent 12 tonnes de pommes de terre. Ces palliatifs généreux se révélant insuffisants, l'Union locale des syndicats de Vernon affrète un camion de 35 tonnes pour acheter des légumes en Bretagne. Ce n'est pas un cas isolé. Autour de nombreuses villes, des véhicules conduits par des grévistes battent la campagne

Ceux qui travaillent...

Du 21 mai aux premiers jours de juin, la France connaît la grève la plus suivie de son histoire. Très rares sont les usines qui ne sont pas touchées. Dans ce cas, il s'agit souvent de petites entreprises où un arrangement à l'amiable est possible. Parfois la pression patronale est forte, comme chez ce fabricant de meubles du Pays de Bray qui met en place un « piquet antigrève » devant son atelier, ou bien comme ce petit patron de Clisson (Loire-Atlantique) qui met préventivement son personnel en vacances dès le 20 mai.

Dans quelques grands établissements, le travail se poursuit : chez Simca à Argenteuil où règne la CFT, aux Cristalleries de Baccarat (Vosges) où le cahier de revendications est accepté en bloc par la direction dès le premier jour.

Mais il s'agit là d'exceptions. Du Nord au Midi, la France est bien paralysée.

Dans tout le pays, la solidarité avec les grévistes est manifeste : à Nantes, des femmes participent au ravitaillement; à Vernon, un boulanger offre 200 pains gratuits.

PAYSANS
LES GREVISTES ONT BESOIN DE VOUS VENEZ LEUR VENDRE VOS PRODUITS
DIRECTEMENT
DANS LES USINES ET DANS LES FACULTES

En bien des endroits, le Comité central de grève veille. Ci-dessus : des membres du CCG d'Angers déchargent des victuailles offertes par des paysans. Ci-dessous : une carte délivrée par le CCG d'Aubagne.

à la recherche de nourriture. Dans les villes côtières, les marins pêcheurs font à plusieurs reprises des sorties bénévoles en mer pour offrir leurs prises aux familles des grévistes.

Mais, après l'échec des négociations de Grenelle, le conflit semble pouvoir s'éterniser. Bien des municipalités décident alors d'entrer en lice : elles ouvrent gratuitement les centres aérés et les cantines scolaires aux enfants. Cette pratique est fréquente dans le Nord et en Normandie.

Le comité central de grève gère la ville.

Au-delà d'une semaine de grève, la paralysie totale d'une ville pose de sérieux problèmes. Pour tenter d'y répondre, les syndicalistes créent parfois un Comité central de grève (CCG) chargé de coordonner l'action dans la ville ou même la région.

A Reims par exemple, dès le 21 mai, le CCG veille à l'approvisionnement en viande et en lait. Pour ce faire, des grévistes bénévoles assurent le ramassage du lait, son conditionnement en berlingots et sa distribution; les quantités ainsi distribuées passeront de 3 000 litres par jour à 10 000 à la fin du mois. Le CCG veille aussi à l'hy-

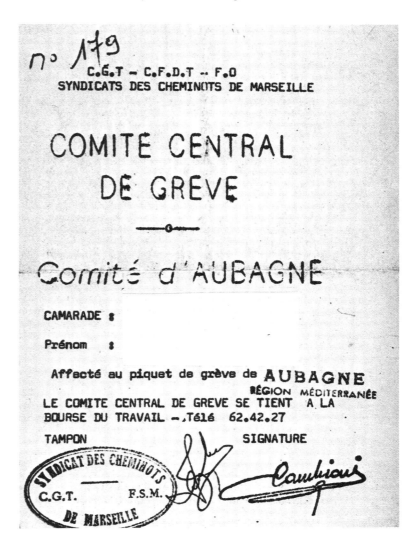

n° 179

C.G.T - C.F.D.T - F.O
SYNDICATS DES CHEMINOTS DE MARSEILLE

COMITE CENTRAL DE GREVE

Comité d'AUBAGNE

CAMARADE :

Prénom :

Affecté au piquet de grève de AUBAGNE

RÉGION MÉDITERRANÉE
LE COMITE CENTRAL DE GREVE SE TIENT A LA
BOURSE DU TRAVAIL -.Télé 62.42.27

TAMPON   SIGNATURE

LES **REDACTIONS**

e Parisien   France Soir   LE FIGA

. AURORE   Le Parisien

PARIS JOUR   Paris-pres:

e Parisien   **minute**

A   L'AU

DESINFECTER

nute

France Soir   Le Parisien

.sien

SOUTENEZ LES CHEMINOTS EN GREVE

AVEC ET POUR LES TRAVAILLEURS

SOUTENEZ LES CHEMINOTS EN GREVE

Par leurs affiches, les étudiants des Beaux-Arts contribuent activement à l'extension du mouvement.

fonctionnent dans plusieurs villes de l'Ouest et du Languedoc, notamment.

Pendant les dernières semaines du conflit, le problème financier passe souvent au premier plan. Des milliers de collectes en faveur des grévistes s'improvisent sur les marchés, dans la rue, dans les universités. Le plus souvent, la solidarité joue : les passagers du paquebot *Antilles* retenu à quai au Havre remettront 960 F à l'équipage de leur propre bateau ! Mais ces gestes de solidarité ne suffisant plus, certaines municipalités acceptent de prendre la relève. Elles votent des subsides en faveur des grévistes. Pour éviter le gaspillage, elles mettent en circulation des bons d'alimentation de 5, 10 ou 15 F acceptés par les commerçants de la commune.

La perspective autogestionnaire.

L'idée d'autogestion, mise en avant par les anarchistes et le PSU, ne rencontrait avant 68 qu'un faible écho. De timides expériences ont cependant lieu. Dans bien

giène publique et assure les services d'inhumation.

A Nantes, à partir du 25 mai, le CCG distribue le fuel aux boulangeries, aux laiteries et aux petits commerces d'alimentation et délivre des bons d'essence. Il organise des consultations gratuites dans les dispensaires, le ramas-

sage des ordures ménagères et des points de vente de nourriture à des tarifs préférentiels pour les grévistes. A Reims, à Narbonne et à Nantes, les piquets de grève pratiquent une surveillance attentive des prix sur les marchés. Ces cas sont extrêmes, mais des CCG aux attributions plus modestes

Le plus souvent, le calme et la bonne humeur sont de règle en mai : des métallos ardennais se croisent les bras.

Les assignats des grévistes

Renouant avec les pratiques de la Libération, en plusieurs endroits de France les grévistes, pour soutenir et augmenter leur capacité de résistance, ont décidé d'émettre des bons ayant valeur monétaire.

A Cluses (Haute-Savoie), une monnaie acceptée par les commerçants circule en coupons de 10 F avalisés par les unions locales des syndicats. A Fourchambault (Nièvre), le comité de grève émet (en 2 tranches de 3 000 F chacune) des bons d'alimentation garantis par la mairie.

De nombreux bons municipaux de 10 F sont mis en circulation dans la Somme, à Picquigny, à Salex (pour l'épicerie), à Saint-Sauveur (pain, lait, viande) et à Flixécourt; à Béthencourt-sur-Mer circulent même des coupons de 100 F. En Normandie, des bons municipaux de 5 F sont émis à Pont-Audemer (une journée) et à Blainville-sur-Orne (plusieurs jours). Il en est de même à Annapes (Nord) et à Hennebont (Morbihan), où ils sont garantis par le Comité intersyndical de grève. A Scaer (Finistère), la cantine du CES est gratuitement ouverte aux grévistes, et des assignats ou « bons en blanc » valables sur tout le territoire de la commune sont émis par la mairie et le Comité de grève.

Ces initiatives démontrent que les provinciaux n'ont pas attendu les consignes des grands états-majors politiques pour s'organiser. En mai 68, la province n'avait aucun « retard » sur Paris et était même supérieurement organisée.

des cas, il s'agit surtout d'assurer des productions indispensables, comme à Fontenay où la pile Triton est laissée en marche pour fournir des radio-isotopes aux hôpitaux; même chose à Lyon où un service de fabrication de vêtements destinés à la chirurgie est maintenu en fonctionnement. D'autres ouvriers agissent dans le même sens en faveur des usagers prioritaires (vieillards, malades, nouveau-nés) : des travailleurs de la sucrerie Béghin (Nord) livrent des quantités limitées de marchandises; ceux de chez Perrier, près de Trappes, assurent le tiers de leur production à destination des hôpitaux. Les cheminots font aussi preuve d'initiative : le 20 mai, en pleine grève, ils mettent en circulation un train pour que des ouvriers italiens puissent aller voter dans leur pays ! Dans les jours qui suivent, des convois de viande et de légumes sont acheminés bénévolement ou bien le contenu en est vendu symboliquement à des grévistes pour éviter la destruction totale. A la raffinerie de pétrole de Grand-Couronne, près de Rouen, l'essence est distribuée par le comité de grève qui établit lui-même les priorités; les 50 techniciens concernés déclarent penser à l'autogestion. Chez Pechiney, à Noguères, pour éviter d'endommager les fours, une production minimum est effectuée par des équipes qui décident elles-mêmes de leurs horaires et de leurs

cadences et obtiennent des cheminots la livraison d'un convoi de bauxite. A la Redoute, à Roubaix, on continue de travailler au catalogue de vente de l'hiver pour éviter de compromettre l'avenir. Même calcul dans les services de recherche de la Régie Renault où l'on pratique la grève à mi-temps ! Dans la plupart des cas, il s'agit plus de gestion des affaires cou-

Préoccupations politiques et revendications sociales se rejoignent : mannequin expiatoire chez Citroën, affiche rédigée par des métallos de Denain.

18 mai-7 juin : la grève des pétanqueurs.

rantes que d'autogestion. En effet, les grévistes n'ont à pratiquer ni investissements, ni commercialisation sérieuse. Lorsque la recherche se poursuit, c'est le plus souvent dans l'idée que l'activité normale de la firme va reprendre. Enfin, les circuits financiers étant bloqués, les grévistes n'ont pas de comptabilité réelle à assurer. Même à la SNECMA où ces derniers utilisent de l'argent liquide appartenant à la firme, ils signent en échange des chèques, qui, déposés dans la caisse, garantissent le remboursement.

A Clermont, dans l'Oise, le personnel d'un hôpital psychiatrique applique de lui-même la semaine de 40 heures en cinq jours. Des actions plus élaborées ont lieu à l'observatoire de Meudon et à celui du puy de Dôme où un « Conseil d'autogestion » est créé. Les chercheurs et les techniciens y réfléchissent à améliorer les méthodes de gestion et de travail en groupe; ceux de Saclay iront dans le même sens. En fait, dans ces cas, le haut niveau de qualification du personnel et l'habitude du travail en équipe favorisent les essais. La tentative la plus pous-

sée d'autogestion aura lieu à la CSF de Brest, où la CFDT est le seul syndicat représentatif.

Si, de toutes ces expériences, aucune ne peut être réellement qualifiée d'autogestionnaire, il est cependant certain qu'en mai les travailleurs ont fait la preuve d'une considérable capacité d'organisation : non seulement dans leurs entreprises ils ont su gérer seuls les affaires courantes, mais dans certaines villes ils ont assuré par des Comités centraux de grève le fonctionnement de *tous* les services indispensables, allant jusqu'à l'émission de monnaie syndicale ou municipale.

Ainsi, la grande grève est l'occasion d'une réflexion accrue sur l'organisation d'une éventuelle société autogestionnaire. Beaucoup de travailleurs prennent conscience de leur capacité à lutter contre le patronat, mais aussi à se passer de lui...

Le gouvernement et les patrons considèrent l'autogestion comme une utopie, et ce n'est pas le moindre des paradoxes que de voir Fred Lip écrire dans *le Monde* qu'une fois la grève terminée « tout sera comme avant... »[1] !

La vie dans les usines occupées : la grève des pétanqueurs.

Les machines se sont tues. Un inhabituel silence règne dans les ateliers. Un peu nerveux, surpris de leur propre audace, les grévistes observent leurs usines d'un œil neuf. Inquiets d'une éventuelle riposte patronale ou policière, ils accumulent les défenses : derrière les portes herméti-

---

Autogestion - CSF - Brest - Bravo !

Depuis 1962, un millier d'hommes et de femmes travaillent dans l'usine CSF (électronique) de Brest. La CFDT y est largement majoritaire : elle regroupe 83 % des ouvriers contre 17 % à FO.

Le 20 mai 68, les locaux sont occupés. Aussitôt, les militants CFDT organisent des groupes chargés du dépannage urgent, de l'animation, du ravitaillement, des finances, etc. Des liens sont établis avec des paysans de la région qui aident au ravitaillement. On pratique le crédit en faveur des grévistes (le conflit ne se termine que le 24 juin). Dans les ateliers, on projette des films, des diapos et l'on organise des débats avec des gens de l'extérieur : à plusieurs reprises, des militants de l'UNEF sont invités à venir s'exprimer et à participer à ces débats; des enseignants font une conférence sur l'éducation sexuelle. Des membres de la direction peuvent aussi venir prendre la parole.

Au-delà des revendications classiques, la CFDT réclame la création de Commissions ouvrières. Elle met en place une de ces commissions, composée de membres de la direction et de 12 salariés qui rédigent des rapports sur : l'information du personnel, sa participation à la gestion de l'entreprise, les conditions de travail, etc. Les grévistes pensent un moment à remettre l'usine en marche. Le projet échoue car les circuits financiers sont bloqués et, de plus, l'armée (le plus gros client) n'accepterait jamais.

Il n'y a donc pas eu de réelle autogestion à Brest, tout au plus une amorce de cogestion, mais les travailleurs y ont fait la preuve de leur capacité à s'organiser.

1. Tout ou presque, puisque six ans plus tard, dans l'usine de M. Lip à Besançon, les travailleurs procèdent à une spectaculaire remise en marche des ateliers qui fera date dans l'histoire du mouvement ouvrier français. L'exemple de Lip sera suivi dès l'année suivante par des ouvriers du meuble dans les Vosges, par des midinettes en Picardie, en Charente, dans le Midi et par les travailleurs de Teppaz à Lyon.

MISE EN GARDE

Depuis quelques mois, des publications les plus diverses sont distribuées par des éléments recrutés dans les milieux étrangers à la classe ouvrière.

Les auteurs de ces textes restent la plupart du temps anonymes, ce qui situe bien toute leur malhonnêteté.

Ils s'attribuent des titres les plus "alléchants", et les plus fantaisistes pour tromper :

"LUTTES OUVRIÈRES" – "SERVIR LE PEUPLE" –

"UNITÉ et TRAVAIL – "LUTTE COMMUNISTE" – "RÉVOLTES" –

"VOIX OUVRIÈRES" – "UN GROUPE D'OUVRIERS".

Si les titres varient, le contenu de leur prose poursuit un objectif commun :

ECARTER LES TRAVAILLEURS DE LA CGT, ET SUSCITER LA DIVISION DANS LEURS RANGS POUR LES AFFAIBLIR.

La nuit, leurs commandos lacèrent nos affiches. A chaque fois qu'ils distribuent aux portes, la police n'est pas loin, prête à protéger leur diffusion, comme ce fut le cas dernièrement au L.M.T. Ils ont tenté tout récemment d'envahir les locaux de la Bourse du travail de Boulogne. Ils bénéficient d'une publicité outrancière sur les antennes gaullistes, et dans les colonnes des journaux bourgeois. Cette mise en garde est sans doute superflue pour la majorité des travailleurs de la Régie, qui ont connu dans le passé de telles agitations. Par contre, les plus jeunes doivent savoir que ces éléments servent la Bourgeoisie qui a toujours utilisé ces faux révolutionnaires à chaque fois que la montée de l'union des forces de gauche menace ses privilèges. Il importe donc de ne pas permettre qu'aux portes de notre usine, on vienne souiller l'organisation syndicale, et les militants CGT qui se dévouent sans compter à la défense des revendications et aux progrès de l'unité. D'autant que ces éléments trouvent toujours au bout de leur sale besogne, une grasse récompense pour les loyaux services rendus au patronat. (Certains occupent aujourd'hui des postes élevés à la direction de l'usine).

Ceci étant dit, le Bureau du Syndicat CGT Renault appelle le personnel à poursuivre son combat revendicatif, et à intensifier ses efforts pour de nouveaux progrès de l'union des forces syndicales et démocratiques,

A renforcer encore les rangs de la CGT qui lutte pour ces nobles objectifs.

LE BUREAU DU SYNDICAT C.G.T. RENAULT

Contre les gauchistes, la CGT ne désarme pas.

quement closes, on entasse barres de fer, pierres, boulons; les lances à incendie sont mises en batterie. Les premières nuits, les guetteurs montent une garde anxieuse à proximité de la sirène. S'il y a du grabuge : trois coups, et les camarades de l'usine voisine accourent à la rescousse. Cela ne se produira que très rarement. En mai, la grève, par son caractère massif, décourage toute riposte d'envergure. Les forces de l'ordre ne s'intéresseront qu'aux standards téléphoniques et aux émetteurs de l'ORTF, et non aux usines. Progressivement, malgré de rares échauffourées avec des « jaunes » et des cadres zélés, les grévistes se détendent, et l'occupation prend un côté bon enfant.

Dans le Nord, les amateurs d'harmonica et d'accordéon improvisent aux côtés des joueurs de cartes; en Normandie, les dominos claquent sur les tables; en Loire-Atlantique, on joue au palet et, en Bretagne, avec de grosses boules en bois. Dans toutes les cours d'usine on dispute des parties acharnées de football et de pétanque. On se croirait presque en vacances. Le dimanche, on organise des journées «portes ouvertes» pendant lesquelles les familles découvrent les ateliers. Après la visite, on danse dans la cour jusqu'au soir. Le lundi, les occupants, à nouveau seuls, reprennent cartes et boules. Une ou deux fois par jour, l'Assemblée générale réunit les militants. On s'y informe, on discute, on vote, le plus souvent à main levée.

Cette image détendue, cette grève bon enfant reflète bien la situation jusqu'au rejet des accords de Grenelle. Au-delà de cette date, l'atmosphère se tend, on joue avec moins d'enthousiasme, les discussions politiques se font plus âpres. Des désaccords fondamentaux apparaissent entre les délégués des divers syndicats. Au début du mois de juin, les accrochages sont fréquents avec les « jaunes » et les cadres. Des entreprises reprennent le travail; dans beaucoup d'autres, les grévistes durcissent leurs positions. La France se coupe progressivement en deux. Les forces de l'ordre interviennent avec violence dans certaines usines. Il y a des morts. Juin 68 sera le mois des affrontements : la grève des pétanqueurs est terminée; une autre commence, beaucoup plus rude.

24 mai 68 : « Tout fout le camp ! »

la crise politique

La journée du vendredi 24 mai ouvre une nouvelle période dans l'« explosion de mai ». Il devient alors évident qu'on est en face d'une *crise générale* de la société française. La composition, l'orientation et jusqu'à la nature du pouvoir politique central vont être directement remises en cause et nombreux sont les observateurs qui pensent assister, en ces derniers jours de mai 68, à l'agonie de la Ve République.

« Son discours, on s'en fout ! »

Le 24 mai, le président de la République a décidé de parler : il pense dénouer la crise; son échec est immédiat et patent. Ce jour-là aussi, les paysans organisent une journée nationale d'action revendicative. Ce jour-là, la gauche traditionnelle, syndicale et politique, se voit contrainte de descendre à nouveau dans la rue. Ce jour-là culmine un nouveau cycle de manifestations violentes dans les grandes villes universitaires. Ce jour-là enfin, de l'aveu même d'un membre du gouvernement, « tout fout le camp ! ».

Quelques petites phrases.

Dans la soirée du 11 mai, la crise universitaire a été « dénouée » par Georges Pompidou. Le président de la République décide en conséquence qu'il prend « la responsabilité de la tactique ». Or, une question immédiate se pose aux membres du gouvernement : de Gaulle doit-il partir pour la Roumanie le 14 mai ? L'intéressé hésite; l'effet que son départ aura sur l'opinion publique semble déterminant pour ses ministres. Christian Fouchet voudrait que le général demeure en France : une absence en cette période critique serait prise comme une marque de condescendance pour ses concitoyens et de mépris pour les problèmes intérieurs du pays. Georges Pompidou et Maurice Couve de Mur-

ville conseillent le départ : il faut de toute façon que « les choses décantent », avant que le président puisse utilement intervenir; un changement de programme serait perçu comme une preuve

Les Beaux-Arts manifestent :
« De Gaulle assassin ! »

de panique de la part de l'État, alors qu'il faut avant tout éviter de dramatiser les choses.
De Gaulle, qui attache une grande importance politique à ce voyage

(« l'Europe de l'Atlantique à l'Oural » lui trotte toujours dans la tête), décide de partir. Mais il fixe un terme à son silence; dès le 14, il déclare : « Je parlerai le 24 mai. Vous pouvez l'annoncer. Je dirai à la nation ce que je pense de tout cela. »
Pourquoi cette date ? Une motion de censure a été déposée sur le bureau de l'Assemblée nationale le 8 mai; la discussion, qui met théoriquement en jeu l'existence du gouvernement, aura lieu les 21 et 22 mai. Georges Pompidou seul doit faire face à cette menace, car c'est lui qui est directement mis en cause. Sa victoire une fois acquise, de Gaulle se réserve de *dénouer la crise* à sa manière, et sans en avoir référé à qui que ce soit.
Le déclenchement de la grève générale, qui s'opère en l'absence du président, ne change rien à ce scénario. Malgré les demandes insistantes de la plupart de ses ministres, il refuse de changer quoi que ce soit au décorum de sa visite à l'étranger.
Par la suite, il se contente, jusqu'à la date fatidique du 24, de tempêter dans le silence des bureaux de l'Élysée. Ayant abrégé son voyage d'une simple nuit, il lance à son arrivée à Orly une « petite phrase » : « La récréation est finie ». Pendant les cinq jours qui suivent, il multiplie les conseils restreints, exigeant « l'évacuation de l'ORTF tout de suite, de l'Odéon ce soir et de la Sorbonne demain ». Georges Pompidou parvient à faire remettre l'opération mais beaucoup de ministres s'interrogent : va-t-on vers un réfé-

rendum, des élections législatives ou la proclamation de l'état d'urgence ? Au public, le ministre de l'Information jette en pâture une seconde « petite phrase », qui fait rire tout le monde mais ne calme pas les inquiétudes : « La réforme, oui; la chienlit, non. »

Pompidou, l'homme-orchestre.

Pendant ce temps, le Premier ministre a dû faire front. Comme son attitude depuis le 11 mai est loin de faire l'unanimité dans les milieux gouvernementaux, il concentre dans l'immédiat entre ses mains tous les pouvoirs de fait. Il n'hésite pas à arracher le micro à l'un de ses ministres interpellé par François Mitterrand devant la Chambre, et à en réprimander un autre pour « déclaration intempestive ». Il veut que le gouvernement donne au public l'image de la solidarité, de la confiance et de l'unité, alors qu'au fil des heures de sévères divisions se font jour.

Pris au dépourvu par le développement de la grève générale, il en est d'abord réduit à mettre au premier plan de ses préoccupations la question du maintien de l'ordre. Dans cette situation pour laquelle il n'y a aucun précédent historique, il faut s'assurer que l'État dispose encore d'une force de police suffisante, et en cas de nécessité mettre l'armée en mesure d'intervenir rapidement. Or, la grogne règne parmi les forces de l'ordre : elles ont l'impression d'avoir été « flouées » par le gouvernement. Sur une antenne de radio, le secrétaire général du syndicat indépendant de la Police nationale déclare le 17 mai : « J'ai presque reçu mandat hier, au cours d'une assemblée générale, de déclencher la grève de la police. »

Il lui est alors impossible de réagir efficacement contre le développement des grèves, même lorsqu'elles touchent des secteurs stratégiques pour l'État, comme la poste, les chemins de fer ou la navigation aérienne. Si le bureau du Central-Radio, qui assure les communications téléphoniques avec l'étranger, est occupé par la police et confié à l'armée, le gouvernement ne dispose pas de forces suffisantes pour s'emparer de tous les centres provinciaux de télécommunications : les quelques évacuations qui sont ordonnées

donnent lieu à des manifestations de protestation, et, comme il est impossible de disperser les techniciens militaires à travers toute la France, force est pour l'État de compter sur l'« esprit civique » des postiers grévistes, et d'attendre pour le reste l'ouverture de négociations entre les syndicats ouvriers et les organisations patronales.

Georges Pompidou s'attaque alors à la « crise politique » dans sa forme la plus traditionnelle, celle de la motion de censure et du débat parlementaire.

Le spectacle parlementaire.

La classe politique, dans l'attente des *décisions* du président de la République, organise une parade destinée à représenter, à son niveau et pour le grand public, la crise qui secoue le pays.

Mardi 14 mai, le débat sur la question universitaire, qui avait été interrompu sans conclusion le 8, reprend à l'Assemblée nationale. En début de séance, un député gaulliste propose une minute de silence « en hommage aux combattants des guerres de 1914-1918 et 1939-1945 qui ont lutté contre les amis de M. Cohn-Bendit », accusé d'avoir profané, lors de la manifestation du 7 mai, la tombe du Soldat Inconnu. François Mitterrand s'empare d'un micro et clame : « C'est une honte ! » Une sérieuse bagarre est évitée de justesse entre plusieurs

Du côté du gouvernement, le maintien de l'ordre est à l'ordre du jour.

députés de la majorité et le leader de l'opposition.

Mais un vote semble indiquer que le gouvernement *risque éventuellement* d'être mis en minorité la semaine suivante : celui-ci, désirant rédiger son propre texte d'amnistie, propose que la discussion de cette question soit remise à plus tard. Mesure qui n'est adoptée qu'à une voix de majorité, le groupe centriste et René Capitant, gaulliste de gauche, votant avec l'opposition. Parmi les gaullistes « orthodoxes », certains souhaitent en privé cette issue : l'adoption de la motion de censure permettrait à de Gaulle de dissoudre la Chambre, de se débarrasser du Premier ministre et de procéder à des élections législatives générales. Le groupe parlementaire UDVe semble sur le point d'éclater : René Capitant et Edgard Pisani font savoir qu'ils voteront la censure.

Le débat, qui s'ouvre le 21 mai, est retransmis en direct par la radio et la télévision, et polarise pendant deux jours l'attention des Français. Mais rien ne se passe. Jacques Chaban-Delmas, président de l'Assemblée, déclare à René Capitant : « Renverser le gouvernement, cela n'appartient qu'à de Gaulle et à lui seul. Il ne l'a pas fait; ce n'est donc pas à nous de le faire. » Capitant, la mort dans l'âme, démissionne. Edgard Pisani est donc le seul membre de la majorité à voter la censure, qui est rejetée sans problème car 8 centristes et 5 non-inscrits ont refusé de s'y rallier.

De Gaulle : « J'ai mis à côté de la plaque. »

Le 24 mai au soir, de Gaulle parle. Dans son discours apparaissent ses préoccupations philosophiques les plus profondes. La crise est, d'après lui, une crise de structure, et sa solution se trouve dans une « participation plus étendue de chacun à la marche et aux résultats de l'activité qui le concerne directement ». Conception qu'il avait déjà exprimée à plusieurs reprises dans le passé : rien donc de vraiment nouveau sur le plan politique.

La manière est, elle aussi, dans la tradition du général : référendum immédiat; chèque en blanc, ou presque, accordé au président de la République; plébiscite. Il s'agit de court-circuiter l'ensemble de la « classe politicienne » et de mettre gauche; les socialistes dénoncent le principe du plébiscite; les gaullistes se rallient avec une belle unanimité de façade à ce qu'ils qualifient d'« appel au verdict populaire ».

De Gaulle a ressenti l'échec : « J'ai fait un bide, n'est-ce pas ? », déclare-t-il à ses proches quand il s'entend parler sur les ondes de l'ORTF.

Dès le 25, le ministre de l'Intérieur lui communique les télégrammes envoyés par les préfets : partout en France, la réaction populaire est négative. On attendait des mesures concrètes, et on a entendu des déclarations de principe extrêmement vagues. Que se passera-t-il si les « non » l'emportent au référendum, alors que le pays reste en ébullition ? Il n'est d'ailleurs même pas certain que le vote pourra se dérouler normalement : la commune de Norcourt (Aisne) fait savoir qu'elle ne prêtera pas son concours à l'organisation du référendum, « manœuvre politique qui a pour but d'éluder les problèmes actuels ». La bataille pour la « participation » ne fait dans l'immédiat que compliquer les choses.

Bien plus, du 20 au 24 mai, alors que le gouvernement fait apparemment preuve de la plus grande inertie, les choses dans le pays continuent d'évoluer. Le mouvement populaire s'étend irrésistiblement : après les étudiants et les ouvriers, les paysans, les salariés agricoles, les mariniers, les patrons pêcheurs, les médecins, les journalistes, les lycéens, les chercheurs manifestent leur mécontentement et s'attaquent aux vieilles structures. Le 24, tout le monde est dans la rue et crie : « Son discours, on s'en fout ! »

« J'ai fait un bide... »

le pays au pied du mur : en cas de vote négatif, il y aura vacance du pouvoir, et risque de « rouler, à travers la guerre civile, aux aventures et aux usurpations les plus odieuses et les plus ruineuses ».

Les réactions des leaders politiques correspondent à ce qu'on pouvait en attendre : le PC appelle à voter « non » et demande la signature immédiate d'un contrat de gouvernement de

« Une journée d'avertissement strictement commerciale et européenne. »

Les événements de Mai n'ont pas modifié les carnets de rendez-vous « européens » du ministre de l'Agriculture. Or, il semble certain que, le 27 mai, les prix communautaires du lait et de la viande vont être revus en baisse par rapport à ceux qui avaient été prévus en 1966. Le 17 mai, le conseil national de la FNSEA se réunit à Paris. Deux décisions sont prises : 4 000 agriculteurs européens manifesteront à Bruxelles à l'ouverture du conseil des ministres de l'Agriculture des

La participation avant mai 68

Il existait depuis le 17 août 1967 une ordonnance sur la participation des salariés aux fruits de l'expansion des entreprises. Un premier accord avait été signé le 4 avril 1968 aux établissements Viniprix de Charenton : le personnel reçoit 15,30 % du profit de l'entreprise, distribués pour une partie en espèces, une partie sous forme de comptes d'épargne bloqués pour cinq ans.

La CGT, tout en dénonçant la « duperie de cette prime aléatoire », accepte de signer cet accord et recommande à ses sections de participer aux discussions proposées par les patrons, « afin de ne pas pénaliser les travailleurs ».

Six, et une « journée d'avertissement » se déroulera le 24 mai dans toute la France.

Les dirigeants nationaux, qui représentent les intérêts des gros agrariens et des notables ruraux, multiplient les « précautions »; il s'agit d'obtenir des garanties du gouvernement, et non de s'opposer à lui. Les manifestations doivent donc être strictement « professionnelles » : plutôt que de manifester devant des bâtiments publics, il vaut mieux, disent-ils, se retrouver devant les coopératives et les usines de transformation des produits agricoles; plutôt

conque solidarité nationale des paysans avec les travailleurs en lutte.

Mais les tendances politiques des responsables régionaux et locaux de la FNSEA sont extraordinairement diverses. Dans une partie de l'Ouest, la « gauche chrétienne » se prononce pour « la remise en cause de la société capitaliste avec les étudiants, les enseignants et les ouvriers »; dans l'Allier, dans la Creuse, les syndicats départementaux se déclarent partie prenante dans tout projet de « nouvelle société, plus démocratique et plus juste ».

dures se lançant les premières dans l'action.

« Non au régime capitaliste... »

Les formes prises par l'agitation dans les campagnes sont variées. En raison du manque d'essence et des difficultés de communication, il y aura moins de monde dans la rue et sur les routes que prévu. Le total des manifestants paysans se chiffre pourtant à 200 000 dans le pays.

Dans certains cas, la FNSEA se contente de réunir son conseil départemental et rédige une motion. A Chamalières, près de Clermont-Ferrand, le président de la FNSEA tient un simple meeting d'information en présence du préfet. A Tulle, le MODEF réunit ses adhérents dans une salle fermée, confisque les drapeaux rouges, expulse les citadins et refuse de se joindre au meeting ouvrier qui se déroule en ville.

Si à Argentan et à Besançon les paysans se contentent d'un bref défilé solitaire et silencieux, dans d'autres endroits, comme Limoges, ils se joignent aux manifestations unitaires.

Mais les exploitants agricoles ont, dans quelques départements, recours à leurs traditionnelles méthodes d'action violente : barrage systématique des nationales dans l'Allier, le Vaucluse, les Landes; en Gironde, des dizaines de poteaux télégraphiques ont, en outre, été sciés au cours de la nuit. Il y a des actions de commandos contre les résidences de « cumulards » : le château du duc de Montesquiou (député PDM) dans le Gers, la maison d'un député UDVe à Hazebrouck, près de la frontière belge, sont endommagés. Il y a aussi des manifestations surprises : 1 000 paysans, venus de Cahors et de Caussac, envahissent le petit village de Cajarc, dont le maire s'appelle Georges Pompidou. Il y a enfin des attaques contre des bâtiments officiels : la sous-préfecture de Guingamp, le 22 (3 porcelets sont pendus aux grilles), et le 24 la préfecture de Rennes et celle d'Agen, où les paysans envahissent les locaux et allument des incendies, avant d'être expulsés par la police, qui doit s'emparer de quelques barricades. Au Puy, les manifestants, repoussés depuis la place de la préfecture, se barricadent dans les stands de la foire. Les salves concentrées de

Rassemblement paysan à Nandax (Loire).

que d'envahir les grandes villes, il vaut mieux organiser des meetings dans les bourgs isolés.

Le gouvernement a perçu le danger que lui ferait courir l'ouverture d'un nouveau « front » d'agitation sociale : il multiplie les concessions corporatives. Dès le 16, il institue une taxe parafiscale sur les prix de vente des volailles et des œufs, destinée à financer des « caisses de régularisation des cours » de ces deux produits. Le 22, dans la soirée, Georges Pompidou en personne reçoit le président de la FNSEA et promet qu'en cas de baisse européenne des prix agricoles le gouvernement instituera un système de compensation destiné à empêcher toute diminution du revenu des exploitants. En échange, la FNSEA « oublie » d'affirmer une quel-

Deux syndicats minoritaires contribuent à politiser les mots d'ordre paysans. Le MODEF, proche du PC, tout en restant très modéré dans ses consignes d'action, s'affirme opposé à l'ensemble de la politique gouvernementale et préconise des défilés communs avec les syndicats ouvriers. Le CNJA, qui s'était, dès le 11 mai, déclaré solidaire des étudiants, va plus loin encore : il se prononce pour « une réforme profonde des structures sociales capitalistes ».

La FNSEA se voit alors contrainte d'annoncer, le 21, qu'elle « couvrira » toutes les initiatives paysannes. Les manifestations viennent d'ailleurs de commencer, avec un barrage dans l'Allier; elles font régulièrement tache d'huile jusqu'au 24, les régions les plus

Nantes, le 24 mai 68.
Des agriculteurs envahissent pacifiquement la ville.
Dans la soirée, la préfecture est attaquée et le drapeau rouge
flotte un moment sur les grilles.

Affichage sauvage à Pigalle.

grenades lacrymogènes y créent un début de panique; un enfant de dix ans est grièvement blessé.

A Nantes, les manifestants paysans se font particulièrement remarquer : réunis en quatre cortèges à la périphérie de l'agglomération, le 24 au matin, ils « envahissent » la ville derrière un immense calicot : « Non au régime capitaliste, oui à la révolution complète de la société ! », et rebaptisent solennellement la place Royale en « place du Peuple ». Certains d'entre eux n'hésiteront pas à se joindre dans la soirée aux étudiants et aux ouvriers qui attaquent la préfecture et, pendant huit heures, édifient des dizaines de barricades. 300 salariés agricoles se retrouvent enfin à Crépy-en-Valois et organisent un barrage routier au Plessis-Belleville.

Du côté de la CGT : « Nous seuls... »

Pendant ce temps se déroulent à Paris des manifestations de la CGT et de l'UNEF, successives et parfaitement distinctes. Cet état de choses reflète la totale rupture qui s'est faite, au niveau national, entre le mouvement étudiant et la principale centrale ouvrière française. La semaine précédente, les choses avaient pourtant semblé s'orienter vers une sorte de *modus vivendi*.

La CGT ne pardonnera jamais à Cohn-Bendit sa « sortie » du 13 mai, et jusqu'au bout les intéressés se contenteront d'échanger des injures. Mais force est à la CGT d'admettre que l'UNEF est un syndicat; son attitude est alors un peu plus prudente.

Elle ne se prive pourtant pas de donner son avis sur les mots d'ordre lancés par l'UNEF, le SNE-Sup ou les CAL, alors qu'elle refuse systématiquement toute tentative des étudiants de « s'immiscer dans les luttes ouvrières ». Un quiproquo va se produire : les « conseils » de la CGT semblent être régulièrement suivis d'effet. Alain Geismar et Jacques Sauvageot, qui prônent l'union entre les ouvriers et les étudiants, seraient-ils prêts à mettre une sourdine à leurs « initiatives provocatrices » ? Georges Séguy se croit alors satisfait : « L'opinion publique a été très favorablement impressionnée par la façon dont nous avons, avec fermeté, stoppé les provocations et les mots d'ordre aventuriers. *Nous seuls* avons voué à l'échec le projet de manifestation devant l'ORTF. *Nous seuls* avons ramené à la raison les étudiants prêts à envahir Renault. »

Une tentative de rapprochement s'ébauche le 21. Une rencontre est même prévue pour le lendemain soir. Mais, au cours de la

Roanne : meeting ouvrier aux Ateliers de construction textile.

A Renault-Billancourt, les étudiants ne sont pas rentrés dans l'usine. Une exception plutôt qu'un symbole.

Manifestation devant l'ORTF et marche sur Billancourt

Dans la journée du 16 mai, alors que l'agitation gagne journalistes et réalisateurs de la télévision, l'UNEF, le SNESup, les CAL et le 22-Mars proposent une manifestation de masse devant les studios de la rue Cognacq-Jay, afin de protester contre la « partialité de l'information » donnée aux Français depuis deux semaines. Le gouvernement ayant fait connaître son « opposition », Geismar déclare : « Si on nous cherche, on nous trouvera. » La CGT réagit vivement : « Ce n'est ni l'intérêt des étudiants, ni celui des travailleurs de se laisser entraîner dans d'aussi grossières provocations. » Mais comme les leaders du mouvement étudiant « passent » le soir même sur le petit écran, le mot d'ordre de manifestation est annulé.

Quelques heures plus tôt, la nouvelle du déclenchement de la grève à Renault-Billancourt était parvenue à la Sorbonne. Aussitôt, un cri retentit : « A Billancourt ! » Les quelques milliers d'étudiants qui spontanément rallient l'usine trouvent portes closes, font le tour des bâtiments en chantant l'Internationale et forment des groupes de discussion avec les rares grévistes qui sont venus à leur rencontre. C'est une déception. L'UNEF appelle alors à une nouvelle « marche sur Billancourt » pour le lendemain 17. Les sections CFDT et FO de l'usine manifestent leur sympathie, mais la CGT proteste : elle demande aux étudiants d'annuler purement et simplement leur mot d'ordre.

La marche a lieu pourtant, et regroupe 3 000 personnes. Mais « tout se passe bien » : les étudiants ne tentent à aucun moment de « forcer les portes », et Jacques Sauvageot se contente d'inviter les grévistes à venir dialoguer à la Sorbonne.

Invitation qui est reçue avec intérêt par la CFDT. Georges Séguy, quant à lui, affirmera plus tard : « Jamais un responsable de la CGT n'a mis les pieds à la Sorbonne. »

journée du 22, la situation change du tout au tout, et l'hostilité mutuelle redevient publique.

A l'annonce de la mesure d'interdiction de séjour qui frappe Daniel Cohn-Bendit, l'UNEF et le SNESup appellent à une manifestation pour le soir même au quartier Latin, avec comme objectif l'Assemblée nationale. En même temps, Jacques Sauvageot dévoile l'existence du rendez-vous prévu et fait savoir qu'il n'y aura « aucun accord politique » entre les deux syndicats, la jonction entre étudiants et travailleurs devant s'opérer « à la base, dans les entreprises ».

La CGT dénonce « l'incroyable prétention de l'UNEF », le caractère « provocateur » de la manifestation, et annule l'entrevue. La polémique est à son comble : la CGT recommande à mots couverts aux « vrais étudiants »... de renverser le bureau de l'UNEF. Dès que, le 23 mai, le syndicat étudiant appelle à une nouvelle manifestation pour la soirée du 24, la CGT lance son propre mot d'ordre : elle organisera des défilés pacifiques de la classe ouvrière pour faire pression en

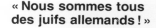
L'affaire Cohn-Bendit

Daniel Cohn-Bendit quitte la France le mercredi 22 mai au matin, pour effectuer une «tournée révolutionnaire» dans plusieurs pays d'Europe. Le ministre de l'Intérieur profite de son départ pour faire savoir que le leader étudiant est désormais interdit de séjour. L'intéressé s'exclame : « Les frontières sont longues... je reviendrai. » La CGT rappelle : « Il semble bien que les mises en garde que nous avons faites, avant même que le Premier ministre ait fait allusion à l'appartenance dudit individu à une organisation internationale, soient en train de se confirmer.

Daniel Cohn-Bendit réapparaîtra dans la nuit du 28 au 29 mai à la Sorbonne, mais, au mois de juin, son rôle politique deviendra négligeable au sein du mouvement...

Dans la soirée du 24 mai, l'émeute se déclenche un peu partout en France. Lyon, Strasbourg, Nantes et Paris connaissent leur plus grande « nuit des barricades », et, le lendemain, Bordeaux s'embrase à son tour. Il y aura au total 2 morts et 500 blessés hospitalisés, 144 étant dans un état grave. Dans tous les cas, les mots d'ordre principaux portent sur l'interdiction de séjour qui frappe Daniel Cohn-Bendit : « Nous som-

COHN-BENDIT PASSERA

faveur de l'ouverture immédiate de négociations.

Pagaille syndicale, ébullition populaire.

Du 22 au 26 mai, plus d'une centaine de manifestations étudiantes et ouvrières se déroulent dans l'ensemble de la France. Mais la désunion au sommet crée partout du flottement. Chacun finalement se décide en fonction de la situation locale.

Dans certaines villes, des défilés « unitaires, énormes et pacifiques » peuvent se tenir, car le climat est encore à l'entente. A Caen, par exemple, les étudiants font en cortège le tour des usines occupées avant d'aller se joindre au meeting intersyndical devant la préfecture. A Marseille, les étudiants *sollicitent* leur intégration au sein de la manifestation CGT. Ils doivent pour cela rouler toutes les banderoles portant le nom de Cohn-Bendit, et un « cordon sanitaire » CGT les maintient séparés

des ouvriers. A Clermont-Ferrand, le 25 mai, l'unité syndicale éclate en pleine manifestation : l'UNEF, sommée d'abandonner ses mots d'ordre, quitte le cortège et fait bande à part.

Dans d'autres cas, la rupture est déjà consommée. A Toulouse, le 25-Avril, la CFDT et le CNJA appellent à une démonstration le 24; l'hôtel de ville est envahi pacifiquement par la foule, qui fraternise avec les employés municipaux en grève. Le lendemain, la CGT procède, solitaire, à son propre défilé. A Brest, c'est au sein même des syndicats ouvriers que se manifeste le clivage : la CGT et la CFDT ne pouvant se mettre d'accord, elles organisent deux meetings séparés.

Dans la région parisienne, enfin, la CGT demeure isolée, la CFDT ayant refusé toute participation à une opération qu'elle juge « anti-UNEF ». Les défilés CGT parisiens du 24 réunissent 10 000 et 20 000 personnes. Le premier, qui devait se rendre de la place Balard à la gare d'Austerlitz, est détourné vers la porte de Choisy, afin de rendre impossible toute jonction avec les cortèges en formation de l'UNEF. Une certaine grogne s'y manifeste parmi les jeunes ouvriers de Renault et de Citroën : les organisateurs ne parviennent pas à imposer leurs slogans et aux sages : « Abrogez les ordonnances ! » « Augmentez nos salaires ! » initialement prévus, succèdent : « Le pouvoir est dans la rue ! » « Le pouvoir, c'est nous ! » Malgré quelques incidents, brefs et peu violents, toutes les manifestations unitaires se sont déroulées dans le calme. Il n'en va pas de même dans certaines villes universitaires, où l'UNEF se retrouve seule dans la rue.

A Toulouse, le maire socialiste de la ville accueille les manifestants du 25-Avril place du Capitole.

mes tous des juifs allemands!»
«Les frontières, on s'en fout!»
L'intéressé se présente dans l'après-midi, accompagné de plus de 1 000 étudiants allemands, à un poste frontière dans la région de Forbach. Admis en France par les douaniers, il est reçu par le sous-préfet de la ville qui lui notifie officiellement son interdiction de séjour et le fait raccompagner à la frontière. Pendant ce temps, 4 000 étudiants strasbourgeois l'attendent en vain au pont de l'Europe à Kehl; 1 000 d'entre eux pénètrent symboliquement en Allemagne sans montrer leurs papiers.

En fin de soirée, il apparaît que l'émeute n'est plus seulement universitaire : aux professeurs, aux lycéens, aux étudiants se joignent maintenant une majorité de jeunes ouvriers, de chômeurs, de « blousons noirs » et de déclassés, qui sont exaspérés par la façon « responsable » dont est conduit le mouvement dans leur quartier ou leur usine. Ils viennent pour *cogner* et s'initient très vite à la technique du combat de rue.

Dès le 22 mai, à Paris, la manifestation, revenue au quartier Latin après une « promenade » jusqu'à l'Assemblée nationale, avait dégénéré en heurts sporadiques entre minuit et 4 heures du matin. Le lendemain, sans qu'*aucune* orga-

14-26 mai 68 : manifestations étudiantes, ouvrières, paysannes.

☆ : bagarre sérieuse
★ : émeute, barricades
✝ : 1 mort au cours d'une manifestation

• moins de 1 000 manifestants
◦ 1 000 - 2 000 manifestants
○ 2 000 - 5 000 manifestants
○ 5 000 - 10 000 manifestants
○ 10 000 - 50 000 manifestants
○ plus de 50 000 manifestants

© Delale - Ragache

La France entière est entrée en ébullition.

Les manisfestants toulousains, le 24 mai.

Le pont de l'Europe, à Kehl, est occupé par 4 000 étudiants.

L'émeute en province : Nantes...

... Bordeaux, Lyon.

nisation ait donné le moindre mot d'ordre, 300 « anarchistes » s'attaquent à la police. Aussitôt, les étudiants sortent de la Sorbonne. Ils se montrent divisés : certains se joignent aux manifestants, d'autres font la chaîne et tentent d'interrompre la bagarre. Mais la nouvelle est annoncée à la radio et, en moins d'une heure, plusieurs milliers de jeunes convergent sur le quartier Latin. On se battra pendant neuf heures d'affilée, et il y aura plus de 150 blessés.

Les « objectifs » des barricadiers deviennent de plus en plus divers. Il ne s'agit plus seulement de se battre avec la police; on attaque les « repaires de l'ennemi » : permanences gaullistes, commissariats, préfectures, hôtels de ville et même la Bourse des valeurs sont attaqués et, dans certains cas, mis à sac ou incendiés. A Bordeaux, le Grand Théâtre est occupé par deux fois. En dehors même des combats, les vitrines des boutiques volent en éclats, et, à Lyon, place des Cordeliers, un grand magasin est en partie pillé.

Ces destructions permettent au gouvernement d'affirmer que l'émeute est désormais imputable à la *pègre,* et la presse gouvernementale fait étalage du fait qu'il y a, parmi les manifestants arrêtés, un certain nombre de repris de justice.

Quelle que soit l'intensité des combats, l'émeute dure très longtemps : dix heures à Paris, huit heures à Lyon, sept heures à Nantes le 24, et huit heures à Bordeaux le 25. C'est que la police a reçu l'ordre d'éviter tout contact rapproché, afin de limiter ses pertes. Quand les manifestants sont assez nombreux pour occuper un ou plusieurs quartiers d'une ville, ils s'y barricadent solidement, et les déloger de leurs positions constitue une tâche de longue haleine. Une seule exception : Strasbourg, où les émeutiers, trop peu nombreux pour occuper le terrain, ne résistent aux charges de la police que pendant deux heures.

La violence atteint partout un maximum qu'il est difficile de dépasser sans faire usage d'armes à feu. Et l'inévitable, que le gouvernement cherchait pourtant à éviter, se produit : il y a 2 morts dans la nuit du 24 mai. L'un d'eux, René Lacroix, commissaire de police, a la poitrine défoncée par un camion chargé de pierres que

Au paroxysme de la violence : incendies, arbres abattus, matraquages.

les manifestants lyonnais ont fait dévaler vers le pont Lafayette afin de forcer le passage. L'autre, Philippe Matherion, un ancien étudiant de vingt-six ans, employé dans une agence immobilière, reçoit un éclat de grenade en plein cœur sur le boulevard Saint-Michel.

Dans les villes « chaudes », comme Lyon, Bordeaux, Toulouse, Nantes et Paris, les manifestations sont redevenues quotidiennes. Les forces de l'ordre ne pourront pas à ce rythme tenir longtemps le choc, d'autant qu'il est maintenant nécessaire de disperser les effectifs à travers toute la France pour faire face à l'agitation paysanne et ouvrière.

Grenelle, constat d'échec

Le 25 mai à 15 heures, alors que le président de la République s'est montré incapable de reprendre en main la situation et que Bordeaux va connaître une grande nuit d'émeutes, une cinquantaine de personnes se présentent au ministère des Affaires sociales, rue de Grenelle à Paris. Il s'agit de trouver une issue négociée au mouvement de grève générale qui paralyse la France depuis six jours. Il y a là 11 représentants du patronat, siégeant au nom du CNPF et des PME, un observateur de la FNSEA, 32 syndicalistes répartis en 6 délégations[1] et 3 membres du gouvernement : Georges Pompidou, Premier ministre, Jacques Chirac, secrétaire d'État à l'Emploi, et Jean-Marcel Jeanneney, ministre des Affaires sociales.

Quel est le point de vue des divers partenaires ?

« Un mouvement revendicatif et démocratique. »

Avec les premiers jours de la grève, la CGT a procédé à son analyse du mouvement, qualifié par elle de « revendicatif et démocratique ». Or, ces deux « aspects » doivent être traités à part; les syndicats sont seuls compétents en matière de revendications économiques mais « ils

1. CGT, CFDT, FO, CFTC, CGC pour les cadres et FEN pour l'Éducation nationale.

n'ont pas vocation pour conduire le mouvement à un terme politique éventuel ».

La « lutte politique » de gauche, qui doit créer la possibilité d'une « alternance démocratique » dans le pays, a pour objectif immédiat la signature d'un « programme commun de gouvernement », entre la FGDS et le PC, auquel participeraient, pour les questions sociales, la CGT, la CFDT et FO. Le côté revendicatif doit se restreindre aux exigences matérielles immédiates de la classe ouvrière; il s'agit seulement de « régler les comptes en retard ». Une telle analyse amène la CGT à condamner un certain nombre d'attitudes et de mots d'ordre ouvriers : il n'est pas question, par exemple, de remettre en cause l'autorité des cadres ou de la maîtrise, en les séquestrant ou en les forçant à travailler à la chaîne, car elle les considère en bloc comme une composante du mouvement démocratique et populaire. Les manifestations de rue lui paraissent condamnables lorsqu'elles risquent de dégénérer en insurrection : « L'opinion publique, bouleversée par les troubles et la violence, a vu en la CGT la grande force tranquille qui est venue rétablir l'ordre au service des travailleurs. »

Bien plus, forte de son analyse et de son importance numérique, la CGT affirme sans ambiguïté, et dès le 17 mai, *sa vocation à diriger le mouvement :* le Bureau confédéral, qui siège en permanence, constitue « en quelque sorte la direction nationale de la lutte qui s'engage à *notre appel* ».

Cette attitude abrupte ne facilite pas les rapports avec la confédération FO : si celle-ci est d'accord pour maintenir le mouvement syndical dans des limites strictement revendicatives, elle se déclare hostile à toute concertation avec les partis de gauche.

Mais c'est surtout la CFDT qui rue dans les brancards.

Pouvoir ouvrier, pouvoir syndical, droit syndical.

Le 22 mai, André Jeanson, président de la CFDT, déclare sans ambages : « Il ne saurait être question qu'un mouvement d'une telle ampleur et d'une telle profondeur se satisfasse de 'succès alimentaires'. »

Pour lui, la lutte pour les revendications matérielles doit se doubler d'un combat pour la transformation des structures au sein de l'entreprise. Sont mis en avant des mots d'ordre tels que « cogestion », « compression de la hiérarchie des salaires » et, parallèlement au « pouvoir ouvrier » lancé par l'UNEF et une partie de l'extrême gauche, l'idée d'un « pouvoir syndical ». D'après la CFDT, il ne faut pas attendre un hypothétique changement de gouvernement pour commencer à transformer la société, car on peut, sur place et dans une certaine mesure, modifier les rapports de pouvoir au sein des entreprises. C'est ce qu'elle appelle « la lutte anticapitaliste ».

Cette analyse est immédiatement condamnée par les leaders de la CGT, qui multiplient les sarcas-

La table des négociations.

mes : « L'heure n'est pas aux bavardages sur les transformations profondes de la société », s'écrie Georges Séguy.

Les négociations entre les deux centrales, qui ont lieu le 22 mai pendant toute la journée, sont particulièrement tendues. Un compromis pourtant s'élabore, qui donnera lieu à des interprétations divergentes. La CFDT abandonne provisoirement le terme de « réformes de structures », mais exige en contrepartie que la question de « l'extension des droits syndicaux » (qui figure dans les accords de 1966 mais que la CGT avait « oubliée » dans son projet initial) figure en première place de la plate-forme revendicative commune. La CGT cède. Lors de la séance de l'après-midi, la délégation CFDT est accueillie par un : « Alors, où voulez-vous qu'on les mette, vos droits syndicaux ? »

Les limites initiales de l'« entrevue ».

Le 25 mai, à 15 heures, Georges Pompidou, ouvrant la première séance de discussions, indique que l'ordre du jour n'est en aucune façon limité, et que chacun doit faire ses propositions «dans un esprit de large ouverture ».
P. Huvelin, président du CNPF, se contente d'affirmer qu'il aborde les débats «dans un esprit constructif » et rappelle que, si l'industrie nationale perdait toute compétitivité au sein du Marché commun et dans le commerce international du fait de trop lourdes charges sociales, cela constituerait «un désastre pour la France ».
Les syndicats ouvriers indiquent que les pourparlers qui sont en train de s'ouvrir ne concernent que des revendications générales, et que tout texte d'accord devra être complété par des conventions collectives à tous les niveaux. Ils ne sont d'ailleurs pas mandatés pour signer un texte définitif, mais chargés de « rendre compte aux salariés en grève des résultats des discussions ». Ceux-ci se prononceront par un vote, après avoir entendu l'avis des syndicats sur les résultats obtenus. La CFDT précise : le vote constituera *un avis sur des propositions* et non une décision de reprise immédiate du travail.
La CGT pose alors un *préalable :* l'abrogation des ordonnances sur la Sécurité sociale; la CFDT en

Pendant les interruptions de séance, les journalistes tentent de percer le secret des dieux (ici, Georges Séguy et Benoît Frachon).

ajoute un second : dépôt immédiat d'une loi fondamentale « sur l'exercice des libertés et du *pouvoir syndical* dans les entreprises ».
L'ordre du jour proposé par les syndicats CGT-CFDT est alors retenu. On abordera au fil des discussions un grand nombre de sujets, mais l'essentiel tourne autour des points suivants : rémunérations, durée du travail, retraite, emploi et droit syndical.

Un marathon improvisé.

Comme la CGT désire « conduire la confrontation avec la plus grande célérité, la population attendant avec intérêt et impatience les décisions qui seront prises », une méthode de travail très particulière est adoptée. Outre l'incroyable durée des séances plénières (douze heures le samedi, quatorze heures le dimanche), on laisse systématiquement tomber les questions faisant l'objet d'un désaccord. Lors des interruptions de séance, qui sont nombreuses, chacun peut téléphoner à ses instances nationales et prendre de nouvelles consignes; un compromis peut encore s'élaborer autour d'une tasse de café, grâce à l'intervention d'un médiateur de « bonne volonté ». Quand les choses piétinent sérieusement, on forme une commission chargée d'élaborer un texte de synthèse.
Pour trancher toutes les questions essentielles, droit syndical mis à part, une sorte de triumvirat se forme immédiatement : Georges Séguy pour le côté ouvrier,

P. Huvelin pour le point de vue patronal et Georges Pompidou pour le gouvernement. Les délégations de la FEN, de la CGC et de la CFTC se contentent d'intervenir sur les points qui les intéressent directement. En revanche, des heurts très durs ont lieu entre la CGT et la CFDT. En matière de salaires, la CFDT tient à une discussion d'ensemble; Georges Pompidou, arguant de l'absence (inexpliquée d'ailleurs) du ministre des Finances, refuse d'en discuter en ce qui concerne le secteur public et nationalisé. La CGT approuve et Eugène Descamps (CFDT), exaspéré, lance : « On s'en souviendra, camarades ! »
Lors de la première séance, un accord intervient immédiatement au sujet du SMIG. D'importants « à-côtés » sont pourtant laissés

Le trio gouvernemental de Grenelle.

dans l'ombre : il passe de 2,22 F à 3 F au 1er juin et les zones d'abattement géographique sont supprimées, mais l'engagement ferme du passage à 3,46 F au 1er octobre (ce qui donne un salaire minimal de 600 F par mois) est remis à plus tard; la suppression des abattements d'âge, l'application du SMIG dans l'agriculture et les territoires d'outre-mer, renvoyés à des « discussions conventionnelles » ultérieures. Sur tous les autres points à l'ordre du jour, augmentation des salaires dans l'industrie privée exceptée, c'est l'impasse.

« Le devoir en temps limité. »

Le lendemain dimanche, à l'ouverture de la séance, coup de théâtre : Georges Séguy déclare qu'il a été *mandaté* pour *exiger en préalable à tout accord :* outre l'abrogation des ordonnances, dont il a fait état la veille, l'indemnisation des jours de grève, l'échelle mobile, un calendrier précis du retour aux 40 heures et, pour l'abaissement de l'âge de la retraite, l'ouverture immédiate de négociations dans le secteur public et nationalisé, etc.

La « confrontation » semble donc devoir s'enliser, mais, en séance, l'attitude de la CGT paraît bizarre à la plupart des négociateurs présents : tout en maintenant ses positions de principe, elle tient à ce que soit rédigé un texte présentant les propositions du patronat et du gouvernement. Bien plus, « elle a déjà pris rendez-vous » à sa tribune habituelle de Renault-Billancourt pour le 27 à 8 heures du matin, car elle entend soumettre ces propositions au vote ouvrier. On est en pleine atmosphère d'irréalité.

Tous les problèmes pendants se « règlent » dans la hâte et l'improvisation, et le rythme s'accélère à mesure que le temps passe : après 4 heures du matin, le lundi 27, on rédige fiévreusement les derniers articles; les questions dites « mineures » sont renvoyées à plus tard, même si elles ont pour thème des préoccupations fondamentales pour la classe ouvrière, comme l'emploi et la formation professionnelle.

Vers les 7 heures du matin, tout est fini. Un problème essentiel reste pourtant à résoudre : quel titre va-t-on mettre en tête du document ? Pompidou, voulant engager personnellement les par-

ticipants à la conférence, a fait inscrire : « Accord intervenu entre les soussignés énumérés. » Un membre de la CFDT l'interpelle : « Est-ce un protocole d'accord, un procès-verbal de délibérations, un projet de protocole d'accord, un constat ? Le texte remis est ambigu dans sa première page. Que direz-vous à l'ORTF ? » On décide finalement de ne mettre aucun titre, ce qui est révélateur de la manière dont a été élaboré l'ensemble de ce « constat » (d'après la CGT), de ce « projet de protocole d'accord » (d'après la CFDT) ou de ce « protocole d'accord » (d'après le gouvernement).

Document historique ou torchon de papier ?

A lire le texte de ce qui entrera finalement dans l'histoire sous le nom d'« accords de Grenelle », on peut mesurer à quel point les résultats sont maigres pour la classe ouvrière : le *vague intentionnel* domine dans presque tous les articles. Pour 13 000 caractères d'imprimerie et 14 articles plus une annexe, il est fait 18 fois référence à des négociations ultérieures, sans autre indication de contenu; 10 fois, à des « déclarations d'intentions » gouvernementales ou patronales, et 5 fois

seulement à des mesures sociales accompagnées de chiffres et de dates d'application. Ce sont : l'augmentation du SMIG, porté à 3 F le 1er juin (on est encore loin du salaire minimal à 600 F par mois); l'augmentation globale des salaires dans l'industrie privée (7 % le 1er juin et 3 % le 1er octobre); la proposition patronale de réduction du temps de travail; l'abaissement immédiat du ticket modérateur pour les soins médicaux de 30 à 25 %; enfin, les modalités de récupération des jours de grève : il sera fait immédiatement une avance aux ouvriers représentant la moitié du total des heures récupérables.

Outre ces mesures financières, un succès important : le gouvernement s'engage à faire voter une loi sur « l'exercice du droit syndical dans l'entreprise », et qui prendra pour base le texte élaboré en commission par les représentants de FO et de la CFDT. La CGT s'est, quant à elle, presque totalement désintéressée de la question.

Une seule chose lui tient à cœur : elle a posé *en préalable* la suppression des discriminations qu'elle subit, dit-elle, dans les conseils d'administration des entreprises nationalisées et dans les organismes de formation. Georges Pompidou en profite

---

Les 40 heures en l'an 2000 ?

La question de la réduction de la durée du travail avait donné lieu, lors du « tour de piste » du samedi, à un constat de désaccord total. Les syndicats veulent la semaine de 40 heures sans réduction de salaire pour 1971 dernier délai. Le CNPF, soutenu par Pompidou, « se déclare prêt à chercher un accord sur un horizon raisonnable et une cadence admissible » — l'horizon en question (« Mais attendez, il faut nous laisser le temps de réfléchir ») ne pouvant de toute façon se situer avant l'année 1974.

A la reprise du dimanche, le CNPF fait une proposition : d'ici à 1970, réduction de 2 heures pour les horaires supérieurs à 48 heures et d'une heure pour les horaires compris entre 45 et 48 heures.

Descamps (CFDT) exige *au minimum 42 heures pour tous* dans les 3 ans. Alors Séguy (CGT) : « Il faudrait indiquer le principe du retour aux 40 heures. » Descamps, sidéré : « Au pays des principes, on meurt de faim ! Qu'allons-nous dire aux travailleurs ? »

Peu après, Krasucki (CGT) intervient : « Il faut avoir un objectif de retour aux 40 heures, sans fixer une date, avec un règlement contractuel par industrie. »

Pompidou, finalement, a un scrupule : « Mais la compensation salariale ? » — Huvelin (CNPF) : « La compensation pour l'étape de cette année devrait être de 50 % » (alors que les syndicats exigent unanimement 100 %). Krasucki : « Dans ces conditions, mieux vaut ne pas indiquer de chiffre global. La compensation sera à négocier au niveau des branches. » Et on en reste là.

La CFDT calculera peu après qu'au rythme proposé par le gouvernement on parviendra aux 40 heures à la SNCF... en 2008 !

pour proposer un tête-à-tête à Georges Séguy. L'entrevue a lieu le dimanche matin; la CGT, qui s'était pourtant engagée à rendre publique la totalité des résultats obtenus, se montrera discrète quant aux conclusions de cette rencontre privilégiée.

Voyons maintenant ce que sont devenus les autres *préalables* de la CGT, présentés à l'ouverture de la séance du dimanche après-midi. Abrogation des ordonnances : le gouvernement « s'engage » à en soumettre le texte au Parlement. Échelle mobile : en mars 1969, des commissions paritaires « examineront l'évolution du pouvoir d'achat des salariés ». Age de la retraite : « Le CNPF a accepté l'examen de la question. » Retour aux 40 heures : « Le CNPF et les confédérations syndicales ont décidé de conclure un accord-cadre dont le but est de mettre en œuvre une politique de réduction progressive de la durée hebdomadaire du travail en vue d'aboutir à la semaine de 40 heures. »

« Il se fout de notre gueule ! »

27 mai 1968, 7 heures du matin. La France tout entière respire une fois de plus au rythme de ses transistors. Georges Pompidou, qui croit encore, ou veut faire croire, à un succès, déclare : « J'estime que nous avons atteint un résultat de première importance et qui doit permettre la reprise du travail dans des conditions aussi rapides que le permet la technique. » Seule la minuscule CFTC lui fait écho en promettant la fin de la grève pour le soir même à 17 heures.

Partout dans les usines, les grévistes entendent à la radio les termes de « l'accord conclu ». Dans de nombreuses grandes entreprises, Renault-Flins, Renault-Sandouville, chez Berliet, à Sud-Aviation, à la Rhodiaceta, chez Citroën, etc., ils votent à main levée et à l'unanimité pour la poursuite du mouvement : ils attendent que « la direction se manifeste » et accepte de discuter de toutes les revendications élaborées par les Comités de grève locaux.

Mais l'attention de tous se porte sur le *show* radiophonique que la CGT a organisé à l'île Séguin, au centre des usines Renault-Billancourt. Depuis l'aube, 10 000 ouvriers attendent. A l'insu des

« Show radiophonique » à l'île Séguin : 10 000 ouvriers forment l'assistance.

journalistes (qui ne sont pas encore arrivés), l'essentiel se joue : sur un rapport du représentant CGT de l'Intersyndicale de l'usine, la poursuite de la grève est décidée.

Sous la lumière des projecteurs, les ténors peuvent alors tranquillement faire étalage de leur savoir-faire. Benoît Frachon (CGT), qui n'était pas à la dernière séance de nuit à Grenelle, parle sans papier et joue le rôle de l'avocat de la défense : il rappelle 1936, et s'écrie : « Les accords de la rue de Grenelle vont apporter à des millions de travailleurs un bien-être qu'ils n'auraient pas espéré. » On l'écoute dans un silence de mort. André Jeanson, de la CFDT, se félicite du vote initial en faveur de la poursuite de la grève, et évoque la solidarité

des ouvriers avec les étudiants et les lycéens en lutte. On l'applaudit à tout rompre.

Arrive alors Georges Séguy. Il se livre à un « compte rendu objectif » de ce qui a « été acquis à Grenelle ». Au début, on entend des sifflets; à la fin, une véritable huée, qui met plusieurs minutes à se calmer. Séguy conclut : « Si j'en juge par ce que j'entends, vous ne vous laisserez pas faire. » On l'applaudit, moins fort toutefois qu'André Jeanson, et on entonne : « Gouvernement populaire ! » « Gouvernement populaire ! »

La grève générale continue, mais il faut être bien malin pour savoir qui est désigné par cette phrase plusieurs fois entendue dans la foule : « Il se fout de notre gueule ! »

Révolution ou changement de gouvernement ?
Au meeting du stade Charlety, le 27 mai, répond la démonstration CGT du 29 mai.

le pouvoir est-il à prendre?

L'échec politique du président de la République entraîne, à partir du 24 mai, la possibilité de son retrait à court terme. Dans une telle éventualité, qu'arrivera-t-il ? La quasi-totalité des Français, qui vit depuis trois semaines dans l'imprévu le plus total, a l'impression que « tout est désormais possible ».

La marche hésitante de la révolution

La confusion règne partout. Les « événements » se succèdent en une ronde folle; personne ne sait plus exactement ce qui se passe dans l'ensemble du pays. Les « états-majors responsables », les hommes politiques sont sur la brèche; ils multiplient discours, motions, déclarations et mises au point.

Pour tous, la radio joue un rôle politique fondamental : écoutée en permanence par le militant syndical de base, le député gaulliste, le militaire de carrière ou la concierge, elle crée par son audience nationale les « grands » événements à partir desquels chacun, dans sa ville, son village ou sa caserne, se détermine au fil des heures.

Cette « histoire radiophonique immédiate », qui est essentiellement parisienne et ne met en scène que quelques centaines de figures connues, ne peut cependant masquer le fait essentiel : l'autorité civile de l'État se dilue. Si le processus se poursuit, le pouvoir, selon le mot du général de Gaulle en 1958, ne sera plus à prendre, mais à ramasser.

La machine d'État paralysée.

A partir du 21 mai, le fonctionnement quotidien de l'administration se trouve, sinon directement remis en question, du moins fortement entravé par les grèves qui éclatent parmi les fonctionnaires et les employés de l'État.

A cette date, la majeure partie des services municipaux cessent toute activité; en quelques jours, plusieurs centaines de mairies sont occupées; on y accroche le drapeau rouge, y compris dans

Des plus jeunes aux plus âgées :
« Femmes révolutionnaires,
toujours plus belles. »

quelques bourgs ruraux du Bassin parisien et de la Normandie; l'état civil n'enregistre plus que les naissances et les décès.

Plus grave encore pour le pouvoir est la grève qui touche un certain nombre de préfectures. Les forces de l'ordre, nombreuses dans les chefs-lieux, interdisent toute occupation, mais le travail des préfets se trouve profondément perturbé, puisqu'ils ne disposent plus à Nantes, à Bordeaux, à Toulouse, à Angoulême, etc., que de leurs chefs de service et, au mieux, d'une petite poignée d'employés et de secrétaires non grévistes.

Le mouvement gagne les ministères parisiens : un peu partout, des minorités de grévistes apparaissent. Ils sont nombreux au ministère des Affaires sociales; on en compte 7 000 au ministère des Finances; le ministère de l'Équipement est entièrement paralysé, et une de ses annexes occupée. En même temps, la Bourse des valeurs suspend toutes ses cotations, les ordres d'achat et de vente ne lui parvenant plus du fait de la paralysie des banques... On est en passe de manquer d'argent liquide : la Banque de France a été fermée, et les usines de fabrication de billets occupées.

D'autres institutions d'État sont la proie d'un profond malaise et menacent d'entrer en sécession. Un groupe de jeunes magistrats publie, le 21 mai, un manifeste réclamant l'indépendance de la Justice par rapport au pouvoir politique. Le même jour, les employés du palais de justice de Bordeaux se mettent en grève. Les syndicats CGT et CFDT décident de prendre directement en main la gestion des caisses de Sécurité sociale, et nomment des Comités provisoires qui comprennent uniquement des représentants des salariés.

La France s'émiette et l'administration se trouve dans l'incapacité de remplir un certain nombre de fonctions dont elle s'était depuis longtemps assuré le monopole.

En province surtout, il faudra que de nouvelles autorités se substituent aux précédentes : lutter contre l'isolement et le chaos devient une nécessité vitale. Cas extrêmes, les 21 et 22 mai, la Corse et l'île de Ré sont coupées du continent : il n'y a plus aucune liaison maritime ou aérienne, et le téléphone ne marche plus.

De grandes entreprises, des municipalités, des facultés se voient alors dans l'obligation de créer leur poste parallèle. Celle qui relie la faculté des lettres de Besançon à la Sorbonne passe par la Suisse, l'Allemagne, la Belgique et le nord de la France.

Le dilemme !

A partir du 27 mai, la déconfiture du pouvoir d'État semble s'accélérer. Les policiers municipaux de Bordeaux refusent de marcher contre des postiers grévistes; à Nantes et à Besançon, ils se sortent plus de leurs commissariats, où des groupes d'étudiants et de jeunes ouvriers viennent jour après jour les injurier copieusement. Le 30 mai, enfin, les télétypistes du ministère de l'Intérieur et les employés des transmissions de plusieurs préfectures se mettent en grève; les liaisons sont pratiquement coupées entre le pouvoir central et les préfets de nombreux départements.

Le Comité central de grève, pouvoir insurrectionnel ou gestionnaire ?

La vie s'organise alors sur de nouvelles bases, et sans supervision de l'État. Dans certaines grandes villes de province, comme Toulouse ou Marseille, les municipalités de gauche gardent un prestige suffisant pour faire entendre leur voix. Elles organisent le ravitaillement de la population, versent des subventions aux grévistes, ouvrent des cantines, obtiennent des éboueurs qu'ils ramassent périodiquement les ordures sans cesser leur mouvement, et collaborent avec les syndicats pour maintenir la sécurité générale.

Dans certains cas, elles arbitrent des conflits du travail quand la survie immédiate de la population est en cause : à Toulouse, la grève des ouvriers boulangers est réglée en vingt-quatre heures, à l'avantage des salariés.

Mais, là où ils ont été créés, les Comités centraux de grève (CCG) se substituent par degrés aux autorités défaillantes. Ils agissent sans plan défini au préalable, se contentant de répondre aux sollicitations du moment et aux besoins formulés par les grévistes ou la population.

Les CCG se considèrent comme des organes provisoires, et on ne note nulle part une volonté délibérée d'évincer les services administratifs encore en place. Mais, du 24 au 30 mai, ils constituent dans un certain nombre de villes un *pouvoir politique de fait*.

La tâche qu'ils assument est, d'ailleurs, si urgente que dans quelques villes, c'est le Comité de grève de la plus grosse ou de la seule usine qui remplit ce rôle. A

Besançon, les « durs » de la Rhodiaceta, secondés par des étudiants de la faculté des lettres, mènent la danse; à Pontarlier agit un simple Comité intersyndical local.

Dans tous les cas, les premières attributions des nouveaux pouvoirs touchent au domaine économique. Il s'agit avant tout de nourrir et de soigner les gens.

Pour cela, on crée de la monnaie (garantie par les syndicats ou la municipalité, ou les deux à la fois). En cas de résistance des commerçants, on impose le crédit, ou on décrète le cours forcé des bons. Encore un pas, et on institue des commissions de surveillance, pour empêcher toute hausse abusive des prix de détail, ou contrôler la façon dont les pompistes distribuent l'essence aux véhicules prioritaires. A Nantes, le CCG va plus loin encore, puisqu'il décrète le déblocage de tous les stocks, interdit de fermer les boutiques et rend obligatoires ses propres bons d'essence.

Les questions de santé sont aussi à l'ordre du jour. Dans les banlieues de Lille ou de Caen, des médecins soignent gratuitement les grévistes et les personnes âgées, tandis que, dans plusieurs autres villes, des pharmaciens ne touchent que l'équivalent du ticket modérateur pour tous les médicaments achetés sur ordonnance.

Prière des Travailleurs

Notre Charles qui est trop vieux
Que ton nom soit oublié
Que ton règne finisse
Que notre volonté soit faite
Et nos revendications satisfaites
Double-nous aujourd'hui notre gain de chaque jour
Pardonne nous nos offenses comme nous
A ceux qui nous ont enfoncés pardonnons
Ne nous laisses pas succomber de privations
Mais délivre nous de ta présence
Ainsi nous le voulons, au nom du fisc
De son mauvais esprit
La fin de ton règne arrive

Un soviet à Nantes ?

Certains CCG ressentent alors le besoin d'élargir leur assise sociale : à Perpignan, les CAL sont associés au Comité inter-syndical, et à Nantes, le 27 mai, les représentants des étudiants et des agriculteurs se joignent à ceux des ouvriers et des enseignants.

On a parlé à l'époque de l'installation d'un véritable soviet à Nantes. C'est là un terme impropre, puisque le CCG ne constitue pas un conseil populaire exécutif, mais reste une intersyndicale élargie. Il est pourtant vrai que nulle part en France les pouvoirs des Comités ouvriers n'ont été plus étendus que dans cette ville. Une situation particulière s'y est instaurée à partir du 24 mai. Le préfet s'est barricadé dans ses bâtiments, où 99 % de ses employés sont en grève; la police n'apparaît plus sur la voie publique; la municipalité est en crise, puisqu'une partie de ses membres vient de se déclarer démissionnaire. Le CCG s'installe alors à l'hôtel de ville et assure des services tels que les pompes funèbres ou l'état civil. Mais la « grande peur » des bourgeois nantais s'explique d'une autre façon : en Loire-Atlantique, l'importante fédération FO est en grande partie dirigée par des militants trotskistes et anarchistes. La CGT, qui tient officiellement à maintenir les CCG dans le domaine de la gestion administrative, reste minoritaire au sein de la classe ouvrière. Bien plus, le bureau local de l'UNEF est tenu par l'extrême gauche, et les fédérations départementales d'agriculteurs figurent parmi les plus radicales de France. Ce que les bien-pensants craignent en réalité, c'est que le CCG décide d'évincer « officiellement » les autorités préfectorales et municipales.

A Nantes pourtant, comme partout ailleurs en France, la gauche et l'extrême gauche attendent de voir comment la situation va évoluer dans la capitale. Le 27 mai, le CCG fête sa récente formation en organisant un défilé de 50 000 personnes; le 31, il appelle à une nouvelle manifestation et 30 000 personnes répondent encore à son appel. Mais, dès le 3 juin, ne se sentant plus le vent en poupe, il décide de rendre à la municipalité les « fonctions politiques » qu'il exerçait, évacue l'hôtel de ville et

installe la plupart de ses services au siège des syndicats d'agriculteurs. Symbole du temps, le préfet reprend aussitôt le contrôle de la distribution de l'essence.

Les Comités d'action, un double pouvoir embryonnaire.

L'extrême gauche dans son ensemble ne mise pas sur les CCG pour assurer la prise du pouvoir politique. Avant de parler de révolution, il faut, dit-elle, savoir *qui* veut faire la révolution. Le PCF s'est, à ses yeux, disqualifié en ne proposant, comme issue au conflit politique, qu'une alternative constitutionnelle de gauche, et en refusant de dénoncer le système capitaliste dans son intégralité. Elle devient elle-même, de ce fait, la seule force révolutionnaire du pays. Une forme d'organisation nouvelle se présente à

elle : les Comités d'action (CA). Ceux-ci existent dans certains lycées (CAL) depuis bientôt un an; ils font leur apparition dans les milieux universitaires à partir du 4 mai. Ces Comités d'action regroupent au départ des militants d'extrême gauche venus d'horizons politiques divers, et qui veulent mettre de côté les querelles de chapelle; tous prônent l'activisme révolutionnaire le plus absolu.

La formule correspond aux besoins du moment; elle permet de regrouper d'innombrables militants de mai, inorganisés auparavant et qui répugnent à adhérer aux groupuscules gauchistes déjà existants. Les CA sortent alors du cadre scolaire et universitaire, et, à partir du 20 mai, on assiste en région parisienne à la création de nombreux groupes d'entreprise ou de quar-

Pour le PSU, un triple pouvoir populaire.

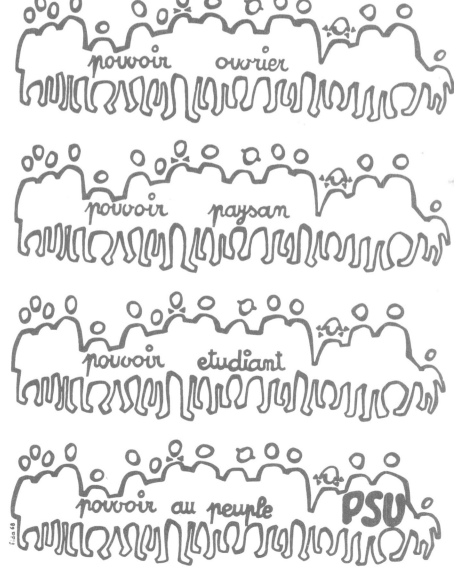

27 mai-6 juin 68 : manifestations étudiantes, ouvrières, paysannes.

☆ : bagarre sérieuse

★ : émeute, barricades

†̲ : 1 mort au cours d'une manifestation

• moins de 1 000 manifestants	◯ 10 000 - 50 000 manifestants
◦ 1 000 - 2 000 manifestants	◯ plus de 50 000 manifestants
◯ 2 000 - 5 000 manifestants	
◯ 5 000 - 10 000 manifestants	

© Delale - Ragache

Donnez-nous aujourd'hui notre manifestation quotidienne. Dans l'Ouest, en particulier, une partie de la France ne se lasse pas de battre le pavé.

tier. 148 d'entre eux, le 19 mai, et presque 400, le 25 mai, se font représenter aux réunions de coordination qui se tiennent à la Sorbonne. Le mouvement se développe un peu plus lentement en province. Pourtant, les manifestants paysans réunis à Carbonne (Haute-Garonne), le 24 mai, fondent un CA qui vient siéger à Toulouse avec les représentants des ouvriers et des étudiants. Dans le même département, un CA « ouvriers-étudiants » se forme à la MJC d'Empalot.

Le succès dans l'ensemble du pays est à ce point spectaculaire que les groupes politiques d'extrême gauche tentent de se distinguer en ajoutant au terme de Comité d'action un adjectif de reconnaissance : pour le PSU, ce sont des CA populaires, pour le 22-Mars, des CA révolutionnaires. Le PCF lui-même lance le 21 mai sa formule de Comité d'action pour un gouvernement démocratique et populaire.

Pour la plupart de ceux qui y militent, les CA *tout court* constituent une avant-garde révolutionnaire. Il ne s'agit pas encore de prendre le pouvoir, mais de donner au peuple les moyens et la volonté de le faire. Les CA envisagent de s'élargir peu à peu, jusqu'à créer une situation de « double pouvoir », qui mettrait enfin le socialisme à l'ordre du jour.

Le principe, affirmé partout, de la démocratie interne et de l'indépendance des comités de base dans l'action pose le problème de l'organisation centrale. Comme tout le monde refuse le modèle du « parti politique classique », une véritable « coordination » ne sera jamais instituée au niveau national. Bien plus, les querelles entre groupuscules se poursuivent en coulisse, surtout dans la région parisienne.

Le 27 mai, de graves désaccords apparaissent sur la manière de réaliser le « double pouvoir ». Pour le PSU et la JCR, un gouver-

nement provisoire de gauche dirigé par Mendès France permettrait un nouveau développement de la combativité populaire, et cette solution politique de transition doit être favorisée dans l'immédiat. Le 22-Mars s'oppose à toute alliance, même tactique ou de fait, avec les représentants de la « classe politique traditionnelle » ou des « syndicats bureaucratisés », comme l'UNEF et la CFDT.

Le 2 juin, l'hypothèse d'une « alternative de gauche » ne se pose plus concrètement, mais l'unification des CA apparaît toujours impossible : l'UJCML et le 22-Mars tiennent à maintenir et leur présence dans les CA et leur indépendance politique et organisationnelle.

Un grand parti d'extrême gauche à Paris ?

A la même époque, un certain nombre de personnalités politiques et syndicales multiplient les prises de position spectaculaires. André Barjonet, conseiller économique de la CGT, abandonne toutes ses fonctions le 23 mai car, dit-il, la situation est objectivement révolutionnaire depuis dix jours, mais la gauche communiste refuse « de se rendre à l'évidence ». J-P Vigier, membre du

Une partie de l'extrême gauche accuse la gauche traditionnelle.

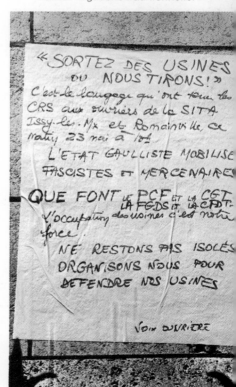

CVN et directeur du journal *Action,* est, de son côté, exclu du PCF pour sa participation à la « prise de la Bourse », le 24 mai à Paris. La crise gagne le syndicat FO : 2 secrétaires de la Fédération des ingénieurs et cadres rejoignent le PSU, tandis qu'un dirigeant de la Fédération des transports démissionne pour protester contre la « politisation de la centrale ».

Jean-Paul Sartre s'agite à la Sorbonne; Alain Geismar opte le 26 mai pour la lutte politique, ce qui l'amène à résigner ses fonctions de secrétaire général du SNESup, à

L'œil du cyclone. Le calme relatif qui règne en France du 27 au 30 mai suit et précède la tempête (ici, scènes de lutte du 24 mai).

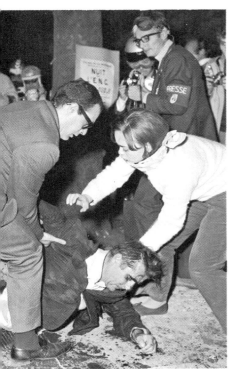

la suite d'un congrès mouvementé où il a été en butte aux attaques féroces des enseignants communistes.

Tous ces « leaders » sont libres pour une opération politique d'extrême gauche qu'ils estiment urgente et espèrent de grande envergure.

L'UNEF, dans l'intervalle, n'est pas restée inactive. Elle appelle à une nouvelle série de grandes manifestations pour le 27 mai dans toute la France, et organise un meeting au stade Charlety, à Paris. La CGT riposte en convoquant 12 rassemblements de quartier, « afin d'informer la classe ouvrière et la population des résultats des négociations de Grenelle ». Elle réunit à peine 10 000 fidèles, alors qu'à Charlety 60 000 personnes écoutent les ténors de ce que beaucoup

Le meeting du stade Charlety : un espoir immense qui sera vite déçu.

croient être le « pôle révolutionnaire » du moment.

Le meeting a été volontairement placé sous le patronage des syndicats. Sont représentés, outre l'UNEF et le SNESup : la CFDT parisienne, 4 fédérations FO, la FEN, les CAL et même le syndicat CGT de l'ORTF. Certains groupes politiques d'extrême gauche boudent en revanche le rassemblement, dont ils jugent les objectifs trop flous; le 22-Mars va jusqu'à organiser au même moment de petits rassemblements de quartier, avec l'aide des Comités d'action qu'il contrôle.

Mais Mendès France, ancien président du Conseil et membre

théorique du PSU (il n'y exerce plus aucune responsabilité), est là, ainsi que le Centre national d'études et de promotion, qui fait partie de la FGDS. Les « hommes politiques » ne prennent pas la parole; ce sont des « militants syndicalistes » qui se succèdent à la tribune et exposent leurs vues sur la révolution, la CGT, le « double pouvoir », etc., sans engager beaucoup plus que leur responsabilité individuelle.

L'énorme rassemblement de Charlety ne constitue finalement qu'un « dialogue public », où l'on fait état de bonnes intentions révolutionnaires sans prendre aucune décision concrète.

Le sort du « parti révolutionnaire », que d'innombrables militants appellent de leurs vœux, se joue le lendemain mardi. J-P Vigier, Alain Geismar, le PSU, le PCMLF, la JCR et le 22-Mars se retrouvent autour de la même table. André Barjonet propose le rassemblement de tous les militants politiques d'extrême gauche au sein des CA, et la création simultanée d'un Comité permanent de liaison destiné à préparer la fusion des différents états-majors gauchistes. Mais le 22-Mars s'oppose à toute mesure d'intégration au sommet sans contrôle effectif de la base. Les tentatives de compromis se poursuivent avec fièvre pendant deux jours; dans la soirée du 30, le rêve du « grand parti révolutionnaire » s'effondre : le PSU fait savoir qu'il participera aux élections législatives, alors que l'ensemble des groupuscules choisit comme mot d'ordre : « Élections trahison ! »

L'intermède politique du 24-30 mai était en réalité beaucoup trop court pour que les organisations d'extrême gauche, qui étaient nées et s'étaient développées dans l'esprit de chapelle, puissent surmonter leurs contradictions. Elles se sont trouvées prises de court par l'explosion de mai.

Transition légale ou continuité du régime ?

Les divisions de l'extrême gauche face au problème de la prise du pouvoir rendent l'initiative aux états-majors politiques traditionnels. La gauche va-t-elle alors accéder au gouvernement par des voies légales ? La succession constitutionnelle repose sur l'hypothèse de la démission simultanée du président de la République et du chef du gouvernement.

Il est vrai que « les étudiants n'étudient plus », que « les travailleurs ne travaillent plus » et que le gouvernement ne gouverne plus. Mais cela veut-il dire que le régime gaulliste soit prêt à abandonner la lutte et à passer la main ?

« Les Français sont des veaux ! »

Au début du mois de juin, le président de la République reconnaîtra qu'au cours de la « grande crise politique » il a eu la tentation de se retirer. Mais ce qu'il se gardera de préciser, c'est le

M. Couve de Murville : depuis le 26 mai, il attend son heure.

moment précis de son hésitation. A l'époque, l'opinion publique fut persuadée que son « passage à vide » se situa entre le lundi 27 et le mercredi 29 mai, date de son départ secret pour Baden-Baden. Il n'en est rien pourtant.

De Gaulle a une conception personnalisée de la politique : l'échec de son discours du 24 constitue une défaite stratégique qui le laisse sans ressort. Pendant deux jours, il s'enferme à l'Élysée et se laisse aller au pessimisme. « L'avenir ne dépend pas de nous, il dépend de Dieu », confie-t-il à l'ambassadeur des États-Unis venu lui présenter ses lettres de créance. Il se complaît dans son

impuissance : « C'est un torrent. Je ne peux pas le saisir... Je n'ai plus de prise. » Et sans cesse revient dans sa bouche l'injure et l'amertume : « Les Français sont des veaux ! Des veaux ! »

Pour consommer la défaite, il suffit de laisser les choses suivre leur cours : « Au fond, le référendum n'est pas le bon moyen actuellement. Qu'importe ! Il faut que je trouve une porte de sortie... »

Mais, le dimanche 26 dans l'après-midi, la réaction se fait. De Gaulle s'écrie : « Je ne leur laisserai pas la France. Je reculerai le référendum. Oui, c'est eux ou nous ! » Les premières décisions sont prises : le soir même, Maurice Couve de Murville, ministre des Affaires Étrangères, se présente secrètement à l'Élysée. Le président lui dit : « Je vous confie le soin de former le prochain gouvernement. »

Comment faire maintenant pour reprendre la situation en main ? Avant de décider du « plan de bataille », il faut dans un premier temps localiser les forces de l'adversaire, donc laisser faire en apparence, et, pour mieux égarer l'ennemi, maintenir ses propres fidèles dans le doute et l'expectative.

« Le général n'y est plus du tout ! »

Le lundi 27 après-midi se tient un Conseil des ministres extraordinaire. De Gaulle soupire : les accords de Grenelle représentent une charge exorbitante pour l'État, mais « ce qui est fait est fait. Inutile d'y revenir ». Au sujet de la manifestation prévue le soir même par l'UNEF à Paris, il s'écrie : « Charlety, c'est fini ! Ce n'est plus acceptable. C'est la dernière fois ! On ne défile plus ! » Le Conseil met ensuite la dernière main au projet de loi sur la participation et fixe le calendrier du référendum. Nombreux sont les gaullistes qui se plaignent : « Le général n'y est plus du tout ! »

Les députés centristes viennent, en effet, de faire savoir qu'ils condamnaient le principe du plébiscite et s'opposeraient à tout texte mélangeant délégation de pouvoir à un seul homme, et mesures de réformes sociales.

Dans la journée les nouvelles catastrophiques se sont succédé. Les employés municipaux en grève décident de boycotter l'organisation matérielle de la consultation; comme l'Imprimerie nationale est occupée, on a fait appel aux entrepreneurs privés pour l'impression des bulletins de vote : ceux-ci, les uns après les autres, se sont récusés...

Pour couronner le tout, Michel Debré, ministre des Finances, présente sa démission : il trouve les dispositions contenues dans les accords de Grenelle « totalement inacceptables ».

Un « coup de Prague » à Paris ?

Dans ce début de panique, les ministres encore en poste s'interrogent. Que signifie le rejet des accords de Grenelle par les ouvriers de Renault-Billancourt ? Trois interprétations sont proposées :

— La CGT a « noyauté » le meeting et préparé une claque hostile. Il s'agit d'un coup monté, destiné à préparer la prise du pouvoir par les « staliniens », sur le modèle des démocraties populaires.

— Séguy est sincère. Il croyait que l'accord serait accepté, aussi a-t-il négligé de « préparer » l'assistance. Il ne veut pas s'emparer seul du pouvoir, mais risque d'être débordé par sa base.

— Il y a des factions au sein du PCF. Les « modérés », Waldeck-Rochet et Frachon en tête, ont été débordés par l'aile dure, qui a décidé d'agir seule.

Pompidou penche pour la deuxième analyse, de Gaulle pour la troisième. Peu importe, d'ailleurs. Pompidou déclare : « C'est la guerre. Le gouvernement ne peut écarter l'hypothèse selon laquelle le PC tenterait le grand coup ». Et de Gaulle, qui « envisage toutes les éventualités » avant de choisir son angle d'attaque, tranche le débat : « Je ne fais pas reposer l'État sur le pari de la loyauté du PC ».

Aussi, dès que la CGT lance un mot d'ordre national de manifestation pour le mercredi 29, chacun se demande si le défilé parisien, qui doit théoriquement se dissoudre devant la gare Saint-Lazare, ne va pas « pousser » jusqu'à l'Élysée.

De Gaulle prend alors sa décision. *Si* le PC veut prendre le pouvoir le 29, il ne trouvera personne au palais présidentiel : l'autorité suprême de l'État se sera transportée hors de son atteinte, auprès de la seule force qui

demeure encore solide dans la débandade générale : les divisions du corps de bataille.

Imperturbable, il reçoit dans la soirée du mardi le président de la FNSEA, puis le Premier ministre. Bien que de nombreux responsables du ministère de l'Intérieur aient déclaré : « Nous ne tiendrons pas au-delà de quarante-huit heures », Georges Pompidou reste confiant : « Les choses vont tourner demain, la partie est gagnée ». De Gaulle rétorque : « Vous êtes bien optimiste depuis le début ! »

Le président a disparu.

Le lendemain matin doit se tenir un Conseil des ministres ordinaire. A 9 h 15, Georges Pompidou apprend que le président a décidé de partir pour sa résidence lorraine de Colombey-les-Deux-Églises et que le Conseil est reporté jusqu'au lendemain. A 11 heures, de Gaulle lui téléphone : « Je pars réfléchir et dormir... J'ai l'intention de rentrer. Vous n'avez pas de raison de vous inquiéter. » A 11 h 45, le général quitte l'Élysée. Il a fait la veille évacuer en secret un certain nombre d'affaires et de documents personnels et emmène avec lui son épouse. 3 hélicoptères s'envolent du terrain d'Issy-les-Moulineaux. Escale à Saint-Dizier. Peu après, l'un des appareils se sépare des deux autres. Les gendarmes de l'escorte atterrissent comme prévu à Colombey. Mais de Gaulle, volant en rase-mottes, toute radio coupée, s'est dirigé vers l'Allemagne et Baden-Baden.

Il ne parviendra à Colombey qu'à

17 heures, après une « conférence » réunissant le général Massu, commandant du corps expéditionnaire en zone allemande occupée, et les principaux chefs des divisions opérationnelles basées en France.

On ne sait pas encore que le président de la République prépare la contre-offensive.

A Paris, c'est une véritable panique. Pompidou apprend la nouvelle de la « disparition » du général à 14 heures; il faudra deux heures aux services compétents pour retrouver la trace des hélicoptères fugueurs. Pendant ce temps, la nouvelle que de Gaulle

---

L'entrevue de Baden-Baden (selon « Minute »)

De Gaulle tint jusqu'au bout à garder secrète la teneur de ses entretiens avec les chefs de l'armée. Son voyage lui-même ne fut rendu public que deux jours plus tard, à la suite d'une déclaration du ministre allemand de l'Information... La thèse officielle demeure : « La vérité sur cette journée appartiendra, plus tard, à l'Histoire. »

Mais, si l'on en croit l'hebdomadaire d'extrême droite *Minute,* les choses se seraient passées ainsi. De Gaulle ne voulait pas seulement s'assurer de la « sécurité générale du pays », comme il l'a dit le lendemain à ses ministres, mais il avait une question précise à poser : en cas de prise insurrectionnelle du pouvoir par la gauche, êtes-vous prêts à recevoir le gouvernement légal et à mener la lutte pour la reconquête militaire du pays ? Massu se serait déclaré d'accord, et aurait même proposé la place de Verdun comme PC opérationnel.

L'un des généraux présents aurait alors « respectueusement » fait remarquer au président que le moral de l'armée serait encore meilleur si les derniers condamnés de l'OAS étaient amnistiés dans les plus brefs délais...

est parti pour Colombey se répand dans le pays. Son apparente inertie des deux derniers jours est interprétée comme une preuve d'abandon, et beaucoup font le pari que, le 30 mai, il annoncera qu'il se retire.

La gauche est-elle en mesure de promouvoir une solution de rechange ?

Les rendez-vous manqués du Programme commun.

A partir du 16 mai, la gauche politique traditionnelle multiplie les conciliabules. Pour le PCF, il est «urgent que les partis de gauche et les syndicats ouvriers se mettent d'accord sur un programme de gouvernement». Dès le 22 mai, la FGDS se fait tirer l'oreille : ayant enregistré les refus de la CFDT et de FO, elle a peur de se retrouver piégée dans un «club à trois» (FGDS, PC, CGT) où, ayant peu d'assise syndicale, elle serait nécessairement minoritaire.

Le PC, qui sent d'où vient le vent, prend l'offensive. Il déclare, le 27 mai, qu'il est prêt à «prendre sa place dans un gouvernement populaire» et propose la réouverture *immédiate* des négociations afin d'élaborer un programme «pouvant ouvrir la voie au socialisme». En même temps, il met en garde ses militants contre «une manœuvre de grande envergure qui se développe dans le dos des travailleurs».

La FGDS fait l'innocente et accepte d'avancer symbolique-

ment à 17 heures l'entrevue au sommet prévue pour le lendemain, à 21 heures. Mais dans la matinée du 28, les instances dirigeantes de la Fédération auront pris leurs décisions en toute indépendance, et François Mitterrand les aura déjà rendues publiques au cours de la conférence de presse qu'il a annoncée depuis le 23 mai.

28 mai 68 : la réunion au sommet des partis de gauche. François Mitterrand tente de «doubler» Waldeck-Rochet.

Le 28 au matin, la CGT abat ses cartes : elle propose des manifestations unitaires le lendemain dans toutes les grandes villes de France. FO fait savoir qu'elle a demandé à ses militants de ne

plus participer à *aucune* démonstration de rue. La CFDT exige la présence de l'UNEF, la FEN la présence de la CFDT, et l'UNEF veut que la CGT se déclare publiquement solidaire de Daniel Cohn-Bendit «frappé par la répression»...

Pendant ce temps, François Mitterrand fait lui aussi cavalier seul. Évoquant devant les journalistes

l'hypothèse d'une démission simultanée du président de la République et du Premier ministre, il fait savoir qu'il est d'ores et déjà candidat aux élections présidentielles et qu'il propose, pour la période intérimaire, un gouvernement de gestion, chargé de satisfaire les revendications populaires et de réformer les structures de l'État. Il affirme qu'à son avis Pierre Mendès France est capable de choisir une équipe de 10 membres «destinée à élargir les bases de la réconciliation nationale» et de remplir cette tâche.

La rencontre PCF-FGDS de l'après-midi se déroule dans un climat tendu[1]. Le communiqué final est plus que sibyllin : «Après avoir procédé à un échange d'informations et à une discussion sur les solutions qu'elles préconisent à la crise actuelle, les deux parties ont décidé d'en soumettre les

Toulouse, 27 mai : la CGT mobilise ses troupes.

1 .D'après Raymond Tournoux, *le Moi de mai du général* (Paris, Plon, 1969), les propos suivants auraient été échangés : François Mitterrand : «Nous vous donnerons au moins un portefeuille», Waldeck-Rochet, écœuré : «Et pourquoi pas zéro ?»

résultats à leurs organes respectifs ».

Mercredi 29, alors que le supposé départ du président pour Colombey commence à être connu, Pierre Mendès France rencontre François Mitterrand et, dans la soirée, se déclare prêt à diriger un éventuel gouvernement de transition, mais à certaines conditions : il refuse de recevoir sa charge des mains de l'actuel président et tient à regrouper *toutes* les forces d'opposition au régime gaulliste, « sans procéder à des dosages ni prononcer d'exclusives ».

Les ralliements affluent. Le plus marquant est celui de la CFDT, qui considère que seul Mendès France est capable d'associer à l'exercice du pouvoir les « forces nouvelles » qui ont fait entendre leur voix au cours des trois semaines précédentes.

« Gouvernement populaire avec les communistes ! »

Le PC fait immédiatement connaître sa position : il récuse « Mendès France l'homme-de-Charlety », et n'accepte de collaborer avec lui que s'il se sépare aussi bien des « représentants de la droite » que des « anticommunistes de l'extrême gauche ». La CGT, quant à elle, poursuit son offensive : elle maintient, seule à Paris, ses mots d'ordre de manifestation pour le soir même et mobilise l'ensemble de ses troupes.

Le repos du manifestant.

Mendès France, l'homme providentiel

Pierre Mendès France a fait dès le 19 mai une déclaration publique dénuée de toute équivoque : « Le *pouvoir* [et non le seul gouvernement] a fait faillite, il doit se retirer. »

Le 21, un mouvement d'opinion se fait jour en sa faveur. Un groupe de juristes fonde une « Association de soutien à Pierre Mendès France pour la mise en place d'un régime socialiste et démocratique ». Dès lors, les adhésions se multiplient, venues surtout des milieux intellectuels libéraux.

Après le 24 mai, son attitude est particulièrement ferme : « Un plébiscite, cela ne se discute pas, cela se combat... Le peuple n'attendra pas le mois de juin. »

Et, alors qu'il assiste, silencieux à la tribune, à ce que la CGT appelle le « meeting anticommuniste » du stade Charlety, un mot d'ordre fait son apparition : « Mendès à l'Élysée ! ».

Bain de foule pour Pierre Mendès France.

Les 29 et 30 mai, plus de 60 défilés de masse, groupant plus d'un demi-million de personnes, se déroulent en province dans un climat d'unité, car la CGT a mis localement une sourdine à ses attaques contre l'UNEF. A Paris, un certain nombre d'étudiants et d'enseignants s'intègrent au cortège ouvrier, qui regroupe de la Bastille à la Gare Saint-Lazare 350 000 personnes. C'est que la FEN, le SNESup et le 22-Mars ont recommandé à leurs adhérents de s'y mêler afin de « promouvoir la discussion ». Si le slogan CGT : « Gouvernement populaire avec les communistes », alterne avec le « De Gaulle au poteau ! » des étudiants, tout se passe dans le plus grand calme.

Cette démonstration de force, qui pendant trente-six heures a constitué la hantise des membres du gouvernement, permet finalement de relancer les négociations au sein de la gauche. La FGDS a vu le danger : « Dans un éventuel gouvernement de gauche, on a prévu pour le PC des postes

secondaires. Quelles seront ses exigences s'il devient maître de la rue ? » Le 30 au matin, Waldeck-Rochet fait connaître ses conditions : Mendès France est accepté à condition qu'il patronne « un programme et un accord d'alliance où les communistes disposent de la représentation à laquelle ils ont droit ».

Des entrevues fiévreuses se succèdent alors entre les différents états-majors. La FGDS rencontre la CFDT, la CGT, la FEN et le PC; Mendès France rencontre la CFDT; le PC rencontre la CGT. Le même blocage apparaît toujours : la CFDT et FO refusent de signer le moindre « accord d'alliance », et la première de ces deux centrales maintient son désir de voir les « forces nouvelles » de l'extrême gauche associées au gouvernement. Dans la soirée, le discours du président de la République interrompt brutalement, et définitivement, ces tractations.

« Le parti de la trouille. »

Le départ puis la disparition du président de la République avaient le 29 mai créé une atmosphère de sauve-qui-peut dans le camp des gaullistes. Certains, que le général appelle par dérision le « parti de la trouille », se disent que, finalement, le dernier service que le chef de l'État puisse encore rendre au pays, c'est de se retirer. Bien plus, Georges Pompidou constituant dans ce cas le meilleur candidat de la droite aux élections présidentielles, le Premier ministre serait « naturellement » amené à démissionner; la porte serait alors ouverte pour un « gouvernement transitoire de salut public », regroupant le parti de la trouille lui-même, les centristes, la FGDS et, pourquoi

Manifestations CGT le 29 mai.
Drapeau tricolore et drapeaux rouges à Saint-Nazaire (en haut à gauche)
et défilés monstres dans la région parisienne.

pas ?, le PC, qu'on pourrait amener à jouer le jeu de la sagesse électorale.

Dans l'après-midi, l'intrigue prend forme et trouve de nombreux supporters. Jean Lecanuet, président du Centre démocrate, tient une conférence de presse. Il se prononce à mots couverts pour Mendès France, mais insiste : le gouvernement de salut public qu'il envisage doit avoir pour *unique* tâche de rétablir l'ordre et de maintenir les libertés républicaines. Interrogé par les journalistes, le leader centriste précise : son

123

A BAS LE REGIME GAULLISTE ANTI-POPULAIRE

La répression policière s'est abattue sur les étudiants ces derniers jours : les étudiants y ont répondu courageusement par la violence. Les ouvriers, eux, connaissent cette répression depuis longtemps. Tous les jours, c'est la lutte contre le chômage, contre les salaires de misère, contre les conditions de travail de plus en plus dures. Pour la réprimer les patrons font appel à l'état bourgeois, leur fidèle serviteur : ce sont les méthodes de répression fasciste des CRS à Redon, à Caen, à la Rhodia de Lyon, etc ... Redon, Caen, La Rhodia ce sont des coups très durs portés par les ouvriers, les paysans pauvres au grand capital, au Règne gaulliste. Les travailleurs savent que ce sont leurs coups toujours plus forts, toujours plus déterminés qui mettront à bas le régime d'oppression du peuple.

Les étudiants aussi ont porté des coups à ce régime de répression. Mais les politiciens socialistes, les nouveaux arrivistes de la gauche, utilisent à fond les confusions et les inconséquences d'un mouvement petit bourgeois. Ils font tout pour dévoyer la lutte des étudiants, l'enroler sous leur bannière : ils veulent utiliser le mouvement étudiant pour arracher au prolétariat la direction de la lutte. Comment ? En appelant les ouvriers à soutenir les revendications petites bourgeoises sur l'Université des fils à papa. C'est le contraire qui est juste. Les étudiants progressistes doivent se mettre au service de la lutte ouvrière et populaire contre le chômage, la misère, pour la liberté. La direction opportuniste du PCF et de la CGT a d'abord attaqué de manière ignoble la lutte des étudiants. Ensuite, face au développement de la situation, elle a tourné casaque : et elle appelle à cautionner la manoeuvre social-démocrate, elle appelle au soutien entier, à la grève, sur la base des mots d'ordre petit bourgeois ; manoeuvres et capitulations des directions opportunistes ne résisteront pas au courant de révolte ouvrière qui monte. En masse les ouvriers se saisissent du drapeau de la lutte contre le gaullisme. En masse dans la CGT, ils vont renverser les bureaucraties réformistes, ils édifient le parti du prolétariat dans les luttes de masse contre le chômage et la misère capitaliste. En masse les étudiants progressistes se lèvent pour Servir le Peuple.

BRISONS LE CONTRE-COURANT SOCIAL-DEMOCRATE

UJCML

Qui sont les vrais amis ? L'extrême gauche s'interroge.

refus de toute « exclusive » concerne aussi bien le PC que les membres de l'actuelle majorité.

Les RI, quant à eux, jouent leur propre jeu : le 30 mai au matin, alors que rien n'a encore transpiré des « résolutions » du général de Gaulle, Valéry Giscard d'Estaing se prononce pour le maintien à son poste du président de la République. En contrepartie, et au nom de « la troisième voie, celle de la démocratie libérale et de progrès », il demande le départ immédiat du gouvernement. « Son maintien... fait déboucher la crise politique sur la crise de régime. »

Une chose est donc certaine : Pompidou, qui n'est plus désormais soutenu que par les seuls gaullistes de l'UDVᵉ, a perdu la majorité à la Chambre des députés. Le Premier ministre décide de son propre chef de remettre sa démission au président, afin de lui permettre de procéder à des élections législatives anticipées.

Les hommes du défi.

D'autres gaullistes sont en revanche résolus à « tenir le coup » et à mener la bagarre jusqu'au bout. René Capitant, qui a failli voter la censure contre Georges Pompi-

dou le 21 mai, est de ceux-là. Il faut, dit-il, rénover le gaullisme, c'est-à-dire garder le président, changer le gouvernement et mener une politique sociale avancée. Sur ces bases-là, tout est possible, y compris la guerre, mais « nous la gagnerons ».

Dans certains ministères en partie désertés, il est question de fonder une « milice nationale » armée et, en cas d'arrivée de la gauche au pouvoir, de déclencher la « lutte de libération ».

Mais, pour les gaullistes « durs », le mieux serait de pouvoir compter sur le président de la République. Dans la matinée du 29, 6 députés UDVᵉ adressent à de Gaulle une longue supplique qui peut être résumée en un mot : « Restez ! »

Peu après, le « parti de la résistance » se manifeste publiquement : P-C Krieg, député de Paris, appelle à une manifestation de masse pour le lendemain, place de la Concorde. Dans l'esprit de ses organisateurs, ce sera soit un défilé de soutien au président « maintenu », soit le début de la lutte anticommmuniste. Le soir même, le préfet de police donne son avis : « C'est un gros pari. Pour garnir tant bien que mal la place de la Concorde, il faut un minimum de 100 000 personnes... Si vous ne réunissez que 50 000 personnes, l'échec ne pourra être dissimulé. » Les intéressés se lancent quand même dans l'aventure; ils ont déjà constitué un service d'ordre armé.

« J'ai pris mes résolutions. »

Le 30 mai à midi, de Gaulle est de retour à l'Élysée. A 14 h 30, il reçoit Pompidou, et lui dit : « Nous restons. Je renonce au référendum ». Le Premier ministre exige que le président dissolve la Chambre des députés. De Gaulle : « Enfin, voyons, si le référendum ne peut avoir lieu, pour les mêmes raisons, les élections ne se dérouleront pas. » Pompidou indique que son gouvernement doit être à bref délai censuré, et qu'il faudra de toute façon procéder à des élections. De Gaulle ajoute finalement une petite phrase au texte de son allocution : « Je dissous l'Assemblée nationale ».

Les députés de gauche abandonnent l'hémicycle du Palais Bourbon.
De Gaulle a décidé de reprendre les choses en main.

A 15 heures, Conseil des ministres. De Gaulle présente les termes de son discours et annonce : « Après les élections, le gouvernement démissionnera. » Pompidou vient, malgré ce que lui a dit le président le matin même, de se voir signifier la date de son renvoi. L'allocution passe à la radio à 16 h 30. C'est un texte de combat où la philosophie de la participation n'a aucune place. Il s'agit avant tout d'organiser la contre-offensive.

La manifestation prévue la veille se réunit une heure plus tard place de la Concorde. Elle compte de 700 000 à 800 000 participants et constitue le premier symbole de la « contre-révolution de mai ».

« Un discours de guerre civile ».

Le « coup psychologique » est gagné, et les partis de gauche le comprennent. Ils s'ajustent en quelques heures à la nouvelle situation politique et tous commencent à préparer les élections législatives.

Publiquement, leurs réactions sont très violentes. François Mitterrand s'écrie : « Le général de Gaulle vient de commettre un acte qui est un appel à la guerre civile. » Le PCF renchérit : c'est, dit-il, une « véritable déclaration de guerre » contre les ouvriers et tous les démocrates du pays. Et le PSU : « De Gaulle sort de la légalité... Il faut accentuer la paralysie du pouvoir et entreprendre partout où c'est possible, notamment dans les municipalités où cela commence, la constitution de pouvoirs autonomes exprimant la démocratie en action. » Michel Rocard appelle en outre à de grandes manifestations unitaires de la gauche « qui, dans toute la France, sont la seule réponse aujourd'hui possible au défi du général-président ».

Une fois de plus, le mot d'ordre de manifestations unitaires ne sera véritablement suivi d'effet qu'en province. A Paris, l'UNEF prend l'initiative d'une manifestation le 1er juin, de la gare Montparnasse à la gare d'Austerlitz, mais la CGT déclare cette mesure « inopportune », et, quoique s'y déclarant favorable sur le fond, la CFDT s'abstient, en raison des réticences de la FEN et de FO.

A Nantes, à Brest, à Caen, à Limoges, etc., les foules qui s'étaient réunies les 13, 24, 27 et 29 mai sont par contre au rendez-vous ; elles équilibrent dans la plupart des cas les démonstrations des gaullistes et des Comités de défense de la République (CDR) locaux. Syndicalistes et étudiants scandent encore : « De Gaulle, démission ! » et « Gouvernement populaire ! » Il s'agit désormais d'un vœu que la réalité s'est chargée de contredire.

La poursuite de la grève redevient peu à peu la préoccupation centrale de millions d'ouvriers ; il leur faudra en outre organiser la résistance contre les agressions de l'extrême droite, des CDR et les interventions de la police.

Aux Champs-Élysées, le 30 mai.

contre-offensive

Jusqu'à l'imposante manifestation gaulliste du 31 mai aux Champs-Élysées, les partisans de la majorité gouvernementale ont l'impression de subir un irrésistible raz de marée contestataire; la rue et les lieux de travail semblent appartenir sans partage à la gauche, voire à l'extrême gauche. La dernière semaine de mai, le pouvoir d'État est même perçu comme hésitant, absent, inconsistant. Cela laisse libre cours à l'idée d'un effondrement possible du gouvernement. En fait, la réalité est plus complexe. Si une opposition massive aux mouvements de grève n'apparaît qu'en juin, elle s'était manifestée avant sous diverses formes plus discrètes.

L'extrême droite et le gouvernement improvisent (3-23 mai)

Petite avant-garde, les militants d'extrême droite vont réagir les premiers à la crise universitaire qu'ils ont contribué à déclencher. A Nantes et à Dijon, des incidents violents les opposent aux étudiants des piquets de grève. Mais en province ces cas demeurent isolés et, au début de mai, l'activité des nationalistes se concentre à Paris où, le 12 mai, comme chaque année, les monarchistes se réunissent devant la statue de Jeanne d'Arc.

« Les bolcheviks à Moscou ! »

Le 13 mai, alors qu'un immense cortège syndical emplit les rues, de la place de la République à Denfert-Rochereau, quelques centaines de militants du mouvement Occident attaquent symboliquement l'ambassade de Chine; ils en brûlent le drapeau et brisent la plaque apposée à l'entrée (le gouvernement présentera des excuses officielles). De leur côté, 200 lycéens de droite défilent dans le XVIe arrondissement, de la Muette au lycée Jeanson-de-Sailly.
Ces premières contre-manifestations s'avèrent bien timides, mais les jours suivants, impressionnés par l'ampleur du

La peur du communisme, ciment d'une coalition hétéroclite.

cortège de la gauche, les nationalistes tentent de galvaniser leurs troupes par des démonstrations quotidiennes : chaque jour, la place de l'Étoile leur tient lieu de point de ralliement; de là, après une minute de silence sur la tombe du Soldat Inconnu, leur cortège s'ébranle vers Villiers le 14 mai, Saint-Lazare le 15, l'Opéra le 16, la Madeleine le 17, le Louvre le 18. Jusqu'à cette date, les défilés se déroulent dans le calme, attirant peu l'attention de la presse, tout entière tournée vers les universités et les usines. Mais, le 19, des incidents sérieux — indices d'un durcissement et d'un changement de tactique —

opposent les manifestants et les grévistes de la gare Saint-Lazare. Puis, le 21 mai, 3 à 4 000 personnes passent devant l'immeuble de l'Humanité en scandant « Les bolcheviks à Moscou ! » ou « Budapest ! ». En tête du cortège, sous une banderole « Unité nationale anticommuniste », marchent maître Tixier-Vignancour et le colonel Thomazo. Le personnel du journal réagit vivement; les lances à incendie répondent aux pierres et même aux cocktails Molotov. Des militants communistes alertés par téléphone convergent vers la rue La Fayette. La police doit séparer les combattants. On relève des blessés.
Ce soir-là, l'extrême droite rêve d'un large front anticommuniste, mais elle demeure minoritaire et divisée au sujet du gaullisme. De son côté, le comte de Paris a écrit le 18 mai au général de Gaulle pour l'assurer de son soutien (critique) dans cette période difficile, et les monarchistes ont refusé le slogan « Unité nationaliste » proposé par Occident pour lui préférer « Unité nationale ». Pourtant, le 23 mai, Aspects de la France avance le mot d'ordre « Vive le Roi ! Assez d'expériences républicaines ! » et adopte une position de froide réserve face aux gaullistes. Les autres groupements d'extrême droite font de même et maître Tixier Vignancour va jusqu'à déclarer que le désordre sert le gaullisme dans la mesure où, en rétablissant l'ordre, il pourra « être considéré comme utile ».

La double contestation subie par le régime fait écrire à P. Macaigne dans *le Figaro* : « Les étudiants de droite manifestent sur la rive droite, ceux de gauche sur la rive gauche, enfin de l'ordre dans le désordre ! » Effectivement, en dépit de rapides incursions gauchistes sur la rive droite, cette boutade correspond à une réalité sociologique parisienne : les quartiers de l'Ouest (une partie de la rive droite de la Seine) sont ceux des affaires et des résidences bourgeoises; la rive gauche, elle, regorge de facultés ou de lycées occupés jour et nuit. Le gouvernement redoute donc que l'apparition d'un cortège nationaliste au quartier Latin ne déchaîne des combats violents dont personne ne pourrait prévoir l'issue. C'est pourquoi tacitement chacun reste à peu près dans son quartier. Mais à partir du 24 mai tout change. Ce jour-là, l'émeute gagne largement la rive droite (les Halles, la Bourse, l'Opéra). De leur côté, des éléments d'extrême droite songent sérieusement à attaquer les facultés occupées, ce qui pose des problèmes aux forces de l'ordre et au gouvernement, qui doit réagir vigoureusement ou laisser s'installer une situation de guerre civile.

« Le gouvernement doit défendre la République et il la défendra » (Georges Pompidou).

Au début du mouvement, les départs successifs en voyage officiel à l'étranger du Premier ministre, puis du chef de l'État, dénotent une sous-estimation de l'ampleur du mécontentement populaire.
Sous-estimation ne signifie pas inconscience : dès le 11 mai, certaines unités de l'armée sont mises en alerte par Messmer (ministre des Armées) sur une consigne de Georges Pompidou. Le 16 mai, ce dernier ordonne aussi le rappel de 10 000 réservistes de la gendarmerie, puis, le même jour, affirme sur les ondes de l'ORTF : « Le gouvernement doit défendre la République et il la défendra ! »
Pourtant, les mesures prises par le gouvernement, purement conservatoires, visent à préserver l'autorité de l'État et à conserver la maîtrise de la rue, mais elles ne s'inscrivent pas dans un plan politique et social d'ensemble destiné

halte **oui**

AU COMMUNISME TOTALITAIRE
A LA DEFENSE DE LA REPUBLIQUE

CDR 5, rue de Solférino

à ramener l'ordre; elles s'appuient sur des appels au calme et à la concorde nationale lancés par

les revendications syndicales doivent demeurer raisonnables, « autrement gouvernement et citoyens n'auraient d'autre issue que de s'unir autour du chef de l'État, élu au suffrage universel, pour défendre la République ». Le même jour, dans l'Oise (circonscription de MM. Dassault et Hersant), à Beauvais, le premier Comité de défense de la République (CDR) se fait connaître en distribuant 200 000 tracts proclamant « Vive la République ! Non au drapeau rouge ! » et appelant à former des « Comités de vigilance ». Puis le processus de mobilisation s'accélère. Des CDR apparaissent le 21 à Pau, à Reims et à Arras. Le Service d'action civique recrute activement en vue d'un éventuel affrontement, tandis que divers groupements gaullistes se réunissent le 23 mai pour réanimer la somnolente « Association pour le soutien à l'action du général de Gaulle », 5 rue de Solférino à Paris. Le même jour, on annonce, à la même adresse, la création officielle d'un « Comité de défense de la République ».

SAC et CDR

Un groupe d'anciens membres du service d'ordre du Rassemblement du peuple Français (RPF) a créé, en 1958, le Service d'action civique (SAC). Cette organisation assure, en marge de la police officielle, la protection des personnalités, des meetings et des cortèges gouvernementaux. En conséquence, nombre de ses membres portent une arme à feu et tous disposent d'une carte barrée de tricolore prêtant à confusion avec celle des services officiels[1].
En 68, les effectifs du SAC gonflent jusqu'à atteindre 12 000 personnes, dont des auxiliaires au casier judiciaire parfois chargé. Paul Comiti, chef des gardes du corps du général de Gaulle, dirige l'organisation dont une partie des membres souhaite en découdre une bonne fois « avec les rouges ». Fortement hiérarchisé et surveillé au sommet par les services de M. Foccart, le SAC, organisé par région, est essentiellement urbain.
Des cadres du SAC contribuent activement à la création des CDR dont ils préparent et protègent les manifestations. Dans les CDR, les gaullistes de stricte obédience dominent, le recrutement est plus large et le côté « paramilitaire » moins accentué. En juin 1968, les CDR comptent à peu près 45 000 membres actifs.

1. Cette carte sera supprimée en 1970 à la demande de Georges Pompidou.

divers groupements eux-mêmes contestés, tel le Conseil de l'Ordre des médecins, mais pas sur un mouvement de masse.
Cependant, les forces gaullistes se réorganisent progressivement. Le 20 mai, *la Nation* (quotidien UNR) publie un éditorial intitulé « Défendre la République » qui dénonce le risque d'une situation insurrectionnelle; il indique que

Défendons la République la Légalité et la Paix Intérieure
contre
les tentatives de Subversion

C.D.R. - 5, RUE DE SOLFERINO - PARIS-7

A la fin du mois de mai, la police parisienne est à bout de nerfs. Sans cesse sur la brèche depuis trois semaines, son moral fléchit, ainsi d'ailleurs que ses effectifs; elle déplore des dizaines de blessés graves et plus de 1 000 blessés légers. Beaucoup d'entre eux sont provisoirement indisponibles. Elle n'est pas désorganisée pour autant, et son équipement « antiémeutes » se renforce (véhicules neufs, boucliers, casques à visière transparente, etc.).

Depuis l'ordre qui leur a été donné, le 12 mai, de quitter la Sorbonne, une partie des policiers agit à contre-cœur. Ils ont reçu la consigne comme un soufflet, étant donné les efforts qu'on leur avait demandés depuis huit jours pour tenir les étudiants à l'écart de leur université. Ils ont le sentiment d'avoir été utilisés en vain, de manière impopulaire, et de faire les frais des changements de la politique gouvernementale. Les syndicats de police expriment clairement leur mécontentement à ce sujet : ils considèrent « la déclaration du Premier ministre comme une reconnaissance du bon droit des étudiants et comme un désaveu absolu de l'action des forces de police que le gouvernement a ordonnée ».

Parmi les CRS et les gendarmes mobiles, la tendance n'est pas au découragement, mais au durcissement : ils reprochent ses hésitations et son manque d'énergie au gouvernement. Un vent de fronde souffle et des représentants des CRS menacent : « Nous ne descendrons plus des cars. » Beaucoup d'entre eux, mieux rompus aux manifestations violentes et aux évolutions en groupes que leurs collègues de la Police parisienne, souhaitent plus de vigueur et de cohérence dans le maintien de l'ordre.

En mai, malgré des moments difficiles (les 6 et 24), les forces de l'ordre ne perdent jamais le contrôle de la situation. Elles parviennent, parfois de justesse, à éviter que l'émeute ne dure jusqu'au matin. En revanche, en juin, elles se trouvent en difficulté à Flins ou à Saint-Nazaire, laissent se tenir une barricade rue des Saints-Pères, à Paris, jusqu'au matin et doivent même se retirer de Sochaux.

nale, de déroulement de carrière ou de sport, l'apolitisme était de bon ton. C'est donc avec curiosité et scepticisme que l'on accueille les mesures de précaution prises le 11 mai après la « nuit des barricades » (état d'alerte). Les jours suivants, les conversations vont bon train : on s'interroge sur la part de responsabilité du gaullisme, sur les motivations des étudiants. Surpris par un phénomène qu'ils expliquent mal, beaucoup de militaires sont tentés de voir derrière ces troubles « la main du communisme international ». Les anciens clivages politiques que l'on croyait résorbés réapparaissent avec force. Mais la montée irrésistible des grèves contraint l'armée à agir dans le conflit, car le gouvernement lui assigne des tâches qui ne relèvent pas directement du maintien de l'ordre mais y contribuent.

« Malle-poste » et « diligence ».

C'est l'armée qui évite la désorganisation totale des transports dans le pays. Le 20 mai, elle assure à la place des grévistes le contrôle de la navigation aérienne (fort réduite). A la même date, elle commence à acheminer sur un véritable réseau de lignes aérien-

Le lendemain, après le premier discours du président de Gaulle et les violentes manifestations qui s'ensuivent à Paris comme en province, la grève se renforce. Partout la tension monte. La crainte d'une guerre civile hante tous les dirigeants politiques. Dans cette perspective, l'attitude des forces de l'ordre et de l'armée devient décisive.

L'armée dans la tourmente

Avec la grève générale et les manifestations de rue, les cadres de l'armée découvrent le monde des étudiants contestataires et une classe ouvrière combative surgie des profondeurs de l'histoire. Ces violences surprennent une armée de métier assagie depuis la fin des guerres coloniales et provoquent un retour en force de la « politique » dans les mess d'officiers. Là comme ailleurs, mai bouleverse les habitudes : depuis 1962, on y discutait surtout de stratégie internatio-

La « malle-poste » sur la base aérienne d'Évreux.

La « diligence » : elle profitera à 16 000 personnes.

téléphonique est même publié dans certains journaux; il permet de se renseigner sur les places disponibles (sous réserve des autorisations nécessaires). La « diligence » bénéficiera surtout à des membres des services de sécurité et du gouvernement : au total 16 000 passagers en quinze jours.

De son côté, la marine nationale assure quelques liaisons avec la Corse et des îles de l'Atlantique isolées par la grève.

Le 21 mai, la police investit 3 garages parisiens de véhicules de voirie et en déloge les grévistes. Les bennes à ordures sont alors mises entre les mains de militaires qui, avec l'aide d'immigrés embauchés pour la circonstance, doivent tenter de nettoyer les monceaux d'immondices entassés dans la ville. En 68, « Bidasse » devient aussi transporteur, fossoyeur ou douanier. Il assure avec 600 camions le fonctionnement d'une vingtaine de lignes de

nes le courrier et les voyageurs « prioritaires ».

Le dispositif s'articule autour de la base aérienne 105 à Évreux, bien reliée par autocars à la capitale. Au début, la « malle-poste » y fonctionne : des avions Nord-Atlas distribuent dans les principaux aérodromes militaires le courrier des services officiels, des ministères et des chambres de commerce; de rares passagers, triés sur le volet, profitent de ces vols, mais les demandes se multipliant, on doit inaugurer le 25 mai la « diligence ». Cette dernière assure quotidiennement (avec des DC 6) 2 liaisons Évreux-Nice et la desserte d'une dizaine d'autres destinations. Un numéro d'appel

Victimes d'une psychose collective

L'armée et les gendarmes montent la garde depuis une dizaine de jours autour de l'émetteur ORTF du Mont-Pinçon dans le Calvados lorsque, le 30 mai, le brusque départ du général de Gaulle provoque l'inquiétude dans la région, comme partout ailleurs. Une psychose du sabotage et du gauchisme se développe au point que des habitants signalent à la brigade de gendarmerie d'Aunay-sur-Odon une voiture « suspecte » se dirigeant vers l'émetteur. En fait, les occupants du véhicule sont surtout jeunes et étrangers à la région en une période où l'on circule peu en France. Les gendarmes décident d'intercepter le véhicule, et c'est le drame : « Se croyant menacés », ils ouvrent le feu à plusieurs reprises. René Trzepalkowski (dix-neuf ans) s'effondre tué net d'une balle dans le cou, Daniel Portpin (dix-neuf ans) est grièvement atteint d'une balle à l'aine, et un troisième, Gervais Boscart (vingt ans), est blessé au pied.

Les jeunes gens circulaient à bord d'une voiture volée. L'affaire sera classée à la rubrique droit commun.

L'armée tente de pallier l'absence de transports en commun.

transports en commun de remplacement. Dans les grands cimetières, des soldats inhument des cercueils bloqués dans les morgues depuis six jours par les fossoyeurs en grève. En province, des unités appartenant à des régiments de transmissions investissent un à un les émetteurs de l'ORTF; elles y montent une garde vigilante, conjointement avec la gendarmerie locale.

L'armée divisée.

Ilot organisé dans une France émiettée, l'armée ne constitue pas pour autant un bloc sans faille; des courants de pensée contradictoires la traversent comme les autres parties de la nation.

Depuis la «guerre froide», la Sécurité militaire (SM) surveille étroitement les communistes : elle possède un fichier complet des adhérents et des sympathisants, qui ont beaucoup réduit leur activité au sein de l'armée et (en principe) dissous leurs cellules. Mais la SM se perd dans le labyrinthe des courants gauchistes récents (fondés de 1965 à 1968) et s'égare dans les rivalités de groupes et de personnes. Elle a, pourtant, localisé quelques cellules marxistes-léninistes ainsi que de faibles noyaux trotskistes, mais elle ne possède pas même un organigramme complet des organisations d'extrême gauche. La surprise des premiers jours passée, la SM se ressaisit vite : elle coordonne ses efforts avec le service des Renseignements généraux (RG) et celui de la DST, bien au fait des activités et des subtilités du gauchisme.

D'ailleurs, en mai, les militants d'extrême gauche entretiennent une activité bien mince au sein de l'armée et limitée entièrement au contingent : de petits groupes s'y sont formés au hasard des affectations et des amitiés nouées sur place. Ils ne revendiquent que la distribution de quelques tracts (à Mutzig, par exemple), de mini-actions de sabotages (des «mises en panne volontaires» de véhicules) et d'infimes vols d'armes légères. Dans ce dernier cas, on ne peut (statistiquement) faire la part de l'extrême droite, de l'extrême gauche et du droit commun.

Si le contingent n'est donc pas sur le point de rallier les grévistes, l'état-major le juge cependant peu apte à combattre une éventuelle révolution. Dans cette hypothèse, l'armée de métier demeure la force essentielle dans le pays.

Or, à compter du 24 mai, l'atmosphère change. Pour la première fois, le ministre de l'Intérieur parle de groupes *armés* (sans les situer à droite ni à gauche) : «Il ressort, d'autre part, d'informations sûres qu'un certain nombre d'extrémistes *armés* comptent utiliser les prochaines manifestations pour déclencher délibérément des actions violentes. Ils espèrent qu'une fois engagée, l'escalade de la violence ne pourra plus être maîtrisée.» De son côté, le général Beaufre (sans confondre révolution et tumulte) déclare : «Les

APPEL DU 15°RIMCA DE MUTZIG
(Régiment d'infanterie mécanisée)

- ON TE DONNE UN FUSIL, PRENDS-LE -

Nous faisons nôtre ce mot d'ordre parce que nous pensons qu'une société authentiquement démocratique n'a pas besoin de corps spéciaux armés. Le droit égal de tous à être instruits de l'armement et les techniques de combat n'existe pas et pour cause.

La bureaucratie militaire, avec ses traditions surannées, est recrutée selon un mode sélectif socialement pour le maintien des couches sociales possédantes. L'instruction des armes extrêmement rudimentaire donnée au contingent exprime la volonté selon laquelle les couches populaires ne seraient que des troupes de manœuvres dociles dans un conflit éventuel.

Les rapports hiérarchiques et les pressions ultra-autoritaires auxquels sont soumis les appelés perpétuent les méthodes actuelles d'enseignement et tous les interdits contre lesquels la jeunesse commence à lutter. Ils sont en même temps la garantie de la séparation entre décisions et exécutions dans une société où la gestion de la production sociale est le privilège de quelques-uns.

Le droit égal pour tous à recevoir une instruction des armes ne justifie nullement un encasernement de 14 à 16 mois. Ce chômage voilé scandaleux est peut-être justifié par de pseudo-raisons économiques, mais ce n'est pas notre affaire puisque nous n'avons aucune part réelle dans la gestion de la société française. Des centaines de milliers de jeunes sont ainsi légalement réduits chaque année à une semi-détention dégradante. Celle-ci ne saurait être justifiée par le fait que le service militaire actuellement conçu représente une promotion réelle, mais extrêmement parcellaire et combien coûteuse sur le plan du développement de la personnalité pour quelques couches socialement retardées de la jeunesse, ni par l'entraînement physique, qui d'ailleurs ne fait que combler, dans des conditions assez irrationnelles, les insuffisances de l'Education Nationale et de l'environnement social.

Il faut démystifier l'opinion très répandue dans les couches populaires selon laquelle le service militaire et sa discipline obsessionnelle sont une phase nécessaire d'entrée dans la vie adulte. Cette opinion n'est que l'expression idéologique d'un sado-masochisme culpabilisé produit de l'éducation et ciment des rapports sociaux actuels.

L'instruction militaire doit être un droit égal pour tous. L'instruction militaire et l'éducation sexuelle doivent être intégrées administrativement, géographiquement et chronologiquement, dès le plus jeune âge, à l'ensemble de l'Education Nationale et régies selon les mêmes principes actuellement revendiqués par les étudiants et les lycéens : dialogues et cogestion

A BAS L'ENCASERNEMENT

Nous constatons que la réduction du service militaire à 12 mois fait partie du programme de certaines organisations ouvrières, mais qu'elle n'a jamais fait l'objet de mobilisations sérieuses. Nous estimons cette revendication insuffisante en elle-même et parce qu'elle ne rend aucun compte des conditions naturelles et psychiques d'existence des appelés.

Nous, comités d'action des soldats du 153 RIMECA stationné à MUTZIG, avons voté à l'unanimité cet appel et souhaitons que toutes les organisations ouvrières et de jeunesse, sans sectarisme, le diffusent largement parmi les travailleurs, étudiants et soldats.

Comme tous les appelés, nous sommes consignés dans nos casernes. On nous prépare à intervenir en tant que forces répressives. Il faut que les travailleurs et la jeunesse sachent que les soldats du contingent NE TIRERONT JAMAIS SUR LES OUVRIERS.

Nous comités d'action, nous opposerons à tout prix à l'investissement d'usines par les militaires.

Demain ou après-demain, nous sommes censés investir une usine d'armement que veulent occuper 300 ouvriers qui y travaillent.

NOUS FRATERNISERONS

Soldats du contingent, formez vos comités !

Nos revendications immédiates sont :

- Service militaire réduit à 8 mois avec instruction militaire effective
- Abolition de la discipline obsessionnelle non nécessaire au contenu de l'instruction militaire.
- Liberté d'organisation politique et syndicale du contingent.
- Réforme pédagogique basée sur le dialogue de l'instruction militaire et cogestion de toutes les activités avec les instructeurs

VIVE LA SOLIDARITE
DES TRAVAILLEURS,
SOLDATS, ETUDIANTS
ET LYCEENS
VIVE LA DEMOCRATIE
OUVRIERE
VIVE LA JOIE, L'AMOUR
ET LE TRAVAIL CREATEUR !

LE 22 MAI 1968

Les appels à la subversion sont bien rares dans l'armée.

heures que nous vivons sont incontestablement celles de la naissance d'une révolution dont on ne peut prévoir les développements.» Que va donc faire l'armée de métier ?

En principe, elle doit obéir au gouvernement légitime; mais nombre d'officiers pensent qu'il risque d'être renversé et remplacé par un autre composé de ministres «de gauche» et, éventuellement, de communistes. Dans cette hypothèse, l'unité se réalise facilement sur un point : en cas de renversement illégal ou de coup de force de l'extrême gauche ou du PCF, l'armée interviendra pour défendre au moins les institutions de la Ve République. Cela, le gouvernement en est convaincu.

Mais des divergences apparaissent en cas d'arrivée *légale* de la gauche au pouvoir. Le haut état-major, républicain dans son ensemble, exprime par divers communiqués l'idée que l'armée est au service de la nation et non d'une politique. C'est, en particulier, l'opinion du général Meltz (qui détient le poste clé de gouverneur militaire de Paris) et de son entourage. La thèse de la majorité des officiers de haut rang (partagée par beaucoup de leurs subalternes) consiste donc à se plier à la stricte légalité, même s'ils n'ont aucune sympathie pour la gauche ou le gaullisme. Mais, chez certains sous-officiers et quelques officiers, un fort courant d'extrême droite se dessine en faveur de la «politique du pire».

Un complot de capitaines ?

En ces temps troublés, la tentation du coup de force gagne du terrain. Bien des militaires n'ont pas oublié l'échec du putsch d'Alger en 1961 et considèrent encore le gaullisme comme l'adversaire principal. Les 24 et 25 mai, dans un appartement parisien, des contacts sont pris entre des représentants de la tendance la plus dure et des militants nationalistes civils. Au cours de ces rencontres, deux groupes se dessinent à nouveau. Le premier ne veut agir que *défensivement,* en cas d'arrivée au pouvoir, légale ou non, des communistes; le deuxième veut *prévenir* une telle possibilité et, pour cela, imagine même d'organiser un coup de force armé, ce qui obligerait les tièdes et les hésitants à choisir leur camp. Dans la confusion qui s'ensuivrait, ils pensent installer un pouvoir militaire fort.

Dans cette période, des groupes de civils peu nombreux mais prêts au combat commencent à se former dans des grandes villes (Paris, Lyon, Grenoble, Marseille, notamment). Ils ne reçoivent cependant aucun armement lourd : en cas de « clash » (coup de force), ils doivent être intégrés aux éventuels éléments conjurés de l'armée. En région parisienne, pour coordonner les forces, un

L'opération Stades

Selon des révélations faites en 1974 par le quotidien *Libération*[1], un important plan de « concentration » dans des stades de militants d'extrême gauche et de gauche aurait été mis en place en mai 68. Des groupes du Service d'action civique étaient chargés de cette gigantesque rafle qui rappelle celle effectuée en 1942 par la police française contre les Juifs regroupés dans un vélodrome parisien, ou encore celle réalisée en 1967 au stade olympique d'Athènes sur ordre des colonels grecs; elle préfigure les « regroupements » dans les stades du Chili lors du coup d'État fasciste de 1973.

Les responsables des sections du SAC auraient reçu de la DST des listes concernant 52 400 personnes. Pour chacune d'elles figuraient le nom, le prénom, l'adresse et l'appartenance politique et syndicale. Parfois erronées, ces listes non remises à jour comportaient également les noms de simples abonnés à des revues « contestataires ». Les documents publiés en 1974 portent sur Marseille et Grenoble[2], mais 41 villes différentes auraient ainsi été « programmées ». Des commandos de 5 à 10 hommes, fortement armés, devaient procéder aux arrestations sans donner aux victimes d'indications sur leur destination ou la durée probable de leur détention. Ils devaient utiliser des véhicules « réquisitionnés » pour la circonstance (autobus, camions, autocars). Prévue initialement pour le 24 mai au soir, « l'opération a été remise de 24 en 24 heures et a été définitivement annulée le 29 mai à 17 heures sur un coup de téléphone du PC de Foccart[3] ».

1. Informations reprises et complétées par *le Canard enchaîné* et *le Nouvel Observateur*.
2. M. Mattei, responsable du SAC de Grenoble, est abattu de 2 balles dans le dos par des inconnus dans la nuit du 7 au 8 juin. D'après *la Nation* du 11 juin, « s'il n'est pas encore établi, l'attentat politique est probable ». Pourtant on n'entendra plus parler de l'affaire.
3. Selon Patrice Chairoff dans « B. comme Barbouzes » (Paris, Moreau, 1975).

connaissent de longue date. La tendance « dure » se manifeste avec force, à la base, dans plu-

Les groupes de combat

A compter du 23 mai, d'anciens sous-officiers de la 11e demi-brigade parachutiste de choc complètent, dans une propriété du Val-de-Marne, la formation militaire des cadres du SAC. Ils leur donnent, à raison de quelques jours chacun, des « cours accélérés de guérilla urbaine », et ce jusqu'à la mi-juin.

De leur côté, d'anciens légionnaires se voient proposer de l'argent pour s'intégrer au plus vite dans diverses « milices » ou « groupes civiques ».

D'autre part, dans plusieurs villes de province, des groupes de combat fortement structurés s'organisent avec dépôts d'armes, émetteurs-récepteurs radio et véhicules, le tout stocké dans des bâtiments isolés achetés de longue date. Dans une ferme de Pont-de-Claix (Isère), des cellules avaient été spécialement aménagées pour la détention et l'interrogatoire d'éventuels prisonniers[1].

Selon certaines sources, même en cas de guerre civile ouverte, la CIA estimait très difficile une intervention directe des USA. Ils se seraient limités le plus longtemps possible à une aide indirecte, financière et matérielle, aux conservateurs.

1. Pour plus de précisions, consulter l'ouvrage de Patrice Chairoff, « B. comme Barbouzes » (Paris, Moreau, 1975).

point de regroupement est envisagé au sud-ouest de la capitale. Les 26 et 27 mai, les contacts se multiplient entre militants d'extrême droite civils et ceux de l'armée et des forces de l'ordre. Beaucoup d'entre eux, membres des mêmes organisations, se

sieurs unités de l'armée en garnison à l'ouest de la capitale, chez certains CRS et chez quelques gendarmes mobiles. Cette activité politique inhabituelle n'échappe pas à la SM qui en avertit le gouvernement dès le début. Ce dernier prend la menace d'autant

plus au sérieux qu'il sait, par ailleurs, que cette tendance « dure » se manifeste aussi chez certains éléments du Service d'action civique qui brûlent d'en découdre avec « les rouges ».

Ce coup de force, sérieusement envisagé du 24 au 27 mai par l'extrême droite tant militaire que civile, vient aggraver une situation déjà difficile. Avec du recul, on peut juger le moment particulièrement mal choisi dans la mesure où, à cette époque, le mouvement étudiant est à son apogée tandis que la grève ouvrière est encore dans une phase ascendante. Cette erreur tactique s'explique par le fait qu'il ne s'agit pas d'un coup d'État mûri de longue date dans le secret des états-majors, mais d'une « réaction », d'une « humeur » face à une situation jugée intolérable par les éléments les plus conservateurs du pays. Cette improvisation (doublée de précipitation) n'en est que plus redoutable : face à une gauche plus puissante que jamais et tenant solidement en main les centres d'activité du pays, un coup d'État n'a aucune chance d'aboutir en vingt-quatre ou quarante-huit heures. En revanche, il peut déclencher une guerre civile.

La France est une poudrière.

La contre-offensive gaulliste

Pendant ces quelques jours, le gouvernement hésite. Le général de Gaulle fait le point avec ses ministres, fortement divisés sur la tactique à suivre : le pouvoir doit faire face à une double menace de subversion. Dans l'immédiat, l'extrême droite est seule en mesure de coordonner d'importants affrontements armés en plusieurs points du territoire, obligeant ainsi le PCF à sortir de sa prudente réserve. Dans une telle situation de guerre civile, l'armée deviendrait pour le gouvernement la force principale et elle pourrait dicter sa loi. Cependant, face à une telle éventualité, le gouvernement peut demeurer maître de la situation. Il dispose de plusieurs atouts : la légitimité du pouvoir, l'appui de l'appareil d'État et, à condition de choisir une politique de fermeté, la fidélité sans murmure ou la neutralité de la majorité des forces de l'ordre, de la marine[1] et de l'aviation. Pourtant, dans ce contexte, les soldats du contingent ne sont sûrs pour personne; il devient donc urgent de s'assurer de l'état d'esprit du fer de lance de l'armée de terre : les troupes d'Allemagne.

« Une guerre civile où vous perdriez tout... »

Mais déjà, le 27 mai, la décision du chef de l'État est prise : il se maintiendra au pouvoir. Le jour même, *la Nation* publie en première page un plan en trois volets : remettre en marche le pays, rétablir l'ordre dans la rue et affirmer l'autorité du gouvernement. Mais cette fois, pour éviter un nouvel échec, tel celui du 24 mai où le discours du président de Gaulle avait été suivi de désordres graves, le gouvernement va tenter de se donner les moyens de sa politique.

1. En juin, des journalistes feront état d'une mutinerie le 24 mai à bord du porte-avions *Clemenceau*. Cette hypothèse sera démentie point par point par l'Amirauté, qui affirmera : 1) que la seule mort survenue dans l'équipage (celle du matelot Cloatre), le 24 mai, était accidentelle; 2) que le rappel en France du commandant du *Clemenceau*, connu le 6 juin, était prévu de longue date; 3) que le maître principal Fusilier n'a pas été débarqué. De son côté, la revue *Col bleu* publiera un long article insistant sur la bonne ambiance qui régnerait dans les unités de la flotte du Pacifique. Tout va bien à bord...

Pour cela, un appel est diffusé par les CDR : « Ne suivez pas les provocateurs ou les agitateurs professionnels qui veulent vous entraîner vers une *guerre civile* où vous perdriez tout. » Cet avertissement, perçu par la gauche comme désignant surtout les militants gauchistes, vise autant (sinon plus), à cette date, les militants d'extrême droite. L'objectif du gouvernement consiste à isoler les extrémistes et à désamorcer ainsi les tentatives aventuristes. Dans ce but, des groupements et des personnalités, gaullistes ou non, multiplient les appels à la modération et au calme, telle l'Association des anciens de la division Leclerc qui « refuse l'éventualité d'une guerre fratricide »; les anciens combattants de Lyon (ville chaude) ou encore monseigneur Marty, archevêque de Paris, adoptent une attitude identique : « Je vous demande de refuser la division, de rejeter la haine, de maîtriser la peur, de vouloir la paix. Il nous faut construire. A tous, je demande de réfléchir... » Le Comité national d'action civique des anciens combattants adopte un ton plus dur pour la gauche mais condamne, lui aussi, toute tentative de coup de force : « Nous exhortons tous ceux qui veulent nous suivre à *respecter les règles de la légalité républicaine,* à dénoncer les provocateurs... »

Ainsi, les gaullistes vont réussir à modérer leurs troupes au sein de l'Action civique et à couper l'extrême droite de la masse de ses sympathisants qui hésitent devant le risque considérable que représente une guerre civile. Ce répit, immédiatement mis à profit, permet de gagner du temps avec la gauche et d'entamer des négociations avec l'extrême droite. Consulté le 28 mai par de Gaulle sur le moral des officiers, Messmer répond : « Au mieux, je ne puis vous assurer que de leur indifférence. » Le 29 mai, à 11 heures, le chef de l'État décide de se rendre secrètement à Baden-Baden pour s'assurer du moral et de l'état d'esprit des troupes stationnées en Allemagne.

De Gaulle utilise l'hélicoptère pour son voyage éclair Taverny-Baden-Baden-Colombey.

A Paris, le monde politique s'interroge sur le sens de ce brusque départ et parfois s'affole, s'emballe. La presse entretient les rumeurs les plus folles : on envisage un retrait de De Gaulle, on parle de « vacance du pouvoir ». Or, le pouvoir est moins vacant que jamais : un Conseil des ministres annoncé le jour même est prévu pour le 30 mai, à 15 heures. Pendant le voyage du chef de l'État, ses partisans préparent minutieusement le retour de celui qu'ils présentent à nouveau comme « l'homme providentiel ». Il s'agit de démontrer à tous ceux qui peuvent en douter (et ils sont légion !) que le gaullisme représente encore une force dans le pays. Pour ce faire, les CDR mobilisent dans tout le pays en vue de réunir à Paris une gigantesque manifestation : on prévoit des départs groupés en autocars et des convois de voitures. Pendant ce temps, *ostensiblement,* des chars convergent vers Paris, des unités en armes se regroupent au camp de Frileuse (à l'ouest de Versailles), et, à Satory, on remet en état de marche d'anciennes automitrailleuses AM 8; il s'agit de montrer sa force et, si possible, d'impressionner l'adversaire pour « éviter de s'en servir ». La presse rapporte largement et au jour le jour ces mouvements de troupes qui n'ont rien de clandestin et dont elle publie les photos.

Enfin, conscients des hésitations dans leurs propres rangs et des divisions de l'extrême droite, les gaullistes lancent de nombreux appels à l'union contre le « communisme totalitaire ». Si la plupart de leurs militants estiment en effet, comme un officier de Saint-Cyr, que « le communisme, c'est la subversion permanente », des divergences n'en subsistent pas moins sur la tactique à adopter. Pourtant, une union, *purement conjoncturelle,* se réalise entre les gaullistes et l'extrême droite contre l'adversaire commun. Elle est assortie de deux clauses : les mesures de grâce puis l'amnistie envers les militants de l'OAS seront accélérées[1]; en contrepartie, l'extrême droite accepte de fondre la plupart de ses « groupes » ou « milices » récemment constitués soit dans le Comité national d'action civique où elle est déjà représentée, soit, plus rarement, dans les CDR. A Paris, des militants d'Action civique (armés) mettent sur pied un plan pour reprendre la Sorbonne en quarante-cinq minutes et l'Odéon en trente minutes. D'autres, munis de ports d'armes, « gardent » des ministères de la rive gauche contre d'éventuelles attaques gauchistes, tandis qu'une section de parachutistes est discrètement installée aux Invalides auprès du général Meltz.

Parallèlement à cette mobilisation, au Parlement on serre provisoirement les rangs. Le 30 mai, quelques heures avant l'annonce publique par Robert Poujade de la grande manifestation parisienne de soutien au général de Gaulle, Valéry Giscard d'Estaing intervient au nom des Républicains indépendants. Il déclare souhaiter le maintien du chef de l'État mais aussi la constitution rapide d'un nouveau gouvernement et de nouvelles élections législatives. Ces deux conditions seront en partie remplies quelques heures plus tard.

Deux aspects de la contre-offensive conservatrice illustrés par *l'Aurore :* manifestation de masse et démonstration de force.

« Je ne me retirerai pas »
(Charles de Gaulle).

Le 30 mai à 16 H 30, la France entière est à l'écoute de la radio. Les Français, grévistes ou non, mesurent la gravité de l'instant et s'interrogent.

L'allocution est brève (quatre

---

1. Elles ont été amorcées le 22 décembre 1967 avec la grâce de l'ex-général Edmond Jouhaud.

ASSEZ

1) De drapeaux rouges par milliers
    - sur les monuments publics
    - dans les cortèges, les manifestations
    - dans les amphithéâtres

2) De l'internationale
    - chantée poing levé par les manifestants

3) Du Drapeau Français
    - profané, déchiré, brûlé sur les places publiques
    - transformé en torchons ignobles
    - la tombe du Soldat Inconnu souillée

4) De l'anarchie qui s'installe
    - l'Université transformée en cloaque
    - le CNRS en révolution culturelle
    - les grèves tournantes
    - l'Odéon transformé en dépotoir
    - les fresques de la SORBONNE recouvertes de peintures

PLUS DE LOIS

Plus d'autorité

La révolution communiste se prépare et marque chaque jour des points.

Pour combattre la subversion qui profite du désordre pour s'installer :

TOUS PLACE DE L'ÉTOILE, SAMEDI à 18 h.

minutes et demie), précise et ferme. Les premières phrases donnent le ton : « Je ne me retirerai pas », déclare, péremptoire, le chef de l'État. Puis il annonce une série de mesures : le Premier ministre ne changera pas, l'Assemblée nationale est dissoute, le référendum ajourné et de nouvelles élections législatives prévues dès que possible. Il menace ensuite d'utiliser les pouvoirs extraordinaires qui lui sont conférés par l'article 16 de la Constitution : « ... Si cette situation de force se maintient, je devrai pour maintenir la République prendre, conformément à la Constitution, d'autres voies que le scrutin immédiat du pays... » Il ajoute à ce discours de combat un appel à organiser, « partout et tout de suite », l'action civique. Enfin, pour être en mesure de garder la situation en main, il précise que dans certaines régions les préfets deviendront « commissaires de la République ». Ce changement, en apparence mineur, permet aux préfets en question de contrôler directement les forces armées de leur région.
Une demi-heure plus tard, les députés gaullistes, ceints de leurs écharpes tricolores, gagnent en rangs serrés la place de la Concorde en scandant entre deux *Marseillaise* « De Gaulle ! De Gaulle ! », ou encore « Mitterrand

Des députés gaullistes à l'Arc de triomphe.

13 mai-30 juin : les contre-manifestations.

A Angers, une minorité d'extrême droi[te]
réagit dès le 23 mai.

★ : manifestation CDR donnant lieu à de violentes bagarres avec la gauche puis avec les forces de l'ordre

○ moins de 1 000 manifestants
○ 1 000 - 2 000 manifestants
○ 2 000 - 5 000 manifestants
○ 5 000 - 10 000 manifestants

○ 10 000 - 50 000 manifestants
○ plus de 50 000 manifestants

© Delale - Ragache

Les défilés en faveur du gouvernement touchent l'ensemble du pays.
Bordeaux fait exception.

M. Debré et A. Malraux au premier ran[g]
des manifestants.

c'est raté ! ». Ils prennent la tête d'un imposant cortège qui se déroule pendant plusieurs heures sur les Champs-Élysées[1]. Un slogan domine le tumulte de ce fleuve tricolore : « De Gaulle n'est pas seul ! »

Le 30 mai au soir, André Bord, secrétaire d'État à l'Intérieur, annonce la création officielle de Comités d'action civique dans le Haut et le Bas-Rhin. Les jours suivants, les manifestations pro-gouvernementales se multiplient en province (plus de 400 000 personnes défilent dans une cinquantaine de villes, avec des cortèges massifs à Lille, à Lyon, à Marseille, à Reims, à Caen...). Elles se déroulent le plus souvent dans le calme, mais, dans une douzaine de cas, la présence de contre-manifestants donne lieu à

de légers incidents : on échange des injures, des gifles, quelques coups. A plusieurs reprises, cela dégénère en bataille rangée. C'est le cas à Beauvais où deux cortèges antagoniques s'affrontent et provoquent l'intervention de la police pendant deux heures; à Besançon où les étudiants érigent une barricade; à Strasbourg et à

Toulouse où les CDR tentent de prendre d'assaut une faculté occupée; à Paris en juin où des métallos CFDT se heurtent sur les Champs-Élysées à d'anciens parachutistes; à Rennes, enfin, où des étudiants et des anciens combattants en viennent aux coups devant un restaurant universitaire du centre-ville.

Le « nouveau » gouvernement

Un nouveau gouvernement est en principe formé le 31 mai sous la direction du Premier ministre Georges Pompidou. En fait, sur les 22 ministres, 6 seulement n'appartenaient pas à l'ancienne équipe. Il s'agit de : H. Rey (Tourisme), René Capitant (garde des Sceaux), Robert Galley (Équipement), Albin Chalandon (Industrie), Joël Le Theule (DTOM) et Christian de La Malène (Recherche scientifique).

Les autres membres permutent simplement. Raymond Marcellin obtient ainsi le ministère de l'Intérieur auquel il va imprimer sa marque tandis que François-Xavier Ortoli assure un bref intérim à l'Éducation nationale.

3 personnes ne changent pas de fonction : André Malraux (Affaires culturelles), Pierre Messmer (Armées), Edgar Faure (Agriculture).

1. Une tentative de l'extrême droite pour entraîner le cortège vers la Sorbonne échouera en raison du dispositif policier isolant hermétiquement la rive gauche de la rive droite.

Des anciens combattants descendent aussi dans la rue.

**« On empêche
les étudiants d'étudier,
les enseignants d'enseigner,
les travailleurs de travailler »
(Charles de Gaulle).**

Le gouvernement « remanié » doit faire face à deux urgences : rétablir l'ordre et remettre l'économie du pays en marche. Pour cela, il prend plusieurs mesures.

Dans le domaine social, le 1er juin, le SMIG est porté à 3 F de l'heure. De plus, les zones de salaires sont supprimées. Pour lutter contre l'hémorragie de capitaux, qui se réfugient massivement à l'étranger, le « contrôle des changes » est rétabli. Le même jour, des cadres et des agents de maîtrise des raffineries de pétrole assurent, aux côtés de camionneurs non grévistes, l'approvisionnement en essence des détaillants. Cela provoque un départ en week-end massif et des embouteillages

sur les routes, au grand désarroi des étudiants qui défilent à nouveau dans Paris en scandant « Élections-trahison ! ». Enfin, le 5 juin, tardive mesure de précaution, la vente des carabines de calibre 22 LR et des fusils de chasse est soumise à autorisation. Le gouvernement ayant repris de l'assurance et démontré par des manifestations répétées que ses partisans peuvent aussi occuper la rue, il lui faut ensuite remettre en marche l'économie du pays. Pour ce faire, l'effort principal porte sur les grands services publics, secteurs clés dont la reprise créera un choc psychologique. Ainsi, après quelques concessions financières, du 2 au 7 juin, la reprise devient effective dans les services sociaux, les banques, les manufactures de tabac, les arsenaux, les mines de charbon et, avec plus de difficultés à l'EDF-GDF, à la RATP, à la SNCF et aux PTT. Dans ce dernier service, la police évacue (depuis le 21 mai à Rouen) une à une les recettes principales des grandes villes.

Dans le secteur privé, où il est beaucoup plus difficile de mener des négociations globales, la reprise se révèle plus lente et, le 7 juin, elle n'est totalement effective qu'en Alsace et en Corse. Dans les ateliers, le gouvernement va s'appuyer sur les forces de police et sur des « Comités pour la liberté du travail ». Ces derniers regroupent des cadres, des contremaîtres et des travailleurs de la CFT, parfois de la CFTC ou de la CGC, ou encore des inorganisés. Le premier de ces comités était apparu dès le 23 mai à la Radiotechnique, à Caen. Au début de juin, ils se multiplient, particulièrement en Lorraine, dans le Nord, dans l'Oise, en basse Normandie et en Bretagne. En bien des endroits, ils donnent naissance à des affrontements avec les grévistes. De son côté, la police intervient quotidiennement pour évacuer des usines, ce qui provoque parfois des incidents, comme le 5 juin chez Loockeed à Beauvais, le 7 juin à Flins, le 9 au Creusot et, surtout, le 11 chez Peugeot à Sochaux.

Le gouvernement a bien repris l'initiative, mais une inconnue subsiste : que vont faire les milliers de travailleurs et d'étudiants pour qui reprise signifie capitulation et pour qui « le combat continue » ?

Dans le quartier de l'Alma, l'UJP organise ses propres démonstrations.
D'anciens paras aux Champs-Élysées. Incidents à Marseille.

Avec la reprise partielle du travail,
un durcissement des luttes.

le mouvement se divise

Le 31 mai 1968, le président de la République reprend l'initiative dans le domaine politique. Tous les partis influents sur le plan électoral ont accepté le principe des élections législatives. Mais, tandis que les manifestations en faveur du président de la République déferlent à travers le pays, la *question sociale* revient au premier plan des préoccupations gouvernementales.

Et maintenant, au travail !

Il est impensable que des élections puissent se dérouler normalement dans un pays totalement paralysé. C'est pourquoi la devise du gouvernement devient : « Au travail ! » Mais la classe ouvrière a rejeté le « constat » de Grenelle, et attend de nouvelles négociations. Devra-t-on passer par un « nouveau Grenelle » ? De Gaulle, qui trouve qu'on est allé au maximum des concessions, s'y refuse. Les syndicats n'insistent pas, et des mots d'ordre tels que l'« échelle mobile » sont, une fois de plus, rangés dans le placard aux espoirs déçus. Ils exigent, en revanche, l'ouverture de négociations nationales par branches d'activité, dans le but de « régler les problèmes spécifiques à chaque catégorie de travailleurs ».

Le gouvernement veut une reprise immédiate dans les grands services publics, et, en particulier, dans les secteurs des transports, des communications et de l'énergie; l'arrêt de la grève dans l'industrie seule ne serait pas décisive, car il serait impossible de relancer la production : dans bien des cas, les usines manquent de matières premières et de pièces détachées, et comment évacuer les stocks éventuellement produits ?

La reprise civique.

Au départ, le gouvernement caresse l'espoir de passer par-dessus la tête des syndicats représentatifs : les « bons citoyens » membres de la classe ouvrière sont priés de se manifester, de se

Luttons sous la pluie.

grouper, de s'organiser, d'exiger la reprise du travail. En cas d'occupation des lieux de production, les préfets sont chargés d'intervenir.

Les ministres, en même temps, tentent de calmer les scrupules des grévistes en accordant unilatéralement quelques avantages salariaux et en promettant la poursuite des négociations même après la remise en marche des services.

Pendant les cinq premiers jours de juin, les interventions de la police sont innombrables et touchent toutes les grandes villes de France. Sont visés en priorité : les centres de chèques postaux, les recettes principales, les dépôts d'essence, les relais de l'ORTF...

Les syndicats ont donné des consignes de modération : empêcher les jaunes de reprendre le travail, mais ne pas s'opposer aux interventions de la police. Il y a pourtant des incidents à Dijon, à Nancy, à Metz, à Nantes et à Rennes, où la poste centrale doit être évacuée à coups de grenades lacrymogènes.

La SNCF pose un problème particulier : on ne peut envisager de reprise sérieuse au niveau local, l'occupation par la police d'une gare ou d'un dépôt isolé ne pouvant entraîner par elle-même un résultat significatif. Pourtant, le gouvernement compte sur un effet de tache d'huile, dû à la démoralisation supposée des grévistes. Le 1er juin, à Paris, la police dégage la gare de Lyon, et, dans l'Est, les gares de Strasbourg, de Colmar et de Mulhouse. Quelques trains de banlieue s'ébranlent à Strasbourg, mais, à Mulhouse, les grévistes se couchent en travers des voies et réoccupent les postes d'aiguillage; dans toute la région, les dépôts tiennent bon et refusent de livrer les wagons et les motrices qu'ils détiennent; le 3 au matin, les grévistes réoccupent pacifiquement les gares de Strasbourg et de Mulhouse : les jaunes démoralisés ont préféré rentrer chez eux.

Dans les PTT, même déconvenue pour le pouvoir : à quelques exceptions près, le personnel non gréviste se révèle insuffisant pour maintenir ne serait-ce que des conditions de sécurité minimales; il doit, de plus, « rentrer » chaque matin sous la protection de la police et les huées des grévistes rassemblés. Après bien des hésitations, le ministre avoue sa défaite et parfois rend aux piquets de grève les bâtiments évacués, contre promesse de leur part d'assurer un « service minimal d'intérêt public ».

Le régime a pourtant remporté une « victoire » psychologique sur l'opinion publique : l'essence réapparaît dans les stations-service et, en ce week-end de Pentecôte, de gigantesques encombrements se forment sur les autoroutes et au centre des grandes villes.

Enveloppe budgétaire, récupération des jours de grève.

Force est alors d'attendre l'issue des grandes négociations en cours.
Celles-ci se déroulent au siège des différents ministères; conformément aux méthodes mises au point lors des entrevues de Grenelle, elles prennent l'allure de véritables marathons. Dans la plupart des cas, c'est l'impasse : les syndicats exigent une augmentation substantielle de l'enveloppe financière destinée à réaliser les nouvelles mesures sociales; les ministres se déclarent incompétents.
A la RATP, on parvient à un premier avenant le lundi 3 juin à l'aube. Dès la fin de la matinée, il s'avère que les salariés n'en veulent pas. A la SNCF, on est au bord de la rupture : le gouvernement propose 1 200 millions, les syndicats veulent 200 millions supplémentaires. Le 3 juin dans la soirée, le ministre des Transports obtient une entrevue avec le président de la République. Celui-ci déclare : « Il faut conclure, faire

un dernier effort, à condition que les organisations syndicales ordonnent la reprise du travail. » Ce sera donc 1 400 millions. Mais, fidèles à leurs engagements, les syndicats entendent consulter le personnel dépôt par dépôt, gare par gare. Alsace-Lorraine mise à part, le vote du 4 juin donne une réponse massivement négative.
La récupération des jours de grève se trouve au centre du débat. Les accords de Grenelle prévoient, en effet, que les directions paieront à titre d'avance la moitié des jours de grève, sommes qui seront « récupérées » au cours du second trimestre de l'année. Les cheminots exigent le versement immédiat de la totalité des jours perdus, sans rattrapage. Dans certains centres, on proteste en outre contre les « insuffisances » de l'accord, qui remet à plus tard le règlement de questions épineuses, telles que la réorganisation des services ou le droit syndical.
Le 5 juin dans la journée, nouvel arbitrage ministériel : la totalité des heures chômées seront considérées comme immédiatement rattrapées, car la remise en état du réseau demande aux cheminots un « effort exceptionnel » : aucun train n'a roulé pendant presque trois semaines, et il faut dérouiller les voies pour permettre le fonctionnement des signaux lumineux, vérifier tous les aiguillages, reconstituer les convois qui ont été dispersés à travers la France au hasard des mises en grève...

Le gouvernement accorde unilatéralement de petites augmentations de revenu pour obtenir la « reprise civique » dans les services publics.

Mais cette ultime « fleur », qui en 1968 restera unique en son genre, s'assortit d'un chantage : si le travail ne reprend pas dès le lendemain, l'arrangement est supprimé. Les syndicats sont pris entre deux feux. Dans la soirée, ils organisent de nouvelles consultations; celles-ci donnent des résultats divers : alors que des trains circulent déjà dans l'Est, la reprise est généralement décidée dans le Nord et à Paris; les votes en faveur de la poursuite du mouvement l'emportent, en revanche, dans l'Ouest et dans le Sud.

Les organisations syndicales publient alors un communiqué conjoint, qui leur permet de céder au chantage du ministre tout en maintenant l'illusion de la « démocratie syndicale » et de l'« unité ouvrière ». Faisant état de résultats divergents, mais avec une légère majorité pour la reprise (alors qu'elles n'ont pas encore reçu tous les résultats), elles appellent à un arrêt *global* de la grève. Bien plus : « Pour répondre au souci de coordination exprimé par de nombreux militants, les fédérations demandent aux cheminots des centres qui ont décidé de reprendre le travail d'organiser la reprise dans l'unité *dès les prochaines heures*. »

Le 6 juin au matin, les délégués syndicaux ont pour tâche de liquider la grève à tout prix. On procède à un nouveau vote auprès des obstinés et, quand il est, malgré les pressions, une fois de plus négatif (c'est le cas à Nantes et en gare de Montpellier), les syndicats locaux décident quand même de reprendre, au nom de la « discipline ouvrière » et « pour ne pas s'opposer au reste de la France ».

Cette technique de la « reprise forcée » est utilisée dans d'autres branches, et elle a pour résultat d'écœurer les grévistes les plus engagés dans l'action. Ces derniers, dans bien des endroits, déchirent publiquement leurs cartes syndicales.

Les empêcheurs
de tourner en rond.

A la RATP, les choses vont plus loin encore. A la suite du refus de la base, le 3 juin, de reprendre le travail, de nouvelles consultations sont engagées par la Régie, qui accepte quelques concessions supplémentaires : une enveloppe plus substantielle est adoptée, les

congés payés annuels sont augmentés d'un jour. Le 5, on vote à nouveau dans les dépôts des transports parisiens. La CGT et les autonomes se déclarent sans ambages en faveur de la reprise. Le Bureau confédéral de la CGT ne vient-il pas d'estimer « que, partout où les revendications essentielles ont été satisfaites, l'intérêt des salariés est de se prononcer en masse pour la reprise du travail dans l'unité » ? Une minorité d'agents se prononce pourtant pour la poursuite déterminée du mouvement. Le 6 au matin, 5 lignes de métro, la station Nation et 3 dépôts d'autobus sont toujours paralysés. Depuis la veille au soir, de violentes discussions opposent les responsables syndicaux à une

partie de leurs propres militants, soutenus par de nombreux inorganisés. Il faudra quatorze heures de palabres pour que ceux qu'on appelle désormais « les irréductibles » acceptent de se plier à la « loi de la majorité ». On verra des chauffeurs monter dans leur véhicule en pleurant.

Dans d'autres secteurs clés, la reprise s'effectue de même, sans « ordre », sans « dignité », sans « unité ». Aux PTT, dans les charbonnages, dans les aciéries de l'Est, dans les pétroles, il faut presque une semaine pour négocier un accord, et plusieurs jours pour convaincre les ouvriers qu'ils doivent accepter cet accord. Le vendredi 7 juin au soir, si la situation est encore loin d'être redevenue « normale », la

France n'est plus véritablement paralysée.

Mais à mesure que le temps passe, la remise en marche se révèle de plus en plus difficile. De nombreux grévistes ont l'impression « de s'être fait baiser à la petite semaine » (Sud-Aviation-Marignane); sous l'impulsion de quelques militants d'extrême gauche, ils se regroupent en noyaux durs, biens décidés à entraver « les manœuvres des vendus du sommet » (Renault-Flins) et à persévérer dans l'action.

évacuer les locaux occupés. Les contestataires appellent à un meeting pour le lundi 10 au soir à la Bourse du travail. Celle-ci refuse de prêter ses locaux... Mais, à l'heure dite, ce sont 3 000 instituteurs en colère qui exigent de se faire entendre. Le « retour à la normale » dans l'enseignement primaire n'interviendra que le 14 juin.

Dans de nombreux autres secteurs, comme la métallurgie, l'électronique, le caoutchouc, le conflit s'enlise : se sentant portées

par la vague gaulliste, les chambres patronales refusent toute idée de convention collective nationale et prétendent, dans le meilleur des cas, s'en tenir à la stricte application des accords de Grenelle. Dans ces conditions, déclarent les syndicalistes CFDT, il n'y a plus rien à négocier et, dès les premiers jours de juin, les pourparlers sont rompus. Pendant plus d'un mois encore dans certains cas, chacun restera sur ses positions.

La grève se durcit.

Les cadres doivent-ils s'immoler sur l'autel de la justice sociale ?

Dès le 31 mai, les ingénieurs et cadres CFDT lancent un appel pour que les salariés les mieux rémunérés « renoncent aux surenchères catégorielles et, notamment, à l'application intégrale des augmentations de salaire ». Dans leur esprit, il s'agit de réduire l'écart entre hauts et bas salaires; que les cadres se contentent donc des 10 % prévus aux accords de Grenelle, et que la masse salariale éventuellement acquise en supplément aille en totalité aux plus défavorisés.

La CGC réagit brutalement, et avec d'autant plus de vigueur que certaines de ses fédérations approuvent l'initiative de la CFDT. Le 6 juin, la CGT prend à son tour parti : elle « considère qu'il est erroné et contraire à l'intérêt général de laisser croire aux travailleurs les plus défavorisés que l'amélioration de leur sort exige une mise en cause du pouvoir d'achat des cadres, ingénieurs et techniciens ».

Les agriculteurs à la croisée des chemins

Les manifestations du 24 mai ont révélé l'existence chez les agriculteurs d'un important mécontentement. Va-t-on, comme le préconise inlassablement l'extrême gauche, vers la constitution d'un front de lutte « ouvrier-étudiant-paysan » ? Plusieurs fédérations départementales de la FNSEA et du CNJA se montrent disposées à franchir le pas.

La zizanie, d'ailleurs, se fait jour entre les syndicats ouvriers, car ils ne sont pas d'accord sur la façon de « manger la galette ».

La machine de la reprise grippe.

Avec les enseignants, les négociations traînent en longueur et la reprise sera franchement chaotique : outre le fait que de nombreux militants syndicaux du secondaire refusent de « briser » le mouvement des lycéens, certains instituteurs s'insurgent contre la direction de leur syndicat majoritaire, le SNI. Celui-ci a décidé, sans consultation de la base, la reprise du travail pour le vendredi 7 au matin. Le lendemain soir, plusieurs centaines de militants occupent les locaux parisiens du SNI, et lancent une proclamation : « Nous n'acceptons pas de laisser des secteurs de la classe ouvrière se battre seuls alors que nos revendications fondamentales communes n'ont pas été satisfaites. La victoire est encore possible. Dès lundi, la FEN doit appeler à la grève générale. »

Le lendemain, un commando favorable à la direction du SNI fait

Des instituteurs solidaires des grévistes : à La Ciotat, des garderies fonctionnent sur les stades.

1er juin 68 : manifestations paysannes en Gironde.

« Nous contestons les mêmes faits. Nous revendiquons les mêmes droits. »

Dans l'Ouest et le Sud-Ouest, de nouvelles manifestations paysannes sont décidées pour le 31 mai. L'« état d'alerte » est décrété dans un certain nombre de départements, et plusieurs Comités d'action ouvriers-paysans se constituent en Aquitaine; des agriculteurs de la Loire-Atlantique participent aux travaux du CCG de Nantes.

A Bordeaux, à Toulouse et à Montauban, des minorités dures occupent par surprise les sièges départementaux du Crédit agricole et obtiennent que ces établissements bancaires accordent par priorité leurs prêts aux agriculteurs, qui seront représentés de façon permanente au sein des conseils d'administration.

Le 29 mai, le CNJA et des agriculteurs de l'Ouest se prononcent ouvertement pour la lutte politique; ils se rallient à Mendès

France, que Bernard Lambert (leader PSU de la FNSEA en Loire-Atlantique) rencontre le 31 mai. Le système capitaliste, basé sur le profit et la rentabilité à tout prix, voue, disent-ils, les plus pauvres d'entre eux à une lente agonie; seul le socialisme démocratique peut apporter une solution à leurs difficultés.

Ces positions « en flèche » sont loin de faire l'unanimité des dirigeants agricoles. Ainsi, le Bureau national de la FNSEA se garde bien d'appeler à une nouvelle journée nationale d'action et se contente, le 29 mai, de souhaiter un « élargissement » du gouvernement Pompidou. De son côté, la FNSEA de Normandie refuse toute idée de manifestation commune avec les syndicats ouvriers.

Malgré le choc psychologique créé par le discours du général de Gaulle, les viticulteurs de Gironde barrent par trois fois les routes du département à quelques jours d'intervalle; le 31 mai, plusieurs manifestations se déroulent, afin d'obtenir un moratoire sur le

recouvrement des impôts et l'abaissement de la TVA sur le vin. A Langon, la foule en colère saccage le bureau des contributions.

Plusieurs milliers de paysans se réunissent le même jour en Loire-Atlantique et fraternisent avec les ouvriers et les étudiants.

Le spectre de la faillite.

A partir du 4 juin, les données de la crise agricole se transforment profondément. Les paysans se voient contraints de faire face à l'augmentation des prix des produits industriels qu'ils utilisent (engrais, fuel, etc.) et aux très fortes hausses de salaires de leurs propres ouvriers. Si les prix des produits agricoles n'augmentent pas en proportion, cela peut entraîner la faillite pour bon nombre de petits et de moyens exploitants.

La FNSEA dresse un catalogue de revendications destinées à faire face à ces « deux dangers immédiats ». Elle exige une hausse des

Les paysans girondins restent solidaires des salariés,
mais exigent l'indexation des prix agricoles.

prix agricoles européens, la suppression de la taxe complémentaire, une diminution de 20 % des impôts sur le revenu, un abaissement de 13 à 6 % de la TVA sur les boissons et, pour les agriculteurs les plus pauvres, la suppression des charges sociales et une garantie de ressources au moins égale au SMIG.

A la veille de la mise en vigueur des nouveaux prix européens, les producteurs de lait s'inquiètent particulièrement. 3 000 d'entre eux se réunissent le 28 juin à Nouvion-en-Thiérache, barrent la nationale Paris-Bruxelles et brisent les vitres de la sous-préfecture de Vervins. Dans la soirée, la demeure du principal propriétaire d'une coopérative laitière, accusé d'imposer aux éleveurs des tarifs dérisoires, est complètement saccagée.

La récolte des primeurs bat en même temps son plein. Dans le Roussillon, le bassin Aquitain, la vallée du Rhône et la « ceinture dorée » de la Bretagne, la vente de ces denrées périssables assure, en cinq ou six semaines, l'essentiel du revenu paysan. Les exploitants, qui ont réalisé en 1968 une excellente récolte de pommes de terre, d'artichauts, de choux-fleurs, de pêches, d'abricots, etc., se trouvent début juin dans l'incapacité d'écouler normalement leur production : les télécommunications, qui permettent habituellement d'entrer en contact avec les grossistes des grandes agglomérations, n'ont pas été rétablies, et les transports ferroviaires restent paralysés. L'effondrement des cours est cette fois particulièrement rapide et spectaculaire.

La « guerre des primeurs » : 2 morts.

Comme l'État se retranche derrière les « obligations issues du Marché commun » pour ne pas intervenir, les dirigeants syndicaux « a-politiques » se retournent contre les ouvriers grévistes, qu'ils rendent responsables de la mévente. Le 2 juin, plusieurs centaines de paysans et de commerçants prennent d'assaut la poste de Châteaurenard (Bouches-du-Rhône), expulsent les grévistes et assurent, avec l'aide des gendarmes locaux, la « liberté du travail » aux PTT.

En Bretagne, les excédents d'artichauts et de pommes de terre se chiffrent quotidiennement par centaines de tonnes. Le 4 juin, les paysans du Finistère déversent 80 tonnes d'artichauts sur les parkings de la base aéronavale de Landivisiau. Le lendemain, les producteurs de pommes de terre des Côtes-du-Nord entrent dans la danse. Le bureau des contributions de Lézardieux est mis à sac; à Paimpol, puis à Saint-Malo, des monceaux d'excédents sont entassés devant les portes des gares tenues par les piquets de grève cheminots, et arrosés de gas-oil. Plusieurs barrages sont installés sur les routes. Le 7 juin, les cours de la pomme de terre atteignent leur prix plancher européen : 16,50 F le quintal, soit un tiers seulement du prix de revient moyen. L'État peut alors intervenir : il rachète les excédents 7,5 centimes le kilo. Les pommes de terre en surplus prennent désormais le chemin des décharges publiques.

Dans le Sud-Ouest, l'agitation continue. La FNSEA du Lot reproche encore ouvertement à la direction nationale du syndicat son attitude prudente au cours des semaines précédentes, et celle du Lot-et-Garonne fonde un « Comité de salut économique ». En Gironde, dans la nuit du 7 au 8 juin, les viticulteurs bloquent une fois de plus la plupart des nationales et coupent de nombreuses lignes téléphoniques. Sur la RN 136, la police réagit, et opère une quinzaine d'arrestations. Sur la RN 113, c'est le drame. Les vignerons ont enflammé du soufre sur la chaussée; une voiture percute à vive allure un poids lourd arrêté; l'accident fait un mort, Léon Labrouche, cinquante-sept ans, et un blessé grave. Sous le choc de la tragédie, les syndicalistes girondins décident de renoncer à leurs méthodes d'« action directe ».

Quelques jours plus tard, les Pyrénées-Orientales entrent à leur tour en ébullition : il s'agit d'interdire toute importation de primeurs en provenance d'Espagne et d'Afrique du Nord. Le 11 juin, une centaine de producteurs bloquent la RN 114 et la voie ferrée attenante, entre Argelès et Collioure, et interceptent les camions venus de Port-Vendres. Un train est arrêté, 250 tonnes de tomates espagnoles répandues sur le ballast.

Un autre groupe envahit la gare maritime de Port-Vendres et jette à la mer plusieurs centaines de cageots. Une bousculade entre manifestants et douaniers fait 4 blessés.

En même temps, le poste frontière du Perthus est bloqué, les camions de primeurs espagnols systématiquement refoulés. Mais, fait significatif, les agriculteurs repoussent les propositions d'aide qui leur sont faites par les syndicalistes ouvriers présents...

L'État cède au bout de vingt-quatre heures : les importations de primeurs espagnols sont officiellement suspendues. Les barrages paysans disparaissent immédiatement.

Un mois plus tard, la « guerre des fruits » se rallume dans le bassin

Les Français roulent sur les excédents !

Aquitain. Le 12 juillet, le pont du Tarn est bloqué à Moissac. Le même jour, les arboriculteurs du Lot-et-Garonne tentent d'investir le marché d'Agen. Refoulés par la police, ils vont bloquer la RN 113 et la voie ferrée Bordeaux-Toulouse dans les environs d'Aiguillon. Un poids lourd qui n'a pas pu freiner à temps fauche deux cultivateurs; l'un d'eux, André Paraillous, quarante-sept ans, est tué sur le coup. Ses obsèques, le lendemain, marquent la fin des actions revendicatives paysannes en 1968.

Les agriculteurs n'ont donc pas dans leur ensemble voulu, ou pu, s'allier durablement aux salariés

La guerre de l'anchois au Pays basque

Les thoniers et sardiniers des Pyrénées-Atlantiques protestent depuis longtemps contre la présence de bateaux de pêche espagnols à l'intérieur des eaux territoriales françaises. L'anchois, qui intéresse les Espagnols, sert d'appât pour les thons, qui intéressent les Français.

Le 12 juin, 90 patrons pêcheurs se mettent en grève à Saint-Jean-de-Luz; 35 d'entre eux remettent leur rôle (autorisation de pêche) et abandonnent leurs bateaux devant la préfecture maritime de Bayonne. Dès le lendemain, le gouvernement annonce l'arrivée d'un escorteur de la marine nationale, chargé de relever les infractions commises par les bateaux espagnols.

Les pêcheurs français reprennent le chemin de la mer... mais remplacent le secrétaire de leur syndicat, un notable en poste depuis quinze ans, par un partisan d'une ligne revendicative plus dure.

Un mois plus tard, les 12 et 13 juillet, arguant d'un nouveau relâchement de la surveillance exercée par les navires de guerre français, les thoniers de Saint-Jean-de-Luz bloquent à nouveau le port de Bayonne.

7 juin 68 : sur la RN 136 (Gironde), un barrage de viticulteurs. Il y aura 15 arrestations.

en lutte. Cet échec entraîne, dans l'Ouest surtout, une grande amertume à l'égard des directions « réformistes » de la FNSEA et du MODEF. Au cours de l'été, les « minoritaires socialistes » se regroupent et préparent l'avenir. Les « paysans-travailleurs » seront issus de ce processus de radicalisation dans l'action d'une partie des petits et moyens agriculteurs français.

Le cri de la colère

Avec la poursuite et, dans certains cas, la reprise ou le durcissement de la grève, un climat nouveau s'établit dans les usines occupées. Après le 6 juin, gouvernement et patronat tentent de briser le moral des récalcitrants : le « reflux du mouvement » est présenté comme inéluctable (la presse gouvernementale fait sys-

tématiquement état des votes en faveur de la reprise du travail et « passe » sur les autres); au cours des négociations, les directions font savoir que toute nouvelle exigence des ouvriers « mettrait en question l'existence même des entreprises »; le gouvernement répète à satiété que, dans une démocratie libérale, le droit de grève repose sur le sacro-saint principe de la *liberté du travail*.
C'est bientôt l'épreuve de force. Des consultations « réellement libres et représentatives » sont organisées dans le dos des syndicats. Ceux-ci préconisent le boycott, tentent de s'emparer des urnes patronales, ou organisent des votes contradictoires.
Les ouvriers non grévistes sont individuellement contactés et embrigadés par certains cadres ou agents de maîtrise. Ici et là, des piquets de grève sont violemment expulsés par les « jaunes », qui occupent à leur tour l'usine afin d'imposer une reprise au moins partielle du travail.
Dans quelques cas extrêmes, l'évacuation des bâtiments occupés est demandée en justice. Des interventions massives de la police ne sont plus à exclure.
En même temps, les attentats se multiplient; bombes ou cocktails Molotov explosent aux portes d'usines occupées; des grévistes isolés sont pris à partie et matraqués; la nuit, des commandos « anticommunistes » rôdent dans les quartiers populaires.

« Nous irons jusqu'au bout. »

La détermination des grévistes demeure entière, même si la consigne reste partout d'éviter à tout prix de répondre aux provocations. A Angoulême, les 200 ouvriers des usines Leclanché s'entêtent seuls dans l'action, face à une direction qui refuse de signer tout accord d'entreprise. Les délégués syndicaux s'exclament le 15 juin : « Nous ne nous battons pas pour de l'argent, mais pour la justice et la liberté. Aujourd'hui, c'est le cri de la colère. Demain, ce sera le cri de la haine. »
La solidarité ouvrière se renforce. Des « bastions durs » organisent la résistance, et, dans bien des cas, le mouvement de « reprise perlée » se trouve enrayé.
L'exaspération domine partout : La « grève des pétanqueurs » a fait son temps. Aux usines Berliet de

Solidarité ouvrière à Besançon

A Besançon, de solides liens d'amitié se sont maintenus envers et contre tout entre « les gars de la Rhodia », qui ont lancé le mouvement de grève en mai, et les étudiants révolutionnaires de la faculté des lettres.
Le 4 juin au matin, la direction des usines Kelton décrète la reprise unilatérale du travail et organise un système de ramassage du personnel isolé ou « non gréviste ». Dans la nuit, un fort contingent d'étudiants et d'ouvriers de la Rhodia vient renforcer le piquet de grève des horlogers. Les approches de l'usine sont barricadées. Au matin, les grévistes évacuent les locaux pour éviter l'intervention de la police, mais retiennent 1 200 employés à l'extérieur des grilles. A la suite d'un meeting d'explication, 150 salariés seulement, en majorité des cadres, se prononcent pour la reprise du travail.
Le même jour, les Compteurs Croppet ont rouvert leurs portes. Dans la matinée, une poignée de jeunes « horaires » déclenche des débrayages sporadiques; un meeting se tient à 13 heures. Des grévistes de Kelton et de la Rhodia, des étudiants ont été appelés en renfort; les cadres CFDT de l'usine se joignent à eux; au cours de l'après-midi, les ateliers se vident peu à peu : sur les 870 employés qui avaient repris, 250 seulement restent à leur poste de travail.
Le 9 juin, les ouvriers de la Rhodiaceta votent l'arrêt de leur mouvement, mais l'usine Kelton demeure paralysée, et la grève partielle se poursuit aux Compteurs jusqu'au 12.

7 juin-14 juillet 68 : manifestations étudiantes, ouvrières, paysannes.

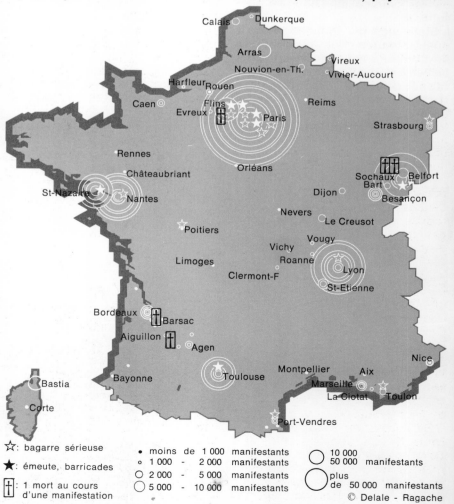

☆ : bagarre sérieuse
★ : émeute, barricades
✝ : 1 mort au cours d'une manifestation

• moins de 1 000 manifestants
◦ 1 000 - 2 000 manifestants
○ 2 000 - 5 000 manifestants
◯ 5 000 - 10 000 manifestants
◯ 10 000 50 000 manifestants
◯ plus de 50 000 manifestants

© Delale - Ragache

En juin, 7 pôles de résistance acharnée.

Lyon, un vote en faveur de la reprise du travail a lieu le 10 juin à la division commerciale et au département « Études et recherches » de Monplaisir, ainsi qu'à Berliet-Europe de Saint-Priest. Dans les deux cas, les employés et cadres concernés occupent leurs locaux, avec la bénédiction de la direction. Dans la nuit, les grévistes passent à l'attaque. L'assaut échoue finalement à Saint-Priest en raison de l'apparition de la police. Il réussit à Monplaisir : tous les cadres présents sont faits prisonniers, séquestrés, puis relâchés sur intervention de la CGT. Il y a un certain nombre de blessés; l'un d'eux, très grièvement atteint, doit être hospitalisé.

Mais les heurts les plus violents mettent aux prises grévistes et policiers. Du 6 au 12 juin, on assiste à une nouvelle flambée de violence, et les batailles rangées de la semaine font 3 morts dans les rangs des manifestants.

« Tout recommence à Flins. »

A Flins, la direction de la Régie Renault décide de passer à l'offensive.

Les ouvriers français, pour la plupart récemment arrachés à la campagne normande, y sont appelés par dérision : les « betteraviers » par leurs collègues parisiens; le taux de syndicalisation est encore faible. Il semble, d'autre part, facile de faire pression sur les nombreux travailleurs immigrés, en les menaçant de licenciement, ce qui risque de leur faire perdre leur carte de travail.

Le 5 juin, un vote patronal sur la reprise du travail est interrompu par les piquets de grève : les urnes, disent-ils, ont été « bourrées ». A 3 heures du matin, le jeudi 6, 1 000 CRS investissent les bâtiments, défoncent les grilles, coupent l'électricité et font évacuer les ateliers.

Quelques militants de l'UJCML, qui ont créé un groupe de « syndicalistes prolétariens CGT » dans l'usine, appellent tous les travailleurs et tous les étudiants de la région parisienne à venir manifester sur place. La confédération CGT condamne formellement toute idée de « marche sur Flins ». Dans la journée du 6, des contre-maîtres font du porte-à-porte et menacent de licenciement les ouvriers qui ne reprendraient pas le travail le 7 au matin. A la rentrée

Renault-Flins : après 4 jours de lutte, l'usine sera provisoirement réoccupée par 400 travailleurs.

du lendemain, un « piquet dissuasif » est installé devant les CRS qui occupent toujours les abords de l'usine. Les quelques salariés qui ont accepté de pénétrer dans les ateliers ne tardent pas à en ressortir, et la direction doit reconnaître sa défaite : il lui est impossible de remettre l'usine en marche.

Un meeting, qui réunit 8 000 personnes, se tient à l'écart. A la demande des ouvriers et malgré l'opposition de la CGT, Alain Geismar et un représentant du 22-Mars prennent la parole. Les étudiants, disent-ils, n'ont qu'un désir : se mettre à la disposition des grévistes, et non diriger leur action. On décide, pour finir, d'al-

ler renforcer le piquet dissuasif qui campe toujours face aux CRS. Quand la foule arrive à 70 m de l'usine, les forces de l'ordre chargent avec une incroyable brutalité. La « bataille de Flins » est commencée; elle durera quatre jours.

Dans la région parisienne, le retentissement est immense. Pour beaucoup d'étudiants et de jeunes ouvriers, Flins représente un nouvel et dernier espoir : si la classe ouvrière se jette en masse dans l'action violente, le gouvernement et les partis politiques risquent d'être, cette fois, définitivement débordés. N'y a-t-il pas encore en France, à cette date, 3,2 millions de grévistes ? Le 22-Mars

SOLIDAIRES DE FLINS

RENAULT-FLINS : ÇA CONTINUE

—

JEUDI 5000 CRS AVEC HALF-TRACKS OCCUPENT L'USINE DE FLINS _ SAMEDI, ILS SONT 10.000 !..

DE GAULLE AVOUE : — les patrons ont à court terme les moyens de reprendre les augmentations de salaires

— la bourgeoisie sait que toute continuation de la lutte pose le problème du pouvoir aux travailleurs.

Alors, le pouvoir profite de la sectorisation des luttes pour tenter d'écraser l'ensemble de la classe ouvrière : FLINS a été attaqué en premier car c'était une usine isolée.

Les travailleurs se sont pourtant battus, se battent et font échec à la manœuvre de la bourgeoisie.

15 jours de lutte prouvent que l'unité est notre véritable force pour l'abolition du patronat.

L'ISOLEMENT DE FLINS EST BRISÉ : LA GRÈVE SE RENFORCE !

Pour aider nos camarades à libérer leur usine :

CRÉONS LÀ OÙ NOUS SOMMES, DANS LES ENTREPRISES, DANS LES QUARTIERS, DE NOUVEAUX FRONTS DE LUTTE POUR DISPERSER LES FORCES DU POUVOIR : LES C.R.S NE PEUVENT ÊTRE PARTOUT !

GROUPONS-NOUS ET DEMAIN...

DES COMITÉS D'ACTION
 DE LA RÉGION PARISIENNE

MOUVEMENT DE SOUTIEN
 AUX LUTTES DU PEUPLE

MOUVEMENT DU 22 MARS

déclare : « L'avenir du processus révolutionnaire se joue à Flins. » Spontanément, des milliers d'étudiants, de lycéens, de jeunes travailleurs tentent de gagner le « front » par des moyens de fortune.

Mais la CGT dénonce vigoureusement l'intervention de ce qu'elle appelle « les groupes Geismar, organisés quasi militairement » : « Ces provocateurs font le jeu du pouvoir, et participent à l'opération gaulliste destinée à gagner les élections grâce au parti de la peur. » La CFDT, en revanche, se déclare prête à organiser un mouvement de solidarité de grande ampleur, avec la participation de l'UNEF, qu'elle traite en alliée de plein droit de la classe ouvrière. Le 7, une manifestation organisée par cette confédération s'achève place Wagram. Les responsables syndicaux suggèrent à leurs militants d'aller rejoindre les étudiants qui se rassemblent au même moment devant la gare Saint-Lazare.

Il y aura là 3 000 manifestants, qui demandent aux cheminots d'affréter plusieurs trains spéciaux à destination de Flins. Refus de la CGT, majoritaire dans le dépôt. La manifestation se rend à Billancourt, où la CGT fait fermer les portes de l'usine Renault, et demande aux ouvriers de n'adresser en aucun cas la parole aux « provocateurs gauchistes ». Un groupe de manifestants, décidément tenace, tente alors de se rendre au dépôt d'autobus de la porte de Saint-Cloud; il est dispersé par la police.

A Billancourt et ailleurs, nombreux étaient, pourtant, les ouvriers qui voulaient prêter main-forte à leurs camarades de Flins. Les délégués CGT ont tout fait pour les en empêcher, allant jusqu'à utiliser la menace, le chantage et, dans certains cas, la force.

La chasse à courre.

Autour de Flins, même hostilité de la CGT envers les manifestants parisiens. Un meeting se tient le samedi matin 8 juin aux Mureaux; les ouvriers de l'usine veulent à nouveau donner la parole aux étudiants. La CGT, qui n'a pas apprécié l'expérience de la veille, fait disparaître la sonorisation.

Les heurts, pourtant, se poursuivent. Au cours de la journée du vendredi, les CRS ont, par vagues successives, repoussé les manifestants sur plusieurs kilomètres; un motard a été très grièvement blessé sur l'autoroute de l'Ouest. Du samedi au lundi, une chasse à courre, plutôt qu'une bataille coordonnée, se déroule dans les champs. Des hélicoptères survolent la région, des jeeps patrouillent dans la campagne; tout groupe de « manifestants présumés » est attaqué, encerclé, arrêté. Plusieurs milliers de jeunes se font « cueillir » à l'entrée de l'autoroute de l'Ouest. Sur place, des isolés trouvent asile chez les habitants, d'autres en sont réduits à se cacher dans les bois et dorment à la belle étoile.

Scènes de chasse dans les Yvelines.

La brutalité des CRS se fait de plus en plus évidente : les pneus des voitures étrangères au département sont systématiquement lacérés; les pilotes d'hélicoptères tentent d'assommer les manifestants à coups de patins; des grenades lacrymogènes explosent dans les appartements; le 7, un poste d'ambulance est attaqué à la grenade; le 10, le local de l'Union des syndicats est investi, ses occupants, ouvriers et étudiants confondus, alignés contre un mur et tabassés.

Le lundi 10 après-midi, une dizaine de jeunes se sont réfugiés sur les bords de la Seine : ils sont encerclés par la police; pris de panique, ils se jettent à l'eau; d'après des témoins, ceux qui tentent de reprendre pied sont matraqués dans la vase. L'un d'eux coule : c'est Gilles Tautin, dix-sept ans, un lycéen membre de l'UJCML.

La mort de Gilles Tautin : recherche d'autres noyés et tentative de réanimation.

A l'annonce de sa mort, l'indignation de la population est énorme. Les CRS se trouvent en danger : on parle de les lyncher. Dès le lendemain matin, ils auront évacué les lieux.

Est-ce la fin de la lutte à Flins ? Le 11 au matin, un groupe d'ouvriers entre dans l'usine, comme pour reprendre le travail. Parmi eux, une centaine de syndicalistes prolétariens de l'UJCML qui bloquent les chaînes, hissent le drapeau rouge et publient une déclaration violemment hostile à *tous* les dirigeants syndicaux : « Pendant que les syndicalistes prolétariens de la CGT organisaient l'occupation, les dirigeants CGT et CFDT font tout pour saboter en douce ». Les « bonzes syndicaux », arrivés à 16 heures, se voient refuser l'accès des ateliers. Ils recommandent alors l'évacuation de l'usine. Dans la nuit, la direction prononce le lock-out. Les négociations reprennent dès le 12 au matin.

27 samedis consécutifs.

Au même moment, les ouvriers des usines Peugeot de Sochaux-Montbéliard, font preuve de la plus grande unité et remportent une victoire *militaire* sur les forces de répression.

Le samedi 8 juin, 5 300 employés, sur les 25 000 que compte l'établissement, avaient décidé de reprendre le travail, la direction ayant accepté la plupart des dispositions contenues dans le constat de Grenelle.

Le lundi 10 au matin, 6 000 OS sont chargés de remettre les chaînes en marche. Un bruit court : la société, qui a de nombreuses commandes en retard, exige que la récupération des jours de grève se fasse en 27 samedis consécutifs; elle va, de plus, augmenter les cadences. A l'atelier de finition-carrosserie, un groupe de jeunes débraye spontanément.

Le mouvement gagne les autres ateliers et, à la rentrée de midi, plus de 1 000 ouvriers font fermer les portes de l'usine, provoquant un embouteillage monstre. A 15 heures, les syndicats prennent les choses en main : la CFDT propose la grève, la CGT approuve, à condition que tout se passe « dans le calme et la dignité ». Après un vote à main levée, l'usine est réoccupée.

La direction opte pour la fermeté. Dans la soirée, un peloton de gendarmes fait son apparition et assure la « libre sortie » des non-grévistes. Un communiqué patronal demande « à tout le personnel de se présenter devant les portes demain mardi. Il faut faire respecter la liberté du travail ».

Dans la nuit du 10 au 11, les CRS encerclent et dispersent le piquet de grève de la portière-carrosserie, et pénètrent dans l'usine. La totalité des bâtiments est évacuée en moins d'une heure, malgré quelques bousculades et une dizaine de blessés légers.

A partir de 4 heures du matin, les ouvriers, furieux de s'être fait expulser, édifient des barricades aux abords de l'usine. Les CRS chargent et repoussent vague après vague ces premiers manifestants. Dès 6 heures, pourtant, le « front » se stabilise : avenue d'Helvétie, les grévistes bloquent un « passage sous rail » et occupent la voie ferrée. Ils dominent la succursale Peugeot et bombardent le peloton de CRS qui y a trouvé refuge.

A l'autre extrémité de l'avenue, plusieurs barricades, édifiées à la hauteur de la Brasserie, sont successivement évacuées et reprises par les grévistes. On se bat route d'Audincourt, et jusqu'au pont de Ludwigsbourg.

après; un autre est dans le coma, le crâne défoncé. Un CRS se trouve dans le même état, le ventre troué à coups de barre à mine.

Mais les manifestants sont maîtres de la succursale. Dans leur fuite, les CRS ont abandonné une partie de leur matériel : un command-car, qui est incendié; des fusils, qui sont brisés à la demande des délégués syndicaux.

d'ouvriers tente d'envahir les bâtiments de l'usine par la route d'Audincourt; des heurts violents se déroulent tout autour de la Bretelle. Les CRS chargent à coups de grenades offensives; des ouvriers se barricadent dans le musée Peugeot.

Du côté de Sochaux, la foule s'ébranle : « Tous aux barricades ! » Des fortifications sortent à nouveau de terre devant la Brasserie, les CRS refluent en désordre. Un délégué au comité d'entreprise fait alors savoir que la police va s'en aller et que l'usine sera fermée. La foule se replie d'elle-même sur ses positions de départ. Il est 16 h 30.

Pendant ce temps, du côté de Montbéliard, les policiers ont réussi à dégager la Bretelle, la route d'Audincourt, le pont de Ludwigsbourg, mais toutes leurs offensives se brisent devant la forte position du passage sous rail. C'est là qu'un deuxième ouvrier, H. Blanchet, quarante-neuf ans, est mortellement blessé : une grenade offensive le fait tomber du parapet et il se fend le crâne sur la chaussée. A 19 heures, la bataille continue autour de la succursale Peugeot, que les CRS sont parvenus à réoccuper. Une nouvelle trêve s'instaure : les CRS acceptent de reculer jusqu'à la Bretelle à condition que les ouvriers restent sur leur position du passage sous rail. Une heure plus tard, un accord entre direction et syndicats est rendu public : les CRS se replieront à l'intérieur de l'usine, qui est déclarée fermée. Ils s'engagent à évacuer les lieux dans la nuit, et n'useront de violence que s'ils

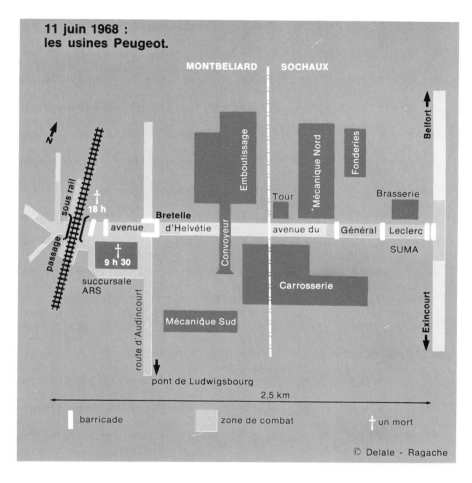

11 juin 1968 : les usines Peugeot.

MONTBELIARD   SOCHAUX

N

sous rail 18 h
Bretelle d'Helvétie
avenue   avenue du   Général   Leclerc
passage   9 h 30   Emboutissage   Tour   Mécanique Nord   Fonderies   Brasserie   SUMA
succursale ARS   Convoyeur
route d'Audincourt   Carrosserie
Mécanique Sud
Belfort
Exincourt
pont de Ludwigsbourg
2,5 km

barricade   zone de combat   † un mort

© Delale - Ragache

« Tous aux barricades ! »

A 7 heures du matin, le 11 juin, des milliers d'ouvriers affluent aux nouvelles. Même ceux qui, la veille, ont voté contre la grève refusent de reprendre le travail. Les syndicats organisent un cortège, qui se rend à la sous-préfecture de Montbéliard, puis, revenu peu avant 10 heures au passage sous rail, se joint aux combattants. Ceux-ci passent à l'attaque et investissent la succursale. Pour se dégager, des CRS tirent au pistolet mitrailleur; une quinzaine d'ouvriers s'écroulent : l'un d'eux, P. Beylot, vingt-quatre ans, blessé par balles, meurt peu

Les métallos poursuivent leur attaque : ils parviennent avant midi à la Bretelle, où une trêve s'instaure : des gendarmes mobiles, arrivés depuis peu, s'interposent entre ouvriers et CRS et les maires du canton tentent de négocier l'évacuation de la police. Peu à peu, les manifestants se dispersent et vont casser la croûte.

A 14 heures, une foule immense occupe à nouveau les deux extrémités de l'avenue d'Helvétie. Toutes les usines de Montbéliard ont débrayé dans la matinée, quelques étudiants sont venus de Besançon. On exige le départ immédiat des CRS. Une colonne

PEUGEOT PATRONS POLICE 2 MORTS

Sochaux-Montbéliard : une victoire militaire chèrement payée pour les manifestants ouvriers.

sont attaqués par les grévistes. A 21 heures, la retraite des forces de l'ordre commence. Elles sont attaquées avenue du Général-Leclerc par des groupes épars d'ouvriers, et lancent pour se défendre des grenades offensives des fenêtres de leurs cars. Route de Belfort, pendant plus d'une heure, elles sont prises à partie par la population en colère, et leur départ prend vite l'allure d'une déroute honteuse.

Dans la nuit, 300 jeunes travailleurs s'emparent du cercle-hôtel Peugeot, enferment les gardiens dans une chambre, brisent le mobilier et, vidant les caves, font couler le champagne à flots. Certains ouvriers désapprouvent l'initiative, mais personne ne s'y oppose physiquement. Ici et là dans l'usine, des vitres sont cassées, du matériel détérioré. A minuit, les syndicats font évacuer les lieux et installent des postes de garde afin d'empêcher la généralisation du pillage.

L'usine de Sochaux ne sera pas réoccupée, mais elle restera close pendant dix jours encore.

Le brasier persistant de la Loire-Atlantique.

A Nantes-Saint-Nazaire aussi, la résistance ouvrière prend des allures insurrectionnelles. Le CCG a préféré cesser d'exercer ses fonctions à Nantes, mais la grève est restée dure. Le 4 juin, pourtant, la CGT a organisé un vote sur la reprise du travail dans les trans-

ports urbains. Les urnes sont au dernier moment transférées à la Bourse du travail. De nombreux grévistes, qui n'ont pu s'exprimer, protestent contre le résultat positif, mais minoritaire, du scrutin. Dans l'après-midi, grévistes et étudiants empêchent la sortie des véhicules. L'apparition de la police empêche seule le déclenchement d'une sérieuse bagarre.

Pour protester contre l'intransigeance du patronat, les ouvriers de diverses branches organisent presque chaque jour un défilé en ville. Le 6 juin, à Nantes, des manifestants crèvent systématiquement les pneus des autobus qui circulent. Le lendemain, un meeting de 3 000 chimistes se déroule à Saint-Nazaire pour soutenir le personnel d'une usine de Grande-Paroisse, en grève depuis deux mois. De violentes échauffourées éclatent devant la sous-préfecture.

Le 10 juin, comme presque partout en France, le front syndical se trouve en voie de dislocation. Un protocole d'accord a été mis au point à Sud-Aviation. La CGT s'y déclare favorable et parvient à faire voter la reprise à l'usine de Saint-Nazaire. Les ouvriers des Chantiers de l'Atlantique demandent alors aux votants de surseoir à leur décision afin de « ne pas briser le mouvement ».

Le lendemain, un rassemblement monstre se tient dans la ville. L'après-midi, un groupe de 300 jeunes ouvriers, drapeau rouge en

tête, se dirige vers la sous-préfecture en scandant : « Ce n'est qu'un début, continuons le combat ! » La police charge à la grenade offensive. Des barricades s'élèvent un peu partout, et nombreux sont les métallos des Chantiers qui se joignent à leurs jeunes camarades. Une véritable bataille de rues se déroule jusqu'à 2 heures du matin; la police reconnaîtra 106 blessés, dont 2 très graves. 22 manifestants ont été hospitalisés.

La CGT condamne et la brutalité de la répression et l'aventurisme des manifestants qui ont été, dit-elle, manipulés.

Le lendemain, on vote à l'usine Sud-Aviation de Nantes; depuis son occupation le 14 mai, elle constitue une sorte de symbole régional. La CGT, appuyée par les « mensuels » FO, se déclare favorable à l'arrêt du mouvement; la CFDT et les « horaires » FO s'y opposent. Chacun finalement reconnaît que les résultats de la consultation demeurent sujets à caution.

Le 13, une manifestation est prévue dans la ville, à l'appel de la CFDT, de FO et de l'UNEF. Elle est décommandée au dernier moment, en raison de sérieuses mises en garde venues de la préfecture. Des groupes de jeunes bloquent pourtant la circulation et, pendant plusieurs heures, c'est l'affrontement. Plus que d'une bataille de rues, il s'agit d'une guérilla éparpillée, localement très violente. Un manifestant a le pied déchiqueté par une grenade offensive.

En même temps, on vote à nouveau à Sud-Aviation. 55 % des suffrages se prononcent pour la reprise et 43 % contre. La consultation a, cette fois, été « démocratique » (c'est-à-dire secrète) et les irréductibles s'inclinent. Plusieurs jours passeront pourtant avant que l'usine retrouve une atmosphère « normale ».

L'émeute de la vingt-troisième heure.

Du 7 au 13 juin, de véritables batailles entre ouvriers et policiers se sont donc déroulées dans plusieurs villes de France. Quelle va être l'attitude des confédérations syndicales et de la population face à cette brutale radicalisation du conflit ?

La CGT s'oppose à toute manifestation de rue, ainsi qu'à tout appel à une grève nationale de solidarité. Pour elle, les grévistes ont avant tout besoin du soutien financier de leurs camarades, afin de pouvoir tenir dans le calme et la dignité jusqu'à la conclusion d'un accord d'entreprise.

La CFDT, voulant aller plus loin, en appelle à la « solidarité générale » de tous les travailleurs; elle propose une *journée d'action* pour le 10 juin, qu'elle voudrait unitaire à la base. Devant le refus systématique des responsables locaux de la CGT et de FO, l'initiative se révèle presque partout un échec.

Mais, dans la soirée, l'annonce de la mort de Gilles Tautin à Flins suscite l'indignation de très nombreux travailleurs. L'UNEF appelle à manifester partout en France le lendemain 11 au soir, et, à Paris, des groupes se forment immédiatement dans le quartier Latin. Ne répondant à aucun mot d'ordre précis, ils veulent « venger leur camarade » : diverses permanences gaullistes, plusieurs commissariats de police sont mis à sac, des dizaines de panneaux électoraux brûlent au coin des rues.

ment le « front syndical », elle n'appelle pas à participer aux manifestations de l'UNEF, prévues pour le soir même, bien qu'elle en approuve le principe. Elle incite ses militants à transformer le débrayage du lendemain en véritable journée d'action, suivant les possibilités locales, c'est-à-dire l'attitude des autres directions syndicales de base.

Le 11 au soir, le mouvement étudiant joue donc une nouvelle fois le rôle de mouche du coche. Il y a de grandes manifestations à Paris, à Toulon, à Toulouse et à Lyon. Dans les trois premières villes, la violence est à l'ordre du jour : des locaux de l'UDR, des commissariats sont attaqués.

Mais, à Paris, la police applique une nouvelle tactique de combat : occupation préalable des points de concentration des manifestants, où des centaines d'inorganisés se font cueillir par surprise; offensive immédiate quand des amorces de barricades apparaissent; quadrillage systématique des quartiers en ébullition. Les manifestants doivent alors se disperser à travers la ville, édifiant

sont tout à fait minoritaires : l'essentiel des troupes est constitué de jeunes travailleurs et de jeunes chômeurs venus de la banlieue.

Rares sont les grévistes organisés qui viennent se joindre à eux : ceux-ci, le plus souvent barricadés dans leurs usines, ne veulent pas les abandonner. Cependant, chaque fois qu'un défilé syndical de travailleurs se déroule avant la manifestation de l'UNEF, une fraction de ceux-ci n'hésite pas à

Pour eux, la « manif » est finie.

se jeter dans la bagarre : c'est le cas des chauffeurs de taxis parisiens, qui s'étaient réunis à plusieurs milliers place de la Bastille, à 18 heures. On en retrouvera plusieurs centaines qui mettent à sac les locaux du *Parisien libéré* près des grands boulevards.

Inversement, les sympathisants gaullistes ne craignent plus de se montrer : l'un d'eux tire sur la foule à Paris; à Nantes, certains viennent participer aux opérations de ratissage menées par les forces de l'ordre.

Dissolution, interdiction, expulsion.

Le 12 juin au matin, le Conseil des ministres est réuni. Les dernières barricades de la rue des Saints-Pères à Paris n'ont pas encore été démantelées, de nouveaux cortèges sont prévus pour la soirée et nul ne sait quel retentissement aura le mot d'ordre d'action lancé par la CFDT pour l'après-midi.

Le gouvernement décide de frapper sur la table, et prend deux mesures spectaculaires : il interdit toutes les manifestations sur la voie publique pendant la durée de la campagne électorale; de plus, s'appuyant sur une loi de 1935

15 juin 68 : les funérailles de Gilles Tautin.

Mardi 11 juin, pendant que deux ouvriers meurent à Sochaux, les confédérations syndicales ne parviennent pas à s'entendre : FO se déclare hostile à toute manifestation risquant de troubler l'« ordre républicain » en période électorale; la CGT décide unilatéralement d'appeler pour le 12 à un débrayage d'une heure sans manifestation publique. La CFDT se trouve une fois de plus isolée : afin de ne pas rompre publique-

des réduits successifs dans des régions éloignées les unes des autres. D'innombrables petits groupes, torches à la main, mettent le feu aux poubelles et aux panneaux électoraux. Par rapport aux grandes manifestations de mai, il n'y a pas beaucoup de blessés, mais les troubles gagnent en extension géographique et les destructions matérielles en importance.

Parmi les émeutiers, les étudiants

tombée en désuétude depuis plus de vingt ans, il prononce la dissolution du 22-Mars et de 7 organisations d'extrême gauche, assimilés à des ligues armées.

Depuis quelques jours, le ministère de l'Intérieur procède à l'expulsion expéditive de tous les étrangers appréhendés par les forces de police, quelles que soient les circonstances de leur arrestation. En quelques semaines, plus d'un millier d'entre eux seront conduits aux frontières : le gouvernement tente ainsi d'accréditer la thèse du « complot venu de l'étranger ».

Il s'agit de frapper les esprits : les perquisitions aux sièges des mouvements dissous ne commencent pas immédiatement et, depuis un certain temps déjà, les préfets ne se font pas faute d'interdire toutes les manifestations étudiantes et lycéennes.

Tout va dépendre alors de la réaction des organisations syndicales et des leaders du mouvement étudiant, la gauche traditionnelle s'en tenant, comme à son habitude, à des protestations purement verbales. Or, la CFDT et l'UNEF croient préférable de céder au chantage : elles font savoir que, pour éviter les provocations de la police et le déchaînement de la violence, elles ne donneront plus aucun mot d'ordre national de manifestation.

Le 12 au soir, de nombreux cortèges se rassemblent pourtant dans les villes de province : à Toulouse, la CFDT et la FEN refusent de s'incliner; à Marseille, à Poitiers, à Strasbourg, l'UNEF est présente dans la rue, et des incidents écla-

tent devant les facultés des lettres de Strasbourg et de Poitiers. A Bordeaux, l'UNEF annule son mot d'ordre; la manifestation se tient quand même.

Mais le cœur n'y est pas : *le Pouvoir de la rue* ne constitue plus un véritable danger pour le gouvernement; il va donc inéluctablement s'émietter. Dans tous les cas, les « cortèges interdits » sont peu importants : quelques milliers de personnes seulement dans une ville « chaude » comme Toulouse.

Divergences ou règlement de comptes syndicaux ?

Les 13 et 14 juin, la CGT réunit son Conseil national. Dans un rapport fleuve, Georges Séguy se livre, une fois de plus, à de violentes attaques contre les gauchistes, fauteurs de troubles, aventuriers, fourvoyeurs du mouvement populaire. Or, la CFDT, « par une sorte d'opportunisme à rebours, a fait preuve de complaisance envers le gauchisme ». Suit une liste détaillée des « compromissions » et des « attitudes irresponsables » dont s'est rendue coupable cette centrale. C'est, en fait, le déballage public de toutes les rancœurs qui se sont, des deux côtés, accumulées depuis le début du mouvement.

La CFDT réagit à sa manière : elle s'étonne le jour même « de la position antiunitaire de la CGT, attitude d'autant plus condamnable que de nombreux travailleurs sont encore en grève... ».

Une semaine plus tard, A. Detraz publie une « mise au point ». Il s'agit officiellement de « lever quelques équivoques », mais le ton est cinglant : « Non vraiment [...] nous n'avons pas de leçons à recevoir de la CGT. Et qui mieux est, nous n'acceptons pas ce genre de leçons. Il y a des bornes qu'il faut quand même éviter de dépasser. »

Cet échange de propos plus qu'aigres-doux laissera des traces : les relations interconfédérales sont interrompues, et, à la base, les responsables syndicaux reprennent leur indépendance par rapport aux comités de grève qui deviennent souvent le lieu d'affrontements verbaux permanents; les analyses sur la façon de mener le mouvement à son terme divergent totalement, et, partout, le vieux mot d'ordre d'unité de la classe ouvrière retourne au musée des espoirs déçus.

Dans une atmosphère d'état de siège, encore de nombreux blessés.

Paradoxalement, c'est la CGT et le PC qui seront, plus encore que le gouvernement, déclarés responsables de l'échec de ce qui, pour beaucoup de militants d'extrême gauche, constituait « la Révolution de la dernière chance ».

Et le torchon brûle désormais publiquement entre les deux plus grandes centrales syndicales françaises.

La chute des temples.

La journée du 12 juin a constitué un tournant politique important. Le gouvernement se sent plus que jamais le vent en poupe et il accélère le « retour à la normale électorale ». Mais le mouvement n'a pas été physiquement décapité, même si le découragement gagne de nombreux militants, pour qui « la dure réalité du jeu politique et syndical » a détruit leur rêve d'une « Révolution de l'Inouï ».

Il ne sera pas, en réalité, commode de réduire les derniers îlots de contestation et de grève. Plutôt qu'une attaque frontale qui pourrait faire renaître un vaste mouvement de solidarité, le pouvoir décide de grignoter les forces encore vives de l'adversaire, sans négliger les opérations spectaculaires et à bon marché destinées à frapper l'opinion par leur valeur symbolique. Les deux « citadelles mythologiques du mouvement », la Sorbonne et Renault-Billancourt, vont tomber coup sur coup.

Dès le 12 juin, les négociations reprennent à la Régie Renault; on les dit en bonne voie. La nuit suivante, le gouvernement lance un coup d'essai : l'évacuation par surprise du théâtre de l'Odéon. L'opération, rondement menée, ne donne lieu à aucune réaction collective, à aucun incident grave. C'est qu'à la Sorbonne, en partie désertée, on se bat avec ses propres contradictions : exaspéré par la publicité qu'on leur fait, le Comité d'occupation décide de se débarrasser d'un groupe de jeunes marginaux, les *Katangais,* dont certains, déserteurs, se disent anciens mercenaires. La fermeture du bâtiment est décidée pour quarante-huit heures et les « indésirables » expulsés sans autre forme de procès par le service d'ordre de l'UNEF.

Arrive le dernier week-end préélectoral. Alors que les ultimes condamnés de l'OAS sont libérés ou amnistiés, et que beaucoup de grands quotidiens font leurs gros titres des larmes de Salan embrassant sa fille, la police monte soigneusement l'opération « évacuation de la Sorbonne-bis ».

Un Katangais monte la garde à l'intérieur de la Sorbonne.

La leçon du 3 mai a porté : le vieil édifice ne doit en aucun cas constituer le lieu d'un éternel recommencement. On aura donc recours à une provocation alibi, dans le plus pur style des romans noirs. Dans la nuit du samedi 15 au dimanche 16, deux « inconnus » amènent à l'infirmerie de la Sorbonne un troisième « inconnu », blessé d'un coup de couteau. Les médecins de service décident de l'évacuer sur l'Hôtel-Dieu. Fin du premier acte.

A 13 heures, le dimanche 16 juin, la police judiciaire en civil se présente à la Sorbonne et « sollicite » une évacuation provisoire, « afin de mener ses investigations ». Des négociations byzantines s'ensuivent entre le vice-recteur, le préfet de police, un groupe de professeurs, le Comité d'occupation. Le ministre de l'Intérieur publie coup sur coup des

« communiqués explicatifs ». A mesure qu'on discute, la police manifeste ses véritables exigences. 14 heures : la Sorbonne sera laissée aux étudiants, mais ceux-ci devront pratiquer un grand coup de balai et fermer les locaux tous les soirs à 20 heures. 16 heures : la Sorbonne doit être remise immédiatement à la disposition des autorités rectorales. Refus unanime des intéressés. Fin du second acte.

Dès le début de l'après-midi, le quartier a été intégralement bouclé; à 18 heures, la police en uniforme pénètre dans les locaux et fait sortir tout le monde, vice-recteur et professeurs compris. Une foule très dense stationne sur les boulevards environnants, mais la police a concentré des effectifs suffisants pour interdire toute nouvelle « bataille de la Sorbonne ». Des heurts sporadiques et violents éclatent pourtant; immédiatement, la police fait refluer les manifestants dans le plus grand désordre, et l'UNEF donne l'ordre de cesser le combat et de se replier sur les autres facultés parisiennes. A 20 h 30, le calme est revenu sur la rive gauche; il n'y aura pas de barricades.

Le lendemain matin, on vote à la Régie Renault. La CGT s'est prononcée sans équivoque pour la reprise immédiate du travail : le protocole d'accord établi la veille constitue, à son avis, un succès revendicatif incontestable et, conformément aux consignes de son Conseil confédéral, elle conclut : « Complétez votre succès par l'adhésion massive à la CGT. » Chez les militants CFDT et FO, l'amertume est grande : c'est la rage au cœur, disent-ils, que bien des ouvriers s'inclinent devant des résultats connus d'avance, mais acquis de justesse à Flins.

Le 18 juin, le travail reprend dans la désunion : malgré les avances de la CGT, les autres syndicats refusent de participer au « défilé de la victoire ».

Tout n'est pas fini encore : campant dans leurs usines, repliés dans leurs facultés, de nombreux jusqu'au-boutistes refusent de s'incliner devant l'« évidence des faits ». Ils sont bien décidés à entraver le plus longtemps possible ce « retour à la normale » qu'on leur promet. Une chose est certaine : si « on » veut les avoir, il faudra que ce soit à l'usure.

sous les pavés, la plage

la révolution culturelle

La droite française, qui sent la victoire à portée de sa main, oublie sa grande peur des semaines précédentes et forge, au cours de la campagne électorale, sa propre version des faits. Elle a recours à un terme pétainiste pour étiqueter ce qui lui apparaît comme une suite absurde de péripéties sans avenir : les « Événements » de mai-juin 68 rejoignent, dans la terminologie officielle, ceux de mai-juin 40.

La révolution universitaire, qui, le 18 juin, conserve sa vigueur; la grève générale, dont le récent reflux n'a pas entamé la détermination de dizaines de milliers de jusqu'au-boutistes; l'agitation dans les campagnes, qui se poursuit de manière sporadique; la remise en cause radicale de toutes les hiérarchies sociales et autres institutions vermoulues, tout cela constitue à ses yeux une parenthèse démente, un carnaval frénétique, un rite de défoulement collectif, une crise d'acné juvénile.

Mai 68 sera donc délibérément ramené à quelques-uns de ses éléments : à l'« orgie des barricades » du quartier Latin succède la « foire idéologique » de la Sorbonne et de l'Odéon. Ils peuvent être oubliés alors, les morts de Sochaux, ignorés les paysans de la Loire-Atlantique, laissés de côté les ouvriers de la CSF à Brest.

En réalité, le soulèvement populaire de mai a permis le développement d'une véritable « révolution culturelle », c'est-à-dire d'une révolution dans le domaine de la culture et des rapports sociaux quotidiens. Des centaines de milliers d'intellectuels, de cadres, d'étudiants, de lycéens, de professeurs, d'artistes, de médecins, de chercheurs se sont lancés dans l'action et ont tenté de « refaire le monde » en « réinventant la société ». Plus largement encore, mai 68 représente pour l'immense majorité des Français un véritable choc, une cassure; pour certains, la secousse prend l'apparence d'un tremblement de terre et suscite un réflexe de terreur; pour d'autres, il s'agit d'un éveil, la révélation soudaine de la vie bouillonnante, le déferlement brutal d'énergies trop longtemps comprimées, suivis d'une libération de l'initiative spontanée, de l'expression individuelle.

« Assez d'actes, des paroles ! »

A partir du 3 mai, les Français retrouvent l'usage de leur langue. Si dans la plupart des facultés des discussions fébriles se succèdent interminablement, si à la Sorbonne retentit le cri : « Camarades, vous enculez les mouches », dans d'innombrables loges de concierges, antichambres de notaires, épiceries rurales, revient sans cesse l'interrogation angoissée : « Mais qu'est-ce qu'ILS cherchent ? » Les « bons Français » se perdent en conjectures, et les beaux parleurs proposent des remèdes expéditifs, allant de la « fessée monumentale » à l'usage systématique du fusil mitrailleur.

Les familles bien-pensantes ne sont pourtant pas à l'abri du « scandale » : un peu partout, des pères anciens combattants

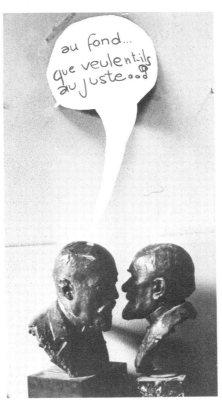

découvrent chez leur fils une soudaine vocation de contestataire; des cadres « jeunes et dynamiques » apprennent que leur épouse casanière s'est enfuie avec un chevelu sans situation; des paroissiens constatent que leur curé est en passe de troquer la soutane pour le drapeau noir. Ici et là, vitriol, 22 LR ou fusils de chasse entrent en action. Les « drames familiaux de mai » font 2 morts et une dizaine de blessés graves.

Pendant plusieurs semaines, le Français moyen se trouve, d'autre part, plongé dans une étrange atmosphère de grandes vacances à domicile. Qu'il s'interroge, qu'il sympathise, qu'il s'enthousiasme ou prenne peur, les rythmes de son existence routinière se trouvent brutalement perturbés. A partir du 20 mai, les journaux se font rares dans les kiosques encore ouverts; le dernier litre d'essence stagne au fond du réservoir de la voiture familiale

Faut-il les tuer ?

Qui sont ces enragés, ces inconnus, dont on peut peut-être tout dire, sauf qu'ils manquent de cœur au ventre ?

Il y a, dans la forme de leur explosion, un côté héroïque, panache, idéaliste; certes, les formes choisies peuvent être contestables, mais on ne peut pas toujours offrir à sa jeunesse la gloire à Verdun, à Châteaubriant, Strasbourg, Diên Biên Phu, Alger, etc.

Devrons-nous regretter (et il faudra le dire si telle est notre pensée, mais il faudra en saisir toute l'horreur) qu'il nous manque une guerre — et par là même la créer — pour que notre jeunesse puisse faire sa crise d'héroïsme, et que c'est le prix nécessaire et indispensable au retour à la société bourgeoise ou ouvrière traditionnelle ?

La jeunesse de 1968 a choisi son combat, elle l'a choisi toute seule, car une partie de cette jeunesse est moralement seule; les parents ont collectivement démissionné; les problèmes que soulèvent les fils, les pères en refusent la prise en considération; ils veulent, les pères et les mères, ne retenir que le fait suivant : les jeunes sont violents. Alors ils veulent maintenant juger leurs enfants, et s'il le faut les faire rentrer au bercail à coups de CRS, bombes lacrymogènes, etc. Pourquoi pas aussi la Légion et les parachutistes ?

Les pères acceptent de tuer les fils (naturellement pas le leur, mais celui du voisin) car *il faut de l'ordre* et il faut revenir à l'usage : « on doit obéir », ce qui revient à dire dans la structure patriarcale hiérarchique traditionnelle où les ancêtres ont toujours raison.

Lorsque la générosité des fils s'usait dans des guerres nationales ou internationales, et que chaque vingt ans on payait le prix du sang, le système moral traditionnel bourgeois pouvait subsister.

Parce que la valeur de leurs motivations risque de faire écrouler certaines traditions, on décide qu'ils ont tort, on refuse de les entendre, et un jour peut-être on dira :

Il faut les tuer, pour que nous puissions enfin vivre comme avant, et oublier.

Mardi 28 mai 1968
CFDT - Shell Nanterre
(Extraits)

(beaucoup vivent dans la hantise des « siphoneurs » nocturnes); les bureaux du PMU ferment d'un seul coup leurs guichets; les rencontres sportives sont annulées; la fenêtre magique du petit écran ne s'éclaire qu'à 20 heures, pour un seul et unique journal suivi, de temps à autre, par un film choisi au hasard.

Faits divers

Le mouvement de mai bouleverse le précaire équilibre de forces qui règne dans de nombreuses familles, et les drames se succèdent. Par deux fois, il y aura mort d'homme.

Dans la soirée du 26 mai, deux frères, ouvriers agricoles employés par le même patron dans la région de Bergerac, boivent plus que de raison. L'aîné se plaint amèrement d'être « exploité sans vergogne » par les gros agrariens; l'autre proteste : le patron est un bon maître, et les grévistes des ingrats ou des envieux. La discussion dégénère en bagarre. Le plus jeune saisit son fusil et tire sur son adversaire...

Le 24 juin, à Arcueil, un mutilé de guerre unijambiste reproche une fois de plus à son fils de prendre une part active au mouvement étudiant. Dans un accès de rage, il jette une bouteille de plastic remplie de vitriol à la tête de son rejeton, qui est atrocement brûlé au visage et perd un œil. Le père s'élance au secours de sa victime, mais glisse dans la flaque de vitriol et s'asphyxie dans les vapeurs d'acide...

La « grande fête » de mai-juin, qui a ses milliers d'acteurs mais aussi ses millions de badauds, se déroule dans un pays où la « parole ininterrompue » des professionnels du loisir s'est tue, et où les cadres institutionnels de la vie quotidienne, dominés par l'alternance immuable du travail et de l'évasion préfabriquée, se trouvent brusquement paralysés.

En 1968, la presse française se porte plutôt mal; elle attribue tous ses maux à la concurrence que lui fait la télévision.

Les quotidiens de la Libération, qui voulaient, au départ, se distinguer de la grande presse d'argent et se mettre au service d'idées ou de tendances, disparaissent les uns après les autres, ou deviennent eux aussi de « grosses affaires ». La presse régionale tend à s'uniformiser : aux concentrations financières succèdent des « mesures de rentabilisation » qui se résument le plus souvent à la mise en commun de services rédactionnels. En 1968, nombreux sont les journaux « indépendants » qui ne se distinguent de leurs concurrents que par le titre et leur éditorial de première page. Les journalistes professionnels, qui, dans leur immense majorité, se réclament d'une éthique basée sur l'honnêteté et l'objectivité, entendent avant tout préserver leur indépendance de jugement. Face aux pressions de plus en plus sensibles des « puissances d'argent », ils réclament qu'un statut officiel précise l'étendue de leurs droits et la nature de leurs devoirs.

Le malaise s'accroît à l'occasion des premières manifestations étudiantes. La plupart des journalistes présents au quartier Latin protestent contre les entraves imposées par les forces de l'ordre à leur liberté fête de mouvement; un groupe de reporters fonde même

PRESSE NE PAS AVALER

un « Comité pour la vérité » : chacun y apporte les informations dont il dispose, y compris des témoignages sur les brutalités policières.

Après le 13 mai, le Syndicat national des journalistes (SNJ) prend la direction du mouvement. Il recommande à tous les journalistes de France de remplir leur tâche d'informateurs sans tenir compte des consignes données par les directions, s'ils jugent celles-ci contraires à l'éthique professionnelle. En cas de besoin, des Comités de vigilance pourront être créés, et la grève décrétée si le personnel se trouve dans l'impossibilité d'accomplir honnêtement son travail. Au cours du mois de mai, à Strasbourg, à Grenoble, à Bourges, etc., il se forme spontanément plusieurs

ON VOUS INTOXIQUE !

dizaines de Sociétés de rédacteurs qui, avec ou sans l'accord des directions, prennent en main la conception générale des journaux.

En juin, le SNJ demande que ce système soit étendu à toute la presse; le « pouvoir journaliste » qu'il permettrait d'instaurer serait institutionnalisé au cours d'états généraux de l'Information, dont le SNJ propose la convocation immédiate. La plupart des groupes financiers intéressés rejetant l'initiative, ils ne pourront pas se tenir.

Très vite, d'ailleurs, les journalistes se sont trouvés confrontés à une nouvelle puissance. Le 19 mai, le syndicat CGT du livre, qui jouit dans cette profession d'une situation de quasi-monopole, appelle à un arrêt général du travail dans les imprimeries. La presse quotidienne (et elle seule) sera autorisée à paraître, « dans la mesure où celle-ci accomplira avec objectivité son rôle d'information qui est sa vocation ».

Une véritable « censure syndicale » fait bientôt son apparition. Entre le 18 et le 31 mai, *le Figaro, le Parisien libéré, la Nation, Combat,* deux quotidiens nantais et *le Nouveau Journal* ont maille à partir avec des typographes ou des rotativistes qui, trouvant un titre ou un morceau de phrase inexact ou « injurieux pour la classe ouvrière », refusent d'assurer la sortie du numéro.

Dans tous les cas, les journalistes protestent. Ils reconnaissent que le grand titre du *Parisien libéré :* « Premiers signes de reprise », censuré le 24 mai, constituait une appréciation erronée de la situation, mais ils refusent la tutelle d'une organisation syndicale qui, à leur avis, ne fait pas particulièrement preuve d'impartialité.

Un certain nombre d'initiatives des militants de la CGT du livre ont, en effet, choqué les journalistes. Dès le 13 mai, certains d'entre eux ont tenté d'empêcher le tirage du journal étudiant d'extrême gauche *Action;* le 20 mai, les ouvriers des usines Crété, violant ouvertement les décisions prises la veille par leur syndicat, assurent la fabrication d'un hebdomadaire : *la Vie ouvrière,* organe confédéral de la CGT, ce qui leur vaut les félicitations publiques de Benoît Frachon. Mais cette exception doit demeurer unique. L'équipe du *Canard enchaîné* réa-

lise, quelques jours plus tard, une « tribune libre » de 4 pages dans le quotidien *Combat :* des exemplaires sont saisis à la sortie des presses par les ouvriers CGT.

PAS DE RECTANGLE BLANC POUR UN PEUPLE ADULTE : INDÉPENDANCE et AUTONOMIE de l'O.R.T.F.

L'ORTF dispose d'un monopole d'émission sur l'ensemble du territoire français. En 1968, le régime contrôle l'Office : il en nomme le directeur et dispose de la majorité des sièges au sein du conseil d'administration. Le service de liaison interministériel pour l'information (SLII), organe gouvernemental purement « technique » en théorie, joue depuis 1963 le rôle d'une censure préalable. Depuis longtemps, les ministres considèrent le journal télévisé de 20 heures — « le plus grand journal de France » — comme une simple tribune où ils peuvent librement exposer leurs conceptions politiques. La lutte pour « l'indépendance et l'objectivité de l'information » parlée, menée par la quasi-totalité du personnel de l'Office, constitue, dans une telle situation, un enjeu politique d'importance nationale.

La crise se noue dès les premiers jours de mai, à l'occasion des

FINISSONS-EN AVEC LA Ve CHÂINE

manifestations étudiantes : les magazines et reportages réalisés à ce sujet sont systématiquement censurés par les représentants de l'administration. Après le 11 mai.

les journalistes reçoivent l'ordre de présenter la version gouvernementale des faits, généralement fort sujette à caution, comme une vérité objective : l'ORTF est ainsi contraint d'annoncer qu'il y avait le 13 mai à Paris... 171 000 manifestants, alors que la presse écrite fournit des estimations allant de 500 000 à 1 million de participants[1].

LA VOIX DE SON MAITRE

Cette fois, la coupe est pleine. Un petit groupe de journalistes constitue le 15 mai un Comité permanent pour l'objectivité de l'information. Le lendemain, une partie du personnel débraye spontanément; elle décrète l'émancipation de la maison face au pouvoir politique; la majorité précise pour les militants de gauche : de *tout* pouvoir politique. Deux jours plus tard, l'Intersyndicale de l'ORTF, qui ne comprend pas les journalistes, fait voter la grève illimitée pour obtenir la révision du statut de l'Office. Le 18 mai, les différents journaux parlés se déclarent « libres et indépendants ». Cette expérience de « pouvoir journaliste » constitue pourtant un échec, car les intéressés se montrent incapables et de se fondre à l'Intersyndicale et de se défendre face aux empiétements des anciennes directions.

1. Le préfet de police M. Grimaud estime aujourd'hui le nombre des manifestants à 250 000.

A la télévision, la crise éclate au bout d'une semaine. Après avoir retransmis en direct, les 21 et 22 mai, le débat parlementaire sur la motion de censure, les journalistes décident d'organiser, dans la soirée du 24, une « table ronde » d'hommes politiques, immédiatement après le discours du président de la République. A l'issue de fébriles négociations, la retrans-

L'INTOX VIENT A DOMICILE

mission de la table ronde est interdite par le ministre de l'Intérieur, sous prétexte que l'« équilibre » entre majorité et opposition n'a pas été scrupuleusement observé. Le 25 mai au soir, les journalistes de la télévision votent la grève par 97 voix contre 23. L'équipe de France-Inter maintiendra son autonomie radiophonique jusqu'au 6 juin, le gouvernement ne jugeant pas, jusqu'à cette date, nécessaire de « remettre les choses en ordre ».

LA POLICE VOUS PARLE tous les soirs à 20h.
ORTF

L'épreuve de force est donc engagée. Jusqu'au 15 juin, le ministre de l'Information fait mine de maintenir le dialogue avec les grévistes, tout en encourageant les journalistes antigrévistes de la télévision, qui essayent, tant bien que mal, de donner l'illusion de la continuité et du « programme minimum ». Mais, le 31 mai, le gouvernement a repris l'initiative politique, et la droite passe à l'offensive : des journalistes « jaunes » forment un Comité d'action civique de l'actualité télévisée (CACAT) et, dans une déclaration publique, demandent le renvoi de 13 de leurs confrères et de 6 réalisateurs grévistes. A partir du 4 juin, le gouvernement déclenche le plan « Stentor », et reprend en quelques jours le contrôle de tous les émetteurs[1].

Le personnel gréviste décide de réagir. A Paris, l'opération « Jéricho » est mise sur pied. Il s'agit d'organiser pendant sept jours des cortèges qui tourneront autour des « murailles » circulaires de la maison de la Radio avenue Kennedy. Selon la Bible, Josué assiégeant Jéricho fit défiler le peuple de Dieu autour des remparts de la ville, et « A la septième fois, les murailles tombèrent ». En même temps, d'innombrables meetings d'information se déroulent dans les quartiers de la capitale, des galas sont offerts par les artistes en grève. Le mouvement de protestation touche simultanément la province, et des actions similaires sont engagées par les équipes régionales grévistes.

Partout, le succès est immense. Ouvriers, étudiants, médecins, écrivains viennent nombreux aux manifestations; il faut, à Paris, en limiter le nombre pour permettre aux cortèges de « tourner autour de la maison de verre ». Les galas réunissent des foules énormes : 40 000 participants à Paris, 8 000 à Lyon, 6 000 à Toulouse, etc. Mais, le 12 juin au matin, le gouvernement interdit toutes les manifestations sur la voie publique. La dernière des 7 manifestations de l'opération « Jéricho » était convoquée pour le soir même à Paris, et le personnel des stations de province avait appelé à des démonstrations à Lyon, à Limoges, à Marseille, à Strasbourg, etc. Les différentes Inter-

1. En province, ils sont entourés et gardés par l'armée depuis le 20 mai. Les grévistes y ont cependant accès.

syndicales n'osent pas s'engager dans la lutte violente et rapportent *in extremis* leurs mots d'ordre, sauf à Limoges, où la manifestation se déroule sans incidents graves. A Paris, plus de 1 000 personnes se rassemblent spontanément, effectuent un seul et unique tour symbolique (celui-là justement qui devait faire « tomber les murailles ») et se disper-

sent au moment où la police s'apprête à charger.

Le mouvement de protestation publique se trouve paralysé : trois jours plus tard, le ministre de l'Information rompt tous les pourparlers, et laisse pourrir la grève. Le 23 juin, l'Intersyndicale fait voter la reprise du travail, dans un climat de lassitude et d'amertume. Les journalistes de la télévision, qui ont été au cœur du conflit, poursuivent leur action jusqu'au 12 juillet, mais ils savent désormais qu'ils n'ont plus les moyens de faire triompher leurs revendications d'autonomie et d'objectivité de l'information parlée.

LA PAROLE EST UN COCKTAIL MOLOTOV

Le silence relatif qu'observent pendant quelques semaines les mass media ne laisse cependant pas les Français privés de tout spectacle. Les citadins, devenus pour certains des oisifs, se métamorphosent en promeneurs et en badauds qui viennent, quand l'occasion s'en présente, renifler les derniers relents de gaz lacrymogène, contempler les restes de barricades et les carcasses de voitures brûlées.

Les curieux sont, de plus, certains d'être comblés par le spectacle des murs de leur cité, naguère gris, et qui ruissellent maintenant de couleurs, de dessins et de mots; le « journal mural de mai-juin 68 » constitue un étonnant patchwork d'inscriptions, de graffiti et d'affiches qu'il est impossible de déchiffrer toutes, car il faudrait pour cela plus que des heures : des journées entières.

C'est qu'en ce mois de mai les militants de toutes tendances, comme les simples piétons du

Une vente à la criée.

La gauche affiche aussi.

mouvement, ont acquis le droit de faire entendre et de publier librement leurs idées, quels qu'en soient l'intérêt, la nature ou même la rationalité. Les moyens dont ils se servent étaient utilisés depuis un certain temps déjà par les

propagandistes étudiants d'extrême gauche. L'esprit maintenant change, et l'écriture de mai n'est pas toujours au service d'une ligne politique bien précise. Alors que les militants chevronnés de l'UJCML vendent imperturbablement *la Cause du Peuple*, « journal du Mouvement de soutien aux luttes du Peuple », puis « Journal de Front populaire », et

que les « enragés-situationnistes » font imprimer par dizaines de milliers d'exemplaires des affiches signées : « Conseil pour le maintien des occupations », des lycéens, un peu désorientés dans le tohu-bohu des « grands », diffusent au coin d'une rue le journal des grévistes de leur établissement, qui s'intitule fièrement *89, le Pavé* ou *la Passerelle;* un peu plus loin, un jeune écrivain en goguette distribue *CRAC,* « Organe central du Comité révolutionnaire d'agitation culturelle », où le lecteur apprend qu'il peut lui aussi devenir un « CRAC » qui fasse « CRAC ».

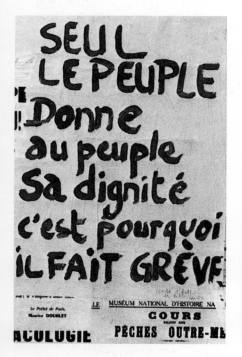

NE FAITES PLUS LA BOMBE : BOMBEZ

L'outil élémentaire qui permet en 68 de faire part à tous de ses préoccupations politiques, familiales, scolaires ou sexuelles est la bombe aérosol de peinture. Les murs de la ville constituent un support gratuit, et les risques encourus sont minimes car les polices municipales estiment que faire respecter la loi du 29 juillet 1881 ne constitue en aucun cas leur tâche prioritaire.

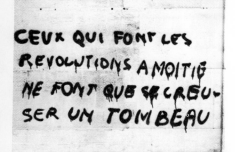

DÉFENSE DE NE PAS AFFICHER
Loi du 22 mars 1968

A côté des affiches imprimées, donc « officielles », que partis politiques, syndicats ou CDR font apposer un peu partout, apparaissent les réalisations manuscrites d'écrivains et de poètes improvisés. Suivant l'exemple de la révolution culturelle chinoise de 1966, crayons-feutres et grandes feuilles de papier permettent de créer d'innombrables *dazibao* à la mode française.

POUR GRAPHER EN SÉRIE, SÉRIGRAPHIEZ

Grâce à la technique de la sérigraphie, un simple Comité d'action peut éditer ses propres affiches. L'Atelier populaire des Beaux-Arts, à Paris, constitue l'exemple le plus connu de cette production à la fois spontanée, artistique et de masse.

AU CŒUR DE LA RÉVOLUTION BAT L'INVINCIBLE RONÉO DU PEUPLE

Avec le mouvement des occupations, des milliers de « ronéos » sont, d'autre part, tombées aux mains des ouvriers, des étudiants, des employés, des professeurs et des lycéens. Elles demeurent rarement inactives et, dans quelques cas extrêmes, les machines « surnuméraires » sont mises à la disposition du public. N'importe qui peut alors réaliser et distribuer ses propres tracts : il suffit pour cela d'apporter son stencil, son encre et son papier. La censure n'est pourtant pas totalement

abolie : il reste déconseillé de se servir des « ronéos publiques » pour faire l'apologie de l'extrême droite ou du régime gaulliste.

L'ENCRE S'ENRAGE : LA RAGE S'ANCRE

Des centaines de brochures et de « journaux » ronéotés voient en même temps le jour. La plupart de ces « titres de mai » ne dépassent jamais le seuil du premier numéro; les autres ignorent toute notion de périodicité régulière et méprisent souverainement les formalités du dépôt légal.

LE VIEUX DÉVOT VEUT DES VEAUX FAITES-LUI DES CANARDS

Un certain nombre de publications, celles surtout qui accèdent au privilège de l'imprimerie, parviennent à conquérir une audience relativement large; leur périodicité tend alors à se préciser ou à se resserrer. Les CAL lancent *Barricades* avec des moyens de fortune; *l'Enragé* de Caen et celui de Rouen sont lus avec passion en Normandie; d'autres *Enragés* paraissent à Lyon et à Marseille. *La Scienlit* de la faculté des Sciences de Paris se diffuse bénévolement à Grenoble. Trois titres surtout se font connaître dans les milieux « engagés » du pays : *Les Cahiers de Mai, Action* et *l'Enragé* de Paris.

DÉCULOTTEZ VOS PHRASES POUR ÊTRE A LA HAUTEUR DES SANS-CULOTTES

Cet ensemble, immense « journal du mouvement », a d'abord servi d'organe de liaison locale : les nouvelles qui parviennent dans les quartiers, les facultés et les usines sont immédiatement rendues publiques par voie d'affiches manuscrites. Dans le langage le plus simple possible, il s'agit de faire connaître dans les quartiers

L'Atelier populaire des Beaux-Arts

La fondation de l'Atelier populaire des Beaux-Arts de Paris, le 16 mai, répond à deux exigences complémentaires : expérimenter un « enseignement parallèle » et mettre l'art au service des luttes populaires. Il s'agit à la fois d'une remise en cause de toutes les formes d'académisme et de la relation professeur-élève, considérée comme inégale et injustifiée.

L'Atelier est ouvert à tous les peintres volontaires, qu'ils soient professeurs, étudiants ou professionnels établis à leur compte. Chacun travaille sur un pied d'égalité et développe son propre style tout en recevant remarques, critiques et conseils des autres créateurs. L'anonymat des œuvres et la « correction mutuelle », qui sont de règle, doivent permettre d'« égaliser les connaissances dans l'action » et de supprimer le « vedettariat bourgeois ».

L'Atelier se développe très vite : il comprend, en juin, 1 groupe de création, 2 groupes de lithographie et 2 groupes de sérigraphie, fréquentés nuit et jour par plus d'un millier d'artistes — alors qu'avant mai les locaux de la section Peinture n'accueillaient pas 20 étudiants en même temps, et de jour seulement !

Les étudiants, les Comités d'action, les Comités de grève ouvriers, etc., viennent « passer commande ». Les « auteurs de canulars » et les « provocateurs » une fois éliminés, la proposition d'affiche est transmise au service Création. Les différents projets élaborés par les artistes sont soumis à l'Assemblée générale qui, après discussion, les accepte ou les refuse. Dans tous les cas, l'accent est mis sur la « lisibilité » du trait et la clarté du style, afin de ne pas rebuter le public populaire.

Après tirage, l'œuvre est livrée aux « demandeurs », mais aussi à des dizaines d'équipes de colleurs bénévoles qui, jour après jour, en décorent les murs de l'agglomération parisienne et, de façon plus irrégulière, de certaines grandes villes de province.

Du 24 mai au 30 juin, le succès est tel qu'une sorte de marché noir s'institue, nombreux étant les collectionneurs, y compris new-yorkais, qui tentent de se procurer un exemplaire de chaque affiche.

Les thèmes abordés développent les revendications des étudiants, des jeunes, des journalistes de l'ORTF, des ouvriers grévistes, mais l'actualité politique fournit aussi d'innombrables sujets, tel ce commentaire, après la « reprise de la Sorbonne » par les forces de police : *Trop tard, CRS, le mouvement populaire n'a pas de temple,* ou, après l'évacuation, le 27 juin, de l'École des Beaux-Arts elle-même : *La police s'affiche aux Beaux-Arts, les Beaux-Arts affichent dans la rue.*

« bourgeois » les revendications et les points de vue de la classe ouvrière, et, inversement, de populariser dans les faubourgs ouvriers les positions des militants de mai, qui ne sont pas tous des étudiants mais ont, le plus souvent, installé leurs « quartiers généraux opérationnels » dans les facultés occupées.

NI MAÎTRE, NI DIEU
DIEU, C'EST MOI
Parallèlement, les « enragés-situationnistes » et les contestataires à titre individuel — qui représentent un état d'esprit plus qu'une force politique structurée — trouvent dans la « Rue quotidienne » une occasion particulièrement favorable de développer leur entreprise de provocation par l'injure et la dérision.

Nous refusons d'être
RÉCUPÉRÉS
HLMisés
DIPLOMÉS
(si, car on le sera tous)
RECENSÉS
ENDOCTRINÉS
(si, mais par la révolution)
SARCELLISÉS
SERMONNÉS
MATRAQUÉS *(ramipoustouflés)*
TÉLÉMANIPULÉS
(si, par une télé à nous)
GAZÉS *(j'adore la violette)*
FICHÉS *(exploités)...*

Ces « subversifs insaisissables », qui se présentent parfois comme « les Inconnus », renouent avec les vieux courants anarchiste, libertaire, sans-culotte ou anti-

clérical que la plupart des militants « sérieux, organisés et politiques » croyaient morts depuis longtemps déjà.

**A BAS LE CRAPAUD
DE NAZARETH**

Mais la violence verbale prend avant tout pour cible les autorités contemporaines.

**L'HUMANITÉ NE POURRA
ÊTRE LIBÉRÉE
QUE LORSQUE
LE DERNIER CAPITALISTE
SOCIOLOGUE
PROFESSEUR
GAULLISTE
ANCIEN COMBATTANT
DÉPUTÉ
AURA ÉTÉ PENDU
AVEC LES TRIPES
DU DERNIER BUREAUCRATE
SYNDICALISTE
GAUCHISTE
PACIFISTE
CONTRIBUABLE
MILITANT...**

Une réforme du vocabulaire, aussi sommaire que radicale, accompagne cette entreprise de « révolution au marteau ».
Après le 13 mai, la violence brute cède souvent la place à l'humour.

**JE SUIS MARXISTE,
TENDANCE GROUCHO**[1]

Jeux de mots

**LES MOTIONS TUENT
L'ÉMOTION**

et contrepèteries

**LE VEAU TESTATAIRE
EST FILS D'UN CON**

fleurissent

**GOUVERNEMENT
TRIQUE-OLORE**

sans aucun complexe. La jouissance du verbe pris en lui-même

**IL FAUT PAVER
LES LACRYMEURS**

est une façon d'affirmer sa liberté, d'entraîner et de faire rire. Mais la politique n'est pas absente

A BAS LE GEÔLISME

de ce déluge verbal, même si l'ironie porte le plus souvent sur soi-même.

**JE N'ARRIVE PAS
A DÉBOUTONNER
MON IMAGINATION
AUSSI SOUVENT
QUE MA BRAGUETTE**

L'exhibitionnisme subversif de mai-juin ne recule ni devant l'absurde ni devant la plaisanterie bête, et dégénère parfois en « esprit potache ».

1. Groucho est l'aîné des Frères Marx, célèbres comédiens américains de l'entre-deux-guerres.

La lutte contre l'aliénation se doit de donner aux mots leur sens réel ainsi que de leur rendre leur force initiale. Aussi,

ne dites plus :	*mais dites :*
société	racket
professeur	
psychologue	
poète	
sociologue	
militants (de tout poil)	flics
objecteur de conscience	
syndicaliste	
curé	
famille	
(liste non limitative)	
information	déformation (à l'échelle du racket mondial et de ses mystifications)
travail	bagne
l'art	combien ça coûte ?
dialogue	masturbation
culture	merde gargarisée à longueur de temps par tous les crétins pédants (voir : professeur)
ma sœur	mon amour
Monsieur le professeur	crève, salope !
bonsoir, papa	crève, salope !
pardon, m'sieur l'agent	crève, salope !
merci, docteur	crève, salope !
légalité	piège à cons
civilisation	stérilisation
urbanisme	police préventive
villages 1, 2, 3, 4	hameau stratégique
structuralisme	dernière chance du néocapitalisme dont l'éclatante faillite est dissimulée par les mensonges *officiels,* maladroitement plaqués sur les contradictions les plus flagrantes.

Étudiants, vous êtes des cons impuissants (cela nous le savons déjà), mais vous le resterez tant que vous n'aurez pas :
— cassé la gueule à vos profs;
— enculé tous vos curés;
— foutu le feu à la faculté.
NON, Nicolas, la Commune n'est pas morte.

Comité de salut public des vandalistes

La vache enragée

Fini de rire ! Les vaches s'élèvent vigoureusement contre l'utilisation de leur nom pour caractériser les abus, le sadisme et les exactions des forces de répression. S'élèvent également contre l'exploitation de la vache par l'homme, cette société de consommation ne pouvant que former des veaux ! Réaffirment vivement leur solidarité au mouvement étudiant, ayant depuis longtemps compris la nécessité du dialogue.

Comité d'action
des laiteries parisiennes

Les nourrissons enragés

Devant l'exploitation publicitaire menée par les grandes firmes capitalistes de laits en poudre et bouillies destinées aux enfants en bas âge, les nourrissons des crèches ont décidé par un vote démocratique à main levée :

1 - de proclamer leur autonomie
2 - d'occuper leurs locaux afin de prouver leur solidarité avec leurs aînés.

Gouvernement provisoire
des Crèches autonomes
Bureau provisoire
des Nourrissons enragés

Cette irréductible fantaisie, créatrice d'innombrables formules, vite reprises et modifiées au gré des circonstances et des individus, se perd parfois dans des élucubrations pseudo-philosophiques, use et abuse de citations

**SEXE : C'EST BIEN,
A DIT MAO,
MAIS PAS TROP SOUVENT**

dans certains cas inventées de toutes pièces. Encore un pas, et de véritables poésies font leur apparition,

---

Dix-huit ans
traqués
matraqués
triomphants
dix-huit ans
Camarades
c'est assez grand
c'est l'âge
de la liberté
c'est l'âge
de voter
DE VOTER.

Le pouvoir avait ses universités,
les étudiants les ont prises.
Le pouvoir avait ses usines,
les ouvriers les ont prises.
Le pouvoir avait sa radio,
les journalistes l'ont prise.
Le pouvoir n'a plus que le pouvoir.
NOUS LE PRENDRONS.

Toi mon camarade
Toi que j'ignorais
derrière
les turbulences
TOI
JUGULÉ
APEURÉ
ASPHYXIÉ
VIENS
parle-nous

---

créant pour beaucoup de jeunes ouvriers, zonards, étudiants et lycéens de 68 une culture originale qui explique et justifie directement leurs luttes et leurs aspirations.
Le journal mural aborde alors les sujets des plus divers, sous tous les angles et de toutes les façons possibles. Il se présente comme le reflet immédiat des vivants, réfléchit tout haut

**LA FORÊT PRÉCÈDE L'HOMME,
LE DÉSERT LE SUIT**

tente de faire des bilans

**NOUS N'AVONS FAIT
QUE
L'INSURRECTION
DE NOTRE RÉVOLUTION**

et plus que des ordres, prodigue des conseils.

**N'ALLEZ PAS EN GRÈCE
CET ÉTÉ,
RESTEZ A LA SORBONNE**

A l'époque, cette explosion imprévue de l'expression populaire a semblé constituer l'apanage des « sanctuaires universitaires » et des quartiers estudiantins. Il ne faut pourtant pas en déduire que les ouvriers, qui par centaines de milliers occupent nuit et jour leurs établissements, se sont désintéressés de la « culture ». Fait nouveau, fait incroyable, l'art fait irruption sur les lieux de travail.

**Les usines vous donnaient
des emplois, donnez un emploi
aux usines.**

En mai 68, certains peintres, troupes théâtrales ou orchestres se trouvent délivrés, en province surtout, du carcan des « salles d'art », fermées, conventionnelles et spécialisées; ils peuvent tenter de nouvelles expériences.
Une exposition de toiles d'avant-garde reçoit en région parisienne un accueil mitigé, mais tolérant, de la part des métallos de l'usine Nord-Aviation.

Troupes théâtrales et orchestres sont, en revanche, invariablement accueillis à bras ouverts dans les entreprises occupées. Certains se contentent d'interpréter les pièces et les morceaux de musique qui figuraient déjà dans leur répertoire; Racine soulève rarement l'enthousiasme des travailleurs et de leurs familles; Molière, en revanche, reste très proche des soucis, de la vie et des modes de penser populaires.
Dans quelques cas privilégiés, les liens se resserrent : l'échange et la discussion précèdent l'interprétation. A Grenoble, des étudiants en sculpture soudent, avec l'aide des travailleurs de l'usine Neyrpic, une œuvre monumentale sur le thème : *Gloire aux grévistes,* uniquement réalisée à partir de « déchets » industriels. Sillonnant la France, le Théâtre du Soleil joue alternativement un spectacle de

Une représentation théâtrale pour les grévistes de Noisy-le-Sec.

Clermont-Ferrand : un orchestre aux portes d'une usine.

Changeons la vie

Mai 68 ne transforme pas seulement le verbe et l'action des Français. L'homme change aussi, parfois très brutalement; certains « gros bras » se révèlent trouillards, certains timides d'intrépides barricadiers.
Avant 1968, les intellectuels d'extrême gauche admettaient, lorsqu'ils acceptaient de se livrer au moindre pronostic, la possibilité d'assister avant leur mort au déclenchement de la « seconde Révolution française ». Le 24 mai rapproche brusquement l'échéance : que va-t-il, que peut-il se passer demain ?

cabaret semi-improvisé, sur des thèmes de lutte, et la pièce *la Cuisine* d'Arnold Wesker, qui présente dans son dernier acte une révolte ouvrière. Pour harmoniser son mode de fonctionnement interne et sa nouvelle orientation théâtrale, la troupe décide de se transformer en coopérative de production.
Des pièces directement inspirées des « événements » sont bientôt mises en scène : le 14 mai, la troupe universitaire de Strasbourg donne dans les rues de la ville un « spectacle d'information », fait de sketches, de monologues et de mimes, destiné à faire connaître les motivations de la révolte, puis de la révolution universitaire. En juin, la Compagnie Dominique Houdart joue en plein air une pièce intitulée *10 mai 68*. L'une de ses représentations, qui se déroule le 21 juin place des Vosges à Paris, est interrompue par la police...
Et, dans les rangs mêmes des ouvriers grévistes apparaissent ou se révèlent des artistes. Au cours des longues veilles que suppose l'occupation permanente des locaux, on ne se contente pas toujours de « taper le carton » : des musiciens, chanteurs et improvisateurs à la guitare voient leurs talents mis à contribution; on invente de nouvelles chansons sur de vieux airs du folklore populaire. A Sochaux, les ouvriers des usines Peugeot réalisent d'immenses fresques sur les murs lépreux de leurs ateliers. L'une d'elles, qui figure un travailleur étranglant le Lion, symbole de la firme, deviendra célèbre après le 11 juin.

Changer les noms

Le brusque renversement des rapports de force et de pouvoir, qui, le 24 mai, se manifeste un peu partout en France, entraîne souvent le désir de changer les noms jusque-là donnés aux rues, aux places, aux bateaux, aux lycées, aux amphithéâtres.
Le mouvement contestataire qui, dans les milieux universitaires, précède l'insurrection du mois de mai avait déjà coutume de rebaptiser ses conquêtes. Des amphis A ou B, occupés par des militants d'extrême gauche, étaient devenus amphi Che Guevara, Hô Chi Minh, Rudi Dutschke, à Nanterre, à Toulouse ou à Grenoble. En mai-juin, cette tendance persiste mais les sources d'inspiration changent : la réalité française, à nouveau perçue comme directement révolutionnaire, fournit désormais quelques noms, dates et termes « mystiques ». La rue Gay-Lussac à Paris devient la rue du 11-Mai-1968; le lycée Thiers de Marseille, le lycée de la Commune[1], le lycée Guez-de-Balzac à Angoulême, le lycée *Conh*-Bendit[2]; le lycée national du Parc à Lyon, le lycée de la Révolte.
Pour les ouvriers et paysans en lutte, un terme domine : « Liberté ». Si la place Royale de Nantes se transforme, le 24 mai, en place du Peuple, la cour d'honneur de l'usine Thomson-Unélec de Belfort devient le lendemain la place de la Liberté.
A Fécamp, des marins pêcheurs, renouant avec les traditions de la Ire République, entreprennent de débaptiser trois de leurs bateaux : L'*Edmond-René* devient le *Liberté,* le *Wagram* l'*Égalité* et le *Saint-Pascal* le *Fraternité*.

1. Adolphe Thiers était le chef du gouvernement versaillais qui combattit la Commune.

2. Les lycéens d'Angoulême estropient finalement assez peu l'orthographe de ce nom. L'ensemble de la droite française s'acharne à écrire : Con-Bandit.

Mais quelques-uns ont découvert que la révolution est déjà là, réalisée — en eux.

**CELUI QUI PARLE
DE RÉVOLUTION
SANS CHANGER
LA VIE QUOTIDIENNE,
CELUI-LA A DANS LA BOUCHE
UN CADAVRE**

proclame une inscription géante au palais universitaire de Strasbourg.

Pour les militants « soixante-huitards », qui formeront le noyau dur de la future « génération de 68 », il ne s'agit pas de faire simplement la grève, de mener une lutte politique classique.

Mai 68 est libération, vie, règle, normalité. Et le passé, *leur* passé, fait figure d'illusion, de grisaille, de demi-mort. Occuper n'est pas un moyen pour obtenir la victoire, c'est la victoire déjà acquise, l'aboutissement de la subversion spontanée.

**Quand l'Assemblée nationale devient un théâtre bourgeois, tous les théâtres bourgeois doivent devenir
des Assemblées nationales.**

Les facultés françaises, occupées pour la plupart entre le 11 et le 20 mai, montrent d'abord la voie. Au

début du mois, pavés et manifestations avaient remplacé la « route », le « H », le « flip ». L'organisation d'un nouveau mode de vie dans les bâtiments occupés prend bientôt la relève. Outre les véritables occupants, badauds, intellectuels désœuvrés et journalistes s'y succèdent en foule : certains viennent tout simplement « voir », d'autres désirent avant tout « être vus ».

La Sorbonne et le théâtre de l'Odéon (investi le 14 mai) obnubilent et fascinent. Ils ne représentent cependant qu'un exemple, extrême et peu représentatif, des centaines d'occupations « perma-

Changer les noms, dépoussiérer la vie.

du débat. Le succès est énorme : nombre de responsables politiques et syndicaux qui se sentent un peu intimidés dans les locaux universitaires peuvent maintenant rencontrer les étudiants « sur un pied d'égalité ».

Mais « le droit à la parole et à la vie » trouve des centres d'expression jusque dans les villes moyennes et les banlieues : ce sont les Maisons de la culture et, plus rarement, des salles de cinéma. A Empalot (Haute-Garonne), à Pontarlier et à Evreux, ce sont les responsables de la Maison qui décident d'ouvrir leur établissement aux lycéens, étudiants, délégués syndicaux de la région, afin de promouvoir le dialogue et de faciliter le développement de la solidarité populaire. A Brive, en revanche, le bâtiment est pris d'assaut par plusieurs centaines de jeunes ouvriers, furieux de se voir brutalement « renvoyés à la rue » par le personnel CGT en grève.

La révolution n'est pas un bureau de placement.

Mais le terme d'« occupation ouverte » recouvre des réalités diverses. Dans certains cas, seules les salles communes sont investies, et les Commissions de travail ne siègent que le jour; dans d'autres cas, les occupants s'emparent des bureaux administratifs, des fichiers, des archives, du central téléphonique — mais les équipes se succèdent par roulement et il est bien entendu qu'on est là pour travailler et militer, non pour s'y installer et vivre.

Dans la cour de la Sorbonne, la « foire » aux stands militants.

nentes et actives » qui s'organisent dans tout le pays. C'est à la faculté des lettres de Nantes que Bernard Lambert, le leader paysan, vient exprimer sa solidarité au mouvement étudiant; c'est au Centre Censier que viennent s'installer les quelques dizaines d'employés de la RATP qui refusent jusqu'au bout les consignes de reprise du travail lancées le 6 juin par l'ensemble de leurs syndicats.

De grands théâtres sont, il est vrai, envahis dans plusieurs métropoles de province, mais l'intervention rapide des forces de police n'y permet pas la naissance de

« nouveaux Odéons ». Deux cas extrêmes : à Toulon, le 27 mai, un groupe d'étudiants et de jeunes ouvriers voulant, à l'issue d'une manifestation unitaire, s'emparer du théâtre municipal, le service d'ordre de la CGT les en empêche; à Angers, c'est l'extrême droite qui s'y oppose.

La transformation de théâtres provinciaux en forums permanents se fait alors à l'appel et sous la direction du personnel en grève : à Strasbourg, à partir du 6 juin, le théâtre de la Comédie s'ouvre à la population; l'assistance fixe chaque soir son ordre du jour et contrôle le déroulement

Dans un amphithéâtre provisoirement désert, la jeunesse prend la parole.

Maisons du peuple
ou temples de la culture ?

La culture n'est pas le peuple — le peuple n'est pas la culture : c'est ce qu'admettent implicitement les tenants de l'ordre majoritaire — et les fanatiques de la « responsabilité syndicale ».

Les usagers de la Maison de la culture d'Amiens fondent le 21 mai un Comité d'action destiné à « démocratiser les structures de l'institution ». Après quatre jours de confusion, le personnel CGT de l'établissement se met en grève et ferme les locaux. Dans la soirée, une immense banderole est installée sur le pas de la porte par les « hôtes » expulsés : « Fermé au Peuple. » On amène un piano, et une fête-spectacle s'improvise dans la rue. Le lendemain, 50 étudiants parviennent à entrer par surprise dans le bâtiment et occupent la cafétéria. Alertée, la police se présente et, après avoir menacé d'user de la force, escorte les « trublions » jusqu'aux bâtiments du Centre universitaire.

Le 26 mai, un « collectif » se constitue à Meudon (Hauts-de-Seine) et ouvre les locaux flambant neufs de la Maison de la culture à l'ensemble de la population de la ville; tous les soirs se tient un forum démocratique et, pendant la journée, fonctionne un atelier de création artistique. A partir du 3 juin, des groupes CDR rôdent dans le quartier; pour éviter les incidents, les clés sont rendues au maire (majorité), mais le collectif entend poursuivre ses activités. Au matin du 7 juin, les animateurs de la « Maison des Meudonnais » trouvent portes closes. Soirées en plein air et manifestations devant la mairie se succèdent pendant quelques jours : en vain. Les portes de l'établissement ne rouvriront pas avant longtemps.

A la Sorbonne, à Censier, à la faculté des lettres de Lyon, dans certains lycées, le pas décisif est franchi : les bâtiments sont transformés sans restriction et les volontaires peuvent y résider à poste fixe.

L'occupation constitue dans ce cas pour ses promoteurs une expérience aussi exaltante qu'épuisante. Ceux qui s'engagent dans cette action forment vite des « groupes de copains », qui s'intitulent Commissions ou Comités d'action, mais constituent en réalité des cellules de vie communautaire totale. Pour faire face à la multiplicité de leurs tâches, beaucoup mangent peu, et mal, rognent sur leurs heures de sommeil, qu'ils prennent à la sauvette sur des lits de camp dans des salles inadaptées.

A partir du 15 juin, le retournement de la situation politique et les interventions de la police aidant, beaucoup de ces permanents spontanés « craquent » et s'en vont à l'aventure, par couples nouvellement constitués ou par

Dormir à la sauvette...

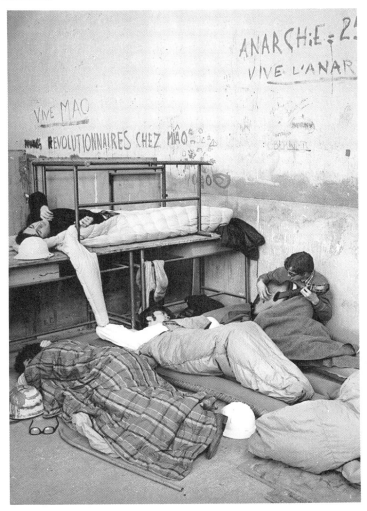

bandes. Pour ceux-là, il n'est pas question de « reprendre comme avant ». L'expérience collective de mai se transforme en refus total de réintégrer les structures et les cadres sociaux traditionnels. Une nouvelle génération de marginaux va faire son apparition : la « route » cède le pas à l'idéal communautaire.

Nous ne sommes ni des buralistes ni des marchands de souvenirs.

Mais il ne suffit pas de s'installer à demeure; il faut aussi s'organiser. Dans les facultés, de nouveaux collectifs font leur apparition, sous la supervision théorique du Comité d'occupation, émanation de l'Assemblée générale quotidienne. Les « commissions spécialisées » se constituent en réalité sur la base du volontariat et de l'initiative spontanée.
Les commissions Presse-Information s'emparent du standard téléphonique et se chargent de ronéotyper un bulletin quotidien. Un système de sonorisation intérieure leur permet de diffuser, outre des poèmes et de la musique révolutionnaire, les nouvelles les plus importantes.
On trouve aussi des services Hygiène et Nettoyage, Incendie, Dortoir; le groupe Secrétariat-Accueil distribue les salles et

Les martyrs du militantisme

L'énergie de l'homme n'est pas inépuisable. La vie accélérée dans laquelle beaucoup de militants se lancent en mai 68 conduit parfois au point de rupture. On relève ainsi 3 morts par surmenage — mais ces « martyrs », l'un étudiant, les deux autres ouvriers, ne furent pas honorés de la même façon.

Le 26 mai au matin, Marc Dillmann, vingt-quatre ans, militant syndicaliste très actif à Thionville, est retrouvé mort, à la suite d'un malaise dû à l'épuisement, près de son cyclomoteur intact au bord d'une petite route.

Deux jours plus tard, Bernard Lhomme, vingt-cinq ans, étudiant en droit, s'écroule frappé d'une crise cardiaque en pleine Assemblée générale de la faculté des lettres de Besançon, au moment où il s'apprête à prendre la parole : depuis le 6 mai, ce militant de base de l'UNEF se dépense sans compter. Il entre dès sa création dans la commission Ouvriers-Étudiants et, depuis lors, parcourt, de nuit comme de jour, les routes du Doubs, afin d'établir des contacts et de recueillir des informations. Une chapelle ardente est bientôt installée dans la faculté; toute la nuit, 500 étudiants, professeurs et ouvriers veillent le cercueil recouvert d'un drapeau rouge. Le lendemain, un défilé de deuil rassemble dans les rues de la ville 4 000 personnes, qui, poing dressé, murmurent *l'Internationale*. Le grand amphithéâtre de la faculté des lettres de Besançon devient l'amphi Bernard-Lhomme.

A la même époque, Gilbert Lignon, quarante-deux ans, est délégué syndical CGT aux usines Japy de l'Isle-sur-le-Doubs. Épuisé par une série de nuits blanches, écœuré par des discussions, tractations, entrevues aussi stériles qu'ininterrompues, il se suicide, le 1er juin, dans un moment de dépression. Son enterrement se déroule dans la plus stricte intimité.

organise des « journées portes ouvertes » qui rencontrent, en province surtout, un appréciable succès. Une autre équipe, animée par un « chef cuisinier » bénévole, prend possession des fourneaux et se charge non seulement des marmites, mais de leur ravitaillement.
A Paris, on se procure des stocks auprès des paysans du Bassin parisien, à des prix défiant toute concurrence : le poulet revient, par exemple, à 80 centimes le kilo, alors qu'il coûtait en avril 6,50 F chez les bouchers de la capitale. Les surplus éventuellement dégagés sont distribués gratuitement aux travailleurs immigrés et aux ouvriers grévistes. En province, des agriculteurs acceptent le plus

« La Route ! »

Dès avant 68, emboîtant le pas aux Anglo-Saxons et aux Scandinaves, les étudiants français connaissent de furieuses envies de voyage. Ils découvrent les avions charters interdits en France, dans lesquels ils embarquent à Bruxelles ou à Luxembourg. Jouissant de tarifs privilégiés, ils peuvent circuler d'un continent à l'autre pour une somme modique.
Autre solution : ils retapent des voitures, les équipent de bric et de broc et les affrètent comme des vaisseaux au long cours. Pendant des mois, des équipes de copains ont réuni matériel, sérums, cartes, visas, et, au seuil de l'été, c'est le grand départ : Bagdad, Téhéran, Kaboul, Tamanrasset..., la destination figure en grosses lettres sur la carrosserie. Peu l'atteignent, le véhicule agonisant avant, mais c'est sans importance. Au long des pistes on multiplie les contacts : avec les camionneurs, les journalistes, les autres « routards » et surtout les habitants. On discute « bouffe », maladies, petits trafics divers, argent bien sûr.
Les plus hardis ou les plus démunis partent en stop et rallient Katmandou en plusieurs mois.
C'est « LA ROUTE ! », le rêve, l'aventure. Anglais et Français la prennent les plus nombreux, mais toutes les nationalités occidentales y sont représentées. Australiens et Américains compris.
En Orient comme en Afrique, tous découvrent une misère économique, sociale et culturelle. Bien des prises de conscience se sont faites sur « la Route ».

Pour les occupants de la faculté des Lettres de Toulouse, la patate quotidienne.

souvent de ravitailler gratuitement les facultés occupées de leur département.

Il est nécessaire aussi d'assurer l'« auto-défense » des universités. Dès le départ, un problème se pose : les services d'ordre, apparus lors des manifestations étudiantes, doivent-ils assurer la protection des bâtiments ? Les « nuits des barricades » des 22-25 mai montrent clairement qu'il est dangereux de faire des facultés des « forteresses assiégées » face aux forces de police : elles risqueraient alors quotidiennement de « tomber ». Dans les premières lueurs de l'aube du 26 mai, à Bordeaux, la police n'accepte, par exemple, de se retirer qu'à condition que tous les étudiants, réfu-

Les « sanctuaires universitaires » : postes de secours, ateliers artistiques et, aux yeux de la police, « d'immenses dépôts d'armes ».

Mettez vos enfants à la garderie et participez aux travaux de la fac

Parmi les « institutions contestataires » qui se créent dans les facultés occupées, la plus riche d'avenir est sans doute celle des crèches permanentes. On en trouve à Nantes, à Strasbourg, etc., où elles sont organisées à l'occasion d'une « journée portes ouvertes », afin de permettre aux ouvrières de participer aux travaux de la faculté.

A la Sorbonne, le service Crèche est ouvert le 16 mai, à l'initiative d'une institutrice d'école maternelle. Au début, une unique pièce de 12 m² est mise à sa disposition. Mais la demande est telle que, le 22 mai, la crèche s'agrandit et « s'empare » de 6 pièces, aménagées en : réception des parents et pharmacie, cuisine, nursery, dortoir pour les grands, salle de jeux et bibliothèque-atelier de peinture. Elle fonctionne 24 heures sur 24, mais on ne peut y déposer d'enfants entre minuit et 6 heures du matin.

Le personnel de base se compose de 6 personnes; il est aidé par plusieurs dizaines de « bénévoles », qui travaillent par roulement. Tous les soirs, un pédiatre et une infirmière visitent les pensionnaires. L'ensemble du service, en principe gratuit et financièrement indépendant, vit de dons et accepte les contributions volontaires des parents.

un groupe d'autodéfense, le « Commando d'intervention rapide », qui outrepasse bientôt ses attributions et ne dédaigne pas d'aller étriller les forces de police lors des grandes manifestations violentes. Ces « Katangais » (ainsi dénommés parce que quelques-uns d'entre eux prétendent avoir été employés comme mercenaires au Katanga — actuel Shaba) sont finalement expulsés de la Sorbonne grâce à l'intervention du service d'ordre de l'UNEF, mais aussi de la nouvelle police intérieure qui a été constituée à partir du « Comité de jeunes chômeurs ». A Lyon, un groupe de « Trimards », qui se disent anciens « casseurs » ou « beatniks », gardent jalousement les locaux et bloquent presque quotidiennement la circulation devant la faculté des lettres.

La garderie de la Sorbonne.

giés ou installés dans la faculté des lettres, en fassent de même. Les universités sont « démilitarisées » et se transforment en postes de secours.
Il faut, malgré tout, être capable d'expulser d'éventuels perturbateurs, et surtout de repousser toute attaque ou coup de main

des forces de droite, qui, particulièrement en juin, relèvent la tête. Des « corps de police » font un peu partout leur apparition. A Besançon, les membres du nouveau service d'ordre portent sur leurs casques les lettres PR (pour « police révolutionnaire »). A la Sorbonne se crée spontanément

En mai-juin 68, la « nouvelle vie quotidienne » n'a donc pas seulement été revendiquée ou rêvée. Sa mise en pratique par quelques centaines de militants démontre à tous, malgré d'innombrables conflits et problèmes internes, que l'« utopie égalitariste » peut être à portée de la main.

Réinventons la société

A partir du 15 mai, la plupart des vieux édifices de l'ordre social et institutionnel vacillent sur leurs bases. Cette impression de « table rase » fait brusquement surgir l'ombre de 1789. A l'occupation des Ordres professionnels et des sièges patronaux succède la convocation d'états généraux, destinés à mettre au point de nouvelles chartes démocratiques. Intellectuels, artistes, chercheurs, cadres, étudiants, lycéens peuvent caresser tous les rêves de renouveau.

Mais le mouvement des idées s'accomplit sans concertation préalable : les intellectuels, en particulier, se lancent dans l'action par petits groupes, mus par des préoccupations directement professionnelles ou corporatives : l'ensemble donne l'impression de la plus complète confusion.

Le 21 mai, par exemple, une centaine d'ingénieurs et de cadres qui se disent « libérés » occupent par surprise les sièges du CNPF et de la CGC. Trois jours plus tard, 7 dirigeants du musée de l'Homme s'emparent du logement de fonction du ministre de l'Intérieur, qui se trouve dans leurs locaux et qu'ils estiment abusivement utilisé.

Assises nationales, Conventions et Assemblées plénières votent

A Perpignan, la lutte pour le statut d'étudiant.

dans la fièvre la déchéance ou l'abolition de l'Ordre des médecins, des architectes, des sages-femmes, du ministère de la Culture; chercheurs et atomistes exigent de contrôler l'utilisation de leurs découvertes; les écoles d'art ou de kinésithérapie proclament leur rattachement à l'enseignement supérieur, alors que les chirurgiens-dentistes et les psychiatres déclarent solennellement leur indépendance. Ici et là, la police, visiblement perplexe face à ce mouvement d'émancipation des « privilégiés », se décide à intervenir.

A ses débuts, le mouvement frappe par son caractère bon enfant : on s'en prend aux institutions, et non aux hommes. Souvent, d'ailleurs, les anciens responsables, saisis par une sorte de frénésie de « nuit du 4-Août », se dépouillent « spontanément » de leurs droits et prérogatives. Seuls quelques récalcitrants subissent la honte de la déchéance personnelle.

Deux tendances font bientôt leur apparition. Pour les « réformistes », il s'agit de démocratiser les structures professionnelles sans remettre en cause le bien-fondé ou la finalité sociale de leurs activités; pour les « révolutionnaires », tout plan de réforme doit déboucher sur la remise en cause de la division sociale entre travail manuel et travail intellectuel, soustraire la culture à la domination du patronat, de la bourgeoisie et de l'État, et mettre le savoir au service du peuple.

Un climat de guerre civile professionnelle s'instaure parmi les acteurs de théâtre; la confusion règne chez les écrivains, où une nouvelle Union s'oppose à la Société des gens de lettres; les

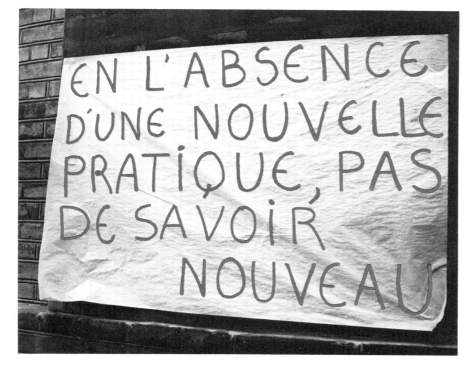

cinéastes échangent, sur la grande scène du festival de Cannes, claques et coups de poing.

En médecine comme partout, plus de grands patrons.

Les milieux médicaux sont particulièrement touchés par cette crise. En 1968, les praticiens se répartissent en étudiants-internes, agrégés, docteurs, professeurs, médecins des hôpitaux publics ou privés, médecins en cabinets, généralistes et spécialistes, psychiatres, psychanalystes, etc. Pris dans leur ensemble, ils se distinguent du « personnel soignant » ou « paramédical » : infirmières, sages-femmes, kinésithérapeutes, psychologues, orthophonistes, etc. Outre d'énormes disparités dans le niveau des revenus et l'étendue des responsabilités exercées, nombre de généralistes souffrent d'être ravalés à la fonction de simples dispensateurs d'ordonnances; dans les facultés et les hôpitaux, les rapports d'autorité sont extrêmement rigides. Certains mandarins (titulaires de chaire ou chefs de service), se considèrent « seuls maîtres à bord après Dieu » et n'hésitent pas à traiter des agrégés expérimentés comme de vulgaires potaches. Au début du mois de mai, les étudiants en médecine se joignent au mouvement de protestation contre la fermeture de la Sorbonne et, à Nice en particulier, de nombreux internes se mettent en grève et refusent leurs conditions de travail. Après le 13 mai, le point

de rupture est atteint dans de nombreux hôpitaux. A Caen, le conflit sera désamorcé par les mandarins eux-mêmes, qui prennent les devants et démocratisent de leur propre chef le fonctionnement de leurs services. La « révolte des agrégés » éclate pourtant. Le chef du service de cardiologie clinique de l'hôpital Broussais à Paris prétend, le 16 mai, chasser un docteur en exercice, coupable d'avoir fait circuler une motion protestant contre les « brutalités policières ». Scandalisé, l'ensemble du personnel vote la destitution de son mandarin, qu'il remplace peu après par une direction collégiale.

ticulièrement confus et houleux. Un groupe de contradicteurs quitte les lieux en emportant la sonorisation, un autre fait sauter les fusibles. Après 2 heures du matin, la discussion se poursuit dans le noir. Le lendemain, les locaux sont « repris » par le Conseil de l'Ordre, qui opère sous la protection de la police. Le 26 mai, plus de 2 000 médecins, réunis à la faculté, déposent solennellement les membres du Conseil, une minorité se prononçant pour la suppression de l'institution elle-même. Le mouvement hospitalier se divise alors. Les ci-devant manda-

En médecine aussi, plus de grands patrons.

NON à la course au profit en MÉDECINE

Le 20 mai, le doyen de la faculté de médecine de Paris et plus de 500 agrégés se déclarent solidaires du mouvement étudiant, réclament la suppression des chaires et des cours magistraux et proposent la constitution de Centres hospitalo-universitaires, qui permettraient de lier l'enseignement à la pratique de la profession. Le siège de l'Ordre national des médecins, occupé le 22 mai par les partisans de la réforme, est transformé en « Maison de l'indépendance et de l'expression ». Dans la soirée, de nombreux étudiants, médecins des hôpitaux et praticiens indépendants se retrouvent dans le vénérable immeuble. Le débat se révèle par-

rins, soudain d'accord avec les délégués syndicaux du personnel soignant, se déclarent pour la grève sans occupation, afin de faire aboutir des revendications purement matérielles. Inversement, dans les hôpitaux Saint-Louis et Sainte-Anne de Paris, des Comités d'action, élus chaque jour par l'Assemblée générale du personnel et comprenant une majorité d'internes et d'infirmières, s'emparent de la direction. La clinique psychiatrique de Sainte-Anne est envahie par un groupe de médecins et d'infirmiers, et le bureau du médecin-chef occupé. Une brève expérience de « traitement non répressif » des malades est alors engagée. Le 2 juillet, le professeur-chef ayant repris le contrôle de la situation, son bureau est dévasté par les tenants de l'antipsychiatrie.

La psychiatrie dans les poubelles

Les malades mentaux ne sont pas des déchets que l'on déverse dans des dépotoirs de banlieue.

Chaque malade a le droit d'être soigné à proximité de son quartier et non dans d'énormes « asiles » périphériques de plus de 3 000 lits.

Les crédits accordés servent au gonflement de ces hôpitaux déjà existants et non à la création de centres variés de soins qui, seuls, permettraient une véritable prévention des troubles mentaux. *Les psychiatres dénoncent la politique aberrante du pouvoir qui répond répression concentrationnaire quand on lui parle de soins.*

Les psychiatres désaliénistes de la Seine.

Le mouvement de « libération de la profession » gagne l'ensemble des sages-femmes, qui protestent contre leurs conditions d'étude, de travail, et le « mépris » avec lequel elles sont traitées par de nombreux gynécologues. Les élèves-infirmières occupent leurs écoles à travers l'ensemble du pays.

Celui qui peut mettre un chiffre à un texte est un con.

Du 15 mai au 12 juillet, le ministère de l'Éducation nationale fait preuve d'une extraordinaire discrétion. Dans toutes les facultés de France, professeurs, étudiants et personnel administratif sont livrés à eux-mêmes et s'affrontent parfois.

La révolte étudiante s'était développée autour d'un thème « unificateur » : refus de toute ingérence de la police dans les affaires universitaires; les professeurs de l'enseignement supérieur ont alors, dans leur énorme majorité, manifesté leur solidarité avec les étudiants. Mais la « contestation », telle qu'elle s'était développée, par exemple, à Nanterre, visait le corps enseignant dans son ensemble, considéré comme agent direct de l'oppression culturelle.

Une question se pose alors : comment et sur quelles bases aménager les nouveaux rapports enseignants-enseignés? Immédiatement, deux conceptions radicalement opposées de la Révolution universitaire font leur apparition. La majorité des professeurs, soutenus par les étudiants modérés et communistes, se déclarent presque partout favorables à l'élection de Conseils provisoires de gestion, qui comprendraient, suivant un dosage prédéterminé, les représentants des étudiants, des assistants, des professeurs titulaires et du personnel administratif. Ces conseils

DÉNONÇONS LA PSYCHIATRIE POLICIERE !!
ET L'ORDRE DES MÉDECINS

parlementaires hériteraient des pouvoirs autrefois dévolus à l'administration centrale.

Mais, dans plusieurs endroits, des Comités d'occupation se présentent comme l'émanation directe et sans partage de l'assemblée générale quotidienne des ex-professeurs, ex-étudiants et ex-personnel administratif, devenus, en toute égalité, de simples occupants.

Dans quelques cas, des compromis instables sont élaborés. A la faculté des lettres de Bordeaux, les étudiants acceptent le principe parlementaire du Conseil de gestion, mais obtiennent pour leurs représentants le droit de veto pour toutes les « décisions inté-

ressant directement le sort des étudiants » — étant entendu que ceux-ci ne pourront exercer leur prérogative que collectivement, et explicitement mandatés par l'Assemblée générale des étudiants. Reste à définir ce qui « n'intéresse pas directement le sort des étudiants ».

Mais rien ne résume mieux le caractère difficilement conciliable des deux conceptions de la démocratie universitaire que le « problème » posé le 19 juin à la faculté des sciences de Strasbourg. Les décisions seront-elles prises à la majorité simple de l'Assemblée générale des professeurs et des étudiants — chaque participant disposant d'une seule voix — ou à la majorité successive de 2 Assemblées générales, professeurs et étudiants délibérant séparément? Et surtout : comment va-t-on voter pour décider comment l'on doit voter? Après deux jours de tractations, un « compromis » est élaboré : professeurs et étudiants délibéreront ensemble, mais les votes seront comptabilisés à part. Les enseignants ont, en réalité, préservé le principe de la « parité ».

De tels revirements de tendance sont rendus possibles dans la mesure où le mouvement étudiant est lui-même divisé.

Rêve + évolution = révolution.

Le débat entre étudiants s'est durci dès le 14 mai, sur la question des examens. Doit-on les passer dans leur forme traditionnelle, les « aménager », les renvoyer à plus tard, ou les supprimer purement et simplement? L'immense majorité se prononce pour des formes aménagées, assorties de reports de dates. A la faculté des lettres de Strasbourg, bastion du « pouvoir étudiant », un vote à bulletin secret donne les résultats suivants : participation : 65 % des étudiants inscrits; pour le boycott : 33,50 % des suffrages exprimés; pour les examens aménagés : 65,30 %.

Il s'agit d'une défaite majeure pour les révolutionnaires et les « enragés » : à leurs yeux, le système des examens constitue l'aboutissement de toute une logique universitaire qu'ils réprouvent. Ils ne se résignent donc pas. Dans les facultés de droit, les épreuves ont été le plus souvent reportées au 4 juin. A cette occasion, des heurts se produisent à

La crise du « pouvoir étudiant »
à Strasbourg

Le Conseil étudiant de la faculté des lettres de Strasbourg s'est, le 9 mai, déclaré souverain. Le 16, l'ensemble des professeurs, réunis en Assemblée générale séparée, proclament leur autonomie face aux étudiants et exigent la parité dans l'élaboration des réformes universitaires. Quatre jours plus tard, les étudiants sont mis en demeure d'élire leurs représentants, car il est « impossible » de négocier avec un Conseil étudiant susceptible de « changer d'avis du jour au lendemain ». Un professeur déclare : « Nous estimons qu'il arrive un moment où cela tourne à vide, où les étudiants doivent désigner des responsables. » Le 21 mai, le Conseil étudiant refuse l'ultimatum des professeurs et se proclame Conseil d'université.

Le 13 juin, les professeurs se réunissent une fois de plus : ils demandent au doyen de porter plainte pour vol (une collection de médailles a disparu), exigent l'évacuation des bâtiments universitaires et créent une « Commission de sauvegarde du patrimoine de la faculté ». 79 professeurs du SNESup et du SGEN se désolidarisent de ce « coup de force contre les étudiants », mais, faute de vouloir choisir leur camp, ils se trouveront totalement isolés.

Le mouvement révolutionnaire des étudiants strasbourgeois est alors en perte de vitesse : à la faculté des lettres, les occupants sont de moins en moins nombreux. Le 14 juin, les étudiants décident d'organiser une « Université d'été » et prononcent la dissolution du Conseil d'université, « qui ne répond plus aux nécessités du moment ». Les professeurs « autonomes » poussent leur avantage : ils obtiennent que la faculté soit fermée la nuit, contre promesse du doyen de ne pas faire appel à la police et de ne pas porter plainte.

L'Université d'été constitue un échec patent : une quarantaine de personnes seulement y participe. Une inscription murale, apparue dans les derniers jours de juin, résume la situation : *La vacance des grandes valeurs vient de la valeur des grandes vacances.*

Une Assemblée générale de faculté. On vote à main levée.

Concours du prof le plus bête : signez vos sujets d'examen

A Bordeaux, le 4 juin, les étudiants en droit favorables au boycott des examens occupent les salles où devaient se dérouler leurs épreuves et interdisent à leurs camarades de composer. Deux jours plus tard, les partisans des examens traditionnels occupent un autre bâtiment de l'université et décident de « plancher » le 11 juin. Ce jour-là, 300 étudiants de gauche bloquent les abords des portes et empêchent les candidats d'entrer. La police intervient et dégage les lieux. A l'issue des épreuves, les copies sont raflées par les professeurs « autonomes », qui refusent de les communiquer à leurs collègues du SNESup et du SGEN : ils tiennent, disent-ils, à s'assurer que les corrections seront faites « avec le plus grand sérieux ».

A Aix-en-Provence, les étudiants de gauche ont préféré diffuser les « solutions » par haut-parleur. Mais celles-ci se révèlent fausses, les épreuves se poursuivent.

A Lyon, on en vient à l'affrontement violent. Les candidats, qui n'ont pu composer le 4 juin, décident de se venger et, le 6, attaquent la faculté des lettres, accusée d'être à l'origine de tous leurs maux. La bataille fait plusieurs blessés graves; il faut aux occupants d'extrême gauche plusieurs heures pour repousser leurs assaillants, chaque camp se servant de pierres, de manches de pioches, d'extincteurs, de lances à incendie et de cocktails Molotov.

Bordeaux, à Lyon et à Limoges (le 24 mai).

Les projets de réforme universitaire, qui par centaines voient le jour au cours du mois de juin, portent la marque de ces contradictions. Le mouvement modéré et réformiste met systématiquement en avant le principe d'autonomie, non du pouvoir étudiant, mais des facultés. On aboutit alors à différentes formules de cogestion, qui dépossèdent la base de son pouvoir de décision directe. Un exemple extrême est donné par le Comité étudiant pour les libertés universitaires, dont le projet, d'inspiration ouvertement technocratique, propose d'adapter l'enseignement aux besoins de l'industrie et de rentabiliser la recherche en privilégiant les applications techniques sur les découvertes fondamentales.

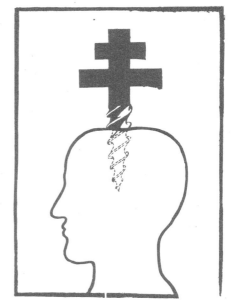

Les étudiants communistes de Besançon et la réforme Edgar Faure

Le 13 juin 68, le Comité étudiant pour une Université démocratique, d'inspiration communiste, présente à Besançon un projet de réforme, dont les principales dispositions se retrouveront quelques mois plus tard sous la plume d'Edgar Faure, ministre apparenté gaulliste de l'Éducation nationale.

Est proposée l'élection d'Assemblées de département, au scrutin universel secret, avec la composition suivante : étudiants, 40 % des membres; enseignants, 40 %; personnels administratifs et techniques, 20 %. Dans chacun des 3 collèges, les candidats devront constituer des listes, et les élus seront désignés à la proportionnelle des voix.

Les Assemblées de département élisent à leur tour une Assemblée de faculté tripartite. Cette assemblée nomme un doyen, qui est nécessairement un professeur titulaire. Celui-ci est aidé dans sa tâche de direction par un bureau exécutif permanent de 10 membres.

Les libertés syndicales et politiques sont assurées au sein des universités. Le système de notation sera modifié, et les examens de fin d'année remplacés par un « contrôle continu des connaissances ».

Sont, enfin, demandés la multiplication du nombre des professeurs, la généralisation du système des bourses dans l'enseignement secondaire et l'octroi d'un « salaire étudiant sur critères universitaires », mesures qui sont depuis longtemps inscrites au programme revendicatif de l'UNEF.

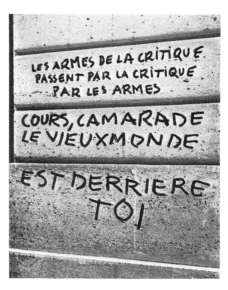

Fin mai 68 : des lycéens marseillais ont envahi la Canebière.

Face à cette tendance modérée ou technocratique, les étudiants révolutionnaires se divisent en deux courants. Pour les plus radicaux, l'Université est par nature une institution oppressive, puisqu'elle a pour fonction de produire des « privilégiés au service des exploiteurs ». Les mesures proposées se résument alors en une phrase : « Et si on brûlait la Sorbonne ? » D'autres envisagent de maintenir l'Université, à condition, toutefois, qu'elle ait pour tâche de « préparer et favoriser la disparition des classes sociales en faisant des facultés des lieux de formation politique et scientifique, destinés, non aux étudiants, mais à l'ensemble de la population, et en privant la bourgeoisie du monopole qu'elle exerce sur le savoir et la culture ».

Plus de classes au lycée.

Le mouvement lycéen se trouve, en mai-juin 68, dans une situation particulière : les adversaires se font face à la base, et les heurts peuvent prendre un tour particu-

lièrement violent, à l'image des rancœurs accumulées depuis des années.
Quelques directrices et proviseurs abusifs sont déposés par leurs

élèves. Le 20 mai, par exemple, les filles de l'école normale d'Orléans signent une pétition réclamant pour tous le droit d'accès à la bibliothèque. Deux jours plus

plus d'école prison

LA LUTTE CONTINUE

ÉTAT POLICIER

ATTENTION ÉCOLE

REJOIGNEZ LES C.A.

tard, la directrice « punit » ses « contestataires » en les privant de beurre au petit déjeuner !.. Il y a des murmures. Le lendemain, les professeurs trouvent les portes de leur établissement fermées et les pensionnaires sont consignées dans leurs dortoirs. C'en est trop : les portes sont enfoncées par les enseignants, et la directrice se trouve à son tour consignée dans ses appartements. Au lycée technique de Saint-Avold, les 280 internes décideront, quelques jours plus tard, de faire collectivement la grève de la faim pour protester contre les brimades dont ils sont perpétuellement l'objet.

Mais, lorsque les « adultes » se montrent « libéraux » ou abandonnent les lieux, le mouvement lycéen se développe d'abord dans un climat extraordinairement détendu. La plus absolue liberté de parole est respectée partout. Au lycée Pierre-de-Fermat de Toulouse, des élèves d'Action française font un moment partie du Comité de grève et organisent des conférences sur la vie et l'œuvre de Charles Maurras.

Si les revendications « institutionnelles » (participation des délégués d'élèves aux Conseils de classes) sont encore assez timides, la plupart des lycéens exigent, en revanche, la suppression des punitions, l'instauration de l'« autodiscipline » et le droit à l'information en matière politique et sexuelle. Quelques-uns, comme ceux du lycée Henri-IV à Paris, rédigent des projets détaillés d'organisation nouvelle de l'enseignement; une minorité va plus loin encore : ici et là, des expériences d'« éducation parallèle » ou de « pédagogie sauvage » sont mises sur pied avec succès. La plupart des professeurs et des associations de parents d'élèves se déclarent alors « horrifiés par l'engagement politique de ces enfants encore mineurs ». Plus d'une vingtaine de lycées occupés « unilatéralement » par les élèves sont pris d'assaut par des groupes de parents et de professeurs antigrévistes, parfois aidés par des militants d'extrême droite. Au lycée de Châtenay-Malabry (Hauts-de-Seine), l'opération échoue le 4 juin : plusieurs centaines de parents « de gauche » sont venus faire la chaîne devant les bâtiments occupés et protéger le Comité de grève lycéen.
Les élèves du lycée Thiers (rebap-

tisé lycée de la Commune), à Marseille, tenteront de reprendre leur établissement, qui a été « évacué » par des parents et fermé par décision rectorale. Avec l'aide de quelques étudiants, ils s'introduisent dans les locaux, déguisés en éboueurs, mais une rapide intervention de la police ne permet pas la réouverture des portes.
A partir du 12 juin, date de la reprise du travail par le corps enseignant, les relations entre les professeurs et les élèves s'aigrissent.

Dans bien des cas, le mouvement lycéen cède face à l'avalanche des pressions à laquelle il est désormais soumis, mais des rancœurs et des haines tenaces naissent de la certitude qu'acquièrent d'innombrables jeunes d'avoir été « floués » par les adultes.
Quelques-uns refusent de baisser les bras. Ils feront, comme ceux du lycée Henri-IV à Paris, partie de ces jusqu'au-boutistes qui continuent, après le 18 juin, à camper sur leurs lieux de travail et leurs positions revendicatives.

EN VACANCES LA LUTTE CONTINUE ! jeunes ouvriers étudiants Lycéens partons vers les jeunes paysans échanger nos expériences de lutte !

RENDEZ-VOUS d'organisation dimanche 30 juin à 15h salle Saint Paul (près du Super Centre Commercial) MASSY

Les universités d'été : la fin d'un rêve...

juin chagrin juillet regret

La fin du mouvement de grève a peu attiré l'attention des journalistes et des hommes politiques, alors tournés vers les élections législatives. Plus tard, les auteurs et les chroniqueurs de « mai 68 » négligent souvent cette période considérée comme un simple épilogue. Pour eux, la grève est virtuellement terminée avec les accrochages de Flins et de Sochaux, c'est-à-dire vers le 11-12 juin. Les plus perspicaces mettent un point final à l'ensemble du mouvement le 17 juin, avec la reprise du travail à Billancourt et l'occupation de la Sorbonne par les forces de l'ordre.

Résistance ouvrière

Billancourt et la Sorbonne sont-ils encore à la mi-juin le reflet des luttes ouvrières et étudiantes en France ?
Non, car d'autres bastions ouvriers (Dunkerque, Lyon, Bordeaux, Nantes, etc.), d'autres facultés (Nanterre, les Beaux-Arts de Paris, Montpellier...) ont su s'affirmer indépendamment des deux géants. Là, le mouvement continue.

Les bastions ouvriers : plus d'un mois de grève.

Avec les affrontements de Flins, de Saint-Nazaire et de Sochaux, la « grande grève » a changé de visage : elle est devenue violente et dure. Le 16 juin, dix jours après la reprise dans le secteur public, alors que beaucoup de cadres politiques et syndicaux parlent du mouvement au passé, 600 000 grévistes campent encore dans leurs usines.
A nouveau les métallos sont à la pointe du combat. L'attitude des travailleurs de Renault est donc, une fois de plus, présentée comme un symbole. Or, le 17 juin, après un mois de grève, la CGT obtient à Billancourt un vote favorable à la reprise, malgré les réserves formulées par les sections CFDT et FO ; en mai, la « forteresse ouvrière » n'avait pas donné le signal de l'action ; en juin, elle ne sera pas le dernier

bastion : le baromètre des luttes ouvrières n'est plus à Billancourt. Des centaines de milliers d'autres travailleurs reprennent le flambeau.

LE GÂTEAU...

DES GÂTEUX

Les élections vues par les gauchistes.

Au sein même de la firme Renault, les premières voitures ne sortiront que le 20 juin des chaînes de Flins où le travail a repris plus tardivement. Ce jour-là, on compte toujours plus de 300 000 travailleurs dans l'ensemble du pays qui entament leur deuxième mois de grève.
En région parisienne, la lutte se poursuit, particulièrement âpre : 28 000 ouvriers occupent encore leurs ateliers dans la Seine-Saint-Denis, et 48 000 font de même dans les Hauts-de-Seine. A Paris,

où les chauffeurs de taxis n'ont repris le volant que le 18 juin, 320 machinistes et employés des Folies-Bergère poursuivent leur action, pour obtenir les mêmes avantages que dans les théâtres nationaux. A l'ORTF, rien n'est encore réglé. Dans et autour de la capitale, le 20 juin, à la veille du premier tour des élections, le drapeau rouge flotte toujours sur une centaine d'entreprises, dont la Saviem, à Suresnes, et Citroën, quai de Javel. Là, les grévistes doivent repousser, au moyen de lances à incendie, les militants de la CFT qui chargent à plusieurs reprises aux environs de la place Balard. Le 25 juin, après une difficile reprise chez Citroën, les travailleurs de nombreuses usines de la banlieue nord entament leur sixième semaine de grève (Babcock à La Courneuve, Hotchkiss à Saint-Denis, Ferodo à Saint-Ouen, SEV-Marshall à Argenteuil, etc.). Il en est de même à Issy-les-Moulineaux (chez SEV-Marshall et à la Radiologie) et pour 2 500 autres personnes dans une douzaine de petites entreprises. Mais la capitale n'est pas un cas particulier. L'agitation persiste en d'autres endroits.

Violences et séquestrations en province.

Le 20 juin, d'importantes usines rouvrent à peine leurs portes à Grenoble, à Nantes, à Saint-Nazaire, à Tarbes, en Normandie, dans le Nord ou dans les Ardennes. Sur la Seine, près de Pont-

**Une très difficile reprise du travail : les « jusqu'au - boutistes ».
17 juin-16 juillet 68.**

Dunkerque
Warneton
Calais
Prouvy
Lille
Fourmies
Issebergues
Le Cateau
Arras
FUMAY
Vireux
Le Havre
Amiens
Cambrai
Dives
Amfreville
Laon
Andelys
Creil
Caen
Cléon
Soissons
Florange
Sourdeval
Mantes
PARIS
St-Dizier
Brest
Concarneau
Châteaubriant
Lorient
St-P.
-Montlimart
Orléans
Troyes
St-Nazaire
Trélazé
Le Mans
Montbard
Nantes
Dijon
Sochaux
Nevers
Montluçon
Montreuil
Chalon
Poitiers
Paray-le-M.
Vichy Roanne
Mâcon
Clermont-F.
Vougy
Limoges
Chazelles
LYON
Angoulême
Froges
Issoire
Givors
Rive-de-Gier
St-Chamont
Grenoble
Firminy
St-Étienne
Bordeaux
St-Julien-
en-Chapteuil
Bezègues
Lacq
Bazet
Marseille
Nice
Bastia
Bayonne
La Ciotat
Tarbes
La Seyne
Pierrefitte

△ : remise en grèves en juillet
▲ : poursuite de la grève en juillet
☐ : séquestration de cadres
   ou de patrons
○ : reprise entre le 17 et le 19 juin
● : reprise au-delà du 20 juin

○ moins de 100 grévistes
○ 100 - 1 000 grévistes
○ 1 000 - 2 000 grévistes
○ 2 000 - 5 000 grévistes
○ 5 000 - 10 000 grévistes
○ plus de 10 000 grévistes

© Delale - Ragache

Quelques bastions grévistes se dessinent : Lyon - Saint-Étienne, le Nord, Paris,
Bordeaux, Marseille... Ailleurs, bien des braises subsistent.

de-l'Arche et à Calais, des mariniers maintiennent les derniers barrages de péniches. L'ordre social est loin d'être rétabli dans l'ensemble du pays. Si, de jour en

Parmi les derniers : les employés des
Folies-Bergère.

jour, le nombre des grévistes diminue, ils sont néanmoins encore 130 000 le 22 juin. A cette date, une reprise cahotique s'est effectuée chez Peugeot malgré l'opposition résolue d'une forte minorité. Mais des « points chauds », inquiétants pour le gouvernement, subsistent à Dunkerque, à Amiens, à Bordeaux, à Nantes, etc.
Autour des agglomérations lyonnaise et stéphanoise, un solide bastion est constitué par 25 000 ouvriers qui occupent encore 26 usines. Des accrochages, parfois sévères, y opposent grévistes et non-grévistes. C'est le cas dans une maroquinerie de Villeurbanne où l'attaque d'un piquet de grève fait 2 blessés. Chez Sygma, à Vénissieux, 250 cadres et employés (sur 900 au total) forcent les portes de l'usine et s'opposent aux occupants : dans la mêlée, un ingénieur est blessé; on engage des négociations qui aboutissent au libre

accès des locaux par les non-grévistes. Symboliquement le drapeau rouge est décroché, mais l'autre partie du personnel poursuit son action jusqu'au 26 juin. Dans la même banlieue, la police évacue les ateliers Feudor (fabrique de briquets) pour permettre la remise en marche partielle. Chez Berliet, où la reprise, le 19 juin, a été difficile, la tension persiste : le 27 juin, à la suite d'une altercation entre la direction et un syndicaliste, 3 000 ouvriers débraient...
Dans le nord du pays subsistent aussi d'importants foyers de grève : dans le Valenciennois où la reprise générale a été tardive — il y avait encore 20 000 grévistes le 18 juin — le conflit se poursuit chez Eternit, à Prouvy. Situation identique à Fourmies dans une entreprise textile, à Amiens chez Ferodo, à Warneton chez Flandria, à Lille chez Tudor, etc. Des dockers et des cheminots de la région refusent d'acheminer des marchandises à destination des aciéries d'Issebergues, où la grève n'est pas terminée.
Situation critique à Calais aussi où 570 ouvriers des Câbles de Lyon s'obstinent encore le 26 juin quand un commissaire de police, un huissier, des gendarmes et une poignée de cadres cherchent à pénétrer dans l'usine. Les grévistes parlementent, mais ils refusent d'évacuer les lieux et décident de repousser leurs adversaires hors de la cour. Ils s'ensuit une bousculade au cours de laquelle le commissaire a le bras coincé dans la grille vivement refermée par les occupants. L'arrivée en renfort des dockers du port et de travailleurs des entreprises voisines provoque le retrait des forces de l'ordre qui redoutent un incident sérieux.
Non loin de là, Usinor à Dunkerque est la dernière grande usine paralysée (4 200 ouvriers). On y frôle l'incident grave quand, le 25 juin, 300 non-grévistes entreprennent de pénétrer de force dans les ateliers. Ils sont repoussés sans ménagement par les occupants, qui utilisent des lances à incendie. Puis c'est l'affrontement à coups de bâtons et de pierres.
Ces cas ne sont pas isolés, ailleurs en France des bagarres éclatent aux portes des derniers établissements occupés : la contre-offensive patronale s'ajoute à la contre-offensive politique.

Tout comme dans les premiers jours de grève, en mai, la base ouvrière reprend l'initiative. Ainsi, en juin, malgré la condamnation formelle de tous les syndicats, les séquestrations recommencent. Des travailleurs ayant souvent repris la mort dans l'âme s'aperçoivent au bout de quelques jours que rien ou pas grand-chose n'a changé dans l'entreprise et que, parfois, les termes du « constat de Grenelle » ne sont pas même appliqués. Alors, pris de colère, ils réoccupent, comme chez Manurhin à Cusset (Allier) ou chez Feudor à Lyon. Dans certains cas, comme chez Huard à Châteaubriant, ils séquestrent la maîtrise pendant plusieurs heures pour faire aboutir plus sûrement leurs revendications. A Saint-Dizier, chez IHF, à Maxilly-sur-Saône, chez Barbot (les gendarmes doivent y intervenir) ou à Troyes, chez Fenwick, des cadres subissent le même sort.

Nous voulons des garanties.

Tandis que la grève générale se meurt, les plus décidés cherchent à arracher localement une victoire et des avantages pour reprendre le travail la tête haute. Aux côtés de dizaines de milliers de métallos, on trouve des marins pêcheurs de Concarneau, des employés des Folies-Bergère, des conducteurs de bus de Roanne, des mariniers de Lyon et de Calais, des journalistes de l'ORTF, des carriers de Fumay et des milliers d'ouvriers de l'électronique qui, tous, refusent de voir liquider leur « grande grève » pour « un plat de lentilles ». Ils protestent aussi contre l'insuffisance du « constat » de Grenelle dont les approximations et les « flous » très nombreux quant aux modalités d'application provoquent soit le découragement et donc la reprise du travail, soit la colère.

Alors que les marins pêcheurs des autres ports sont à nouveau en mer, ceux de Concarneau exigent des garanties écrites. Ils veulent un accord « signé noir sur blanc » et non de vagues promesses; ils poursuivent donc l'action jusqu'au 26 juin. Leur obstination est payante car ils obtiennent satisfaction et, chose rare, un SMIG à 1 000 F. Le même entêtement se manifeste (sans succès cette fois) chez une poignée de mariniers de

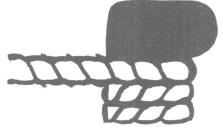

Les marins pêcheurs de Concarneau ne reprennent la mer que le 26 juin.

Calais, Lyon et Pont-de-l'Arche qui revendiquent de meilleurs salaires et la suppression du travail de nuit.

Mais, dans la plupart des cas, la persistance des grèves s'explique par des interprétations différentes données au « constat » de Grenelle, patrons et ouvriers cherchant à l'appliquer dans un sens qui leur est favorable. Dans la

Barrage à Suresnes. Des mariniers de Lyon et Calais maintiennent tard leurs barrages.

métallurgie, le problème se complique : le patronat refuse de signer une convention collective nationale. Il faut donc trouver des solutions au coup par coup suivant les rapports de forces locaux. Enfin, et cette attitude se confirmera après 68, des travailleurs n'acceptent plus les licenciements comme une fatalité. A Roanne, par exemple, les conducteurs de bus ne reprennent le volant que le 25 juin, lorsqu'ils obtiennent l'abandon du plan de licenciement de 17 d'entre eux. Cette attitude de refus explique en partie la longue durée de grèves telles que celles de Bayonne (Manufacture d'armes) ou de Fumay (carrières d'ardoise).

Un autre facteur favorise la formation de bastions grévistes : le regroupement régional et la solidarité locale. Les grands moyens d'information ignorent systématiquement les jusqu'au-boutistes de juin, les grands partis politiques et les confédérations syndicales les boudent, les gauchistes gênés par la dissolution de leurs groupes ne sont pas en mesure de les aider, mais, à Lyon ou en Seine-Saint-Denis, chacun peut voir le drapeau rouge flotter encore sur l'usine voisine. On se sent moins seul. C'est un peu « mai qui continue ». Si l'on est trop isolé, comme à Froges dans l'Isère, la solidarité s'organise localement : des élus des communes environnantes se réunissent et (à la fin juin !) décident d'aider les grévistes. Beaucoup de ceux

POUR LA LUTTE DE TOUS LES TRAVAILLEURS

LES METALLOS TIENDRONT

Les métallos : difficile de les faire plier.

qui ont repris le travail n'abandonnent pas complètement le « dernier carré ». Au contraire, on prodigue des encouragements et de l'argent. A Calais, les 500 métallos jusqu'au-boutistes reçoivent en une seule journée 10 000 F (collectés par des mineurs du Nord) et 7 tonnes de pommes de terre offertes par des agriculteurs de la région.

Au-delà des problèmes catégoriels, les grèves de la fin juin, tout comme celles du début mai, mettent donc en évidence la réapparition dans la classe ouvrière d'un courant minoritaire très combatif et, pour certains éléments, révolutionnaire.

Les « rentrées victorieuses ».

Cette combativité ouvrière, soutenue et persistante, embarrasse les confédérations syndicales. Elles ne peuvent abandonner cette « base » courageuse, mais elles souhaitent la fin rapide de conflits qui leur font craindre à tout moment des affrontements très graves comme ceux de Flins ou de Sochaux. La CGT, dans *la Vie ouvrière,* insiste donc sur les « rentrées victorieuses » de travailleurs dans leurs ateliers et sur les « conquêtes de mai ». Elle met particulièrement en valeur l'aspect financier des victoires et publie de nombreux articles sur « les premières paies depuis mai ». Toutefois, elle lance des

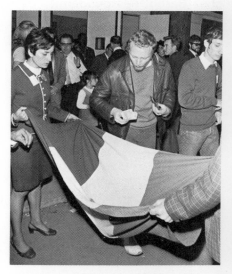

Des communistes organisent une collecte dans un drapeau tricolore.

appels en faveur de ceux qui poursuivent le combat. De brefs articles de la VO concernent les derniers points chauds. Ils sont peu précis quant aux motifs profonds de la persistance du mouvement et au nombre des grévistes; la CGT ne dénonce, en effet, qu'une seule cause à ces derniers conflits : « l'intransigeance patronale ». On ne trouve pas une ligne sur le fait que certains travailleurs marquent par une poursuite de la grève leur désapprobation face à une consigne de reprise jugée injustifiée au regard des possibilités qu'ils ont entrevues en mai.

A la confédération CFDT, les positions sont tout aussi floues sur ce point : on consacre dans *Syndicalisme* et *Syndicalisme Hebdo* une place beaucoup plus impor-

Vote chez Berliet.

La reprise de Renault-Billancourt ne marque pas la fin de l'action; d'autres continuent.

tante aux analyses du mouvement de mai qu'aux luttes en cours.

Attitude également embarrassée, voire ambiguë, pour FO. On signale bien, dans *FO Hebdo* du 13 juin, qu'« il est encore difficile de savoir dans quelle direction évolueront les conflits en cours » et l'on met en garde contre « les éléments irresponsables », mais, dans le même hebdomadaire, André Bergeron signe un éditorial intitulé « Une victoire syndicale ». Il y enterre allègrement la grève en en parlant au passé alors qu'à cette date il y a encore 1 200 000 grévistes ! Paradoxe : la dernière page de l'hebdomadaire est un appel à soutenir ceux qui continuent la grève !

Il semble que dans les états-majors syndicaux des trois grandes centrales, on ait considéré que la reprise, les 6 et 7 juin, des grands services publics mettait un point final à la grève. Dans un souci commun d'apaisement, il devenait alors délicat d'insister trop sur les centaines de milliers de travailleurs qui considéraient qu'il n'en était rien...

La majorité silencieuse

En juin 68, les partis politiques traditionnels répondent massivement à l'appel du général de Gaulle. De l'extrême droite au PCF, tous acceptent de recher-

cher une issue électorale à la crise. En trois semaines, la France parlementaire prend le relais de la France contestataire, et aux envolées lyriques de mai succèdent les discours électoraux appris par cœur. Sûrs de leur victoire, les candidats de la majorité parlent haut et fort, ceux de l'opposition font mine de croire en un possible succès. Dans les rues, la « majorité silencieuse », fermement appuyée par le gouvernement, manifeste à son tour.

La « majorité silencieuse » descend dans la rue.

« Le parti communiste est un parti d'ordre » (Waldeck-Rochet).

Soucieux de faire oublier les barricades, les occupations d'usines et les drapeaux rouges, le PCF se drape dans le tricolore. Il rappelle avec insistance le patriotisme de ses militants pendant la Résistance et clôt tous ses meetings par une vibrante *Marseillaise*. Waldeck-Rochet, médiocre orateur, explique à qui veut l'entendre que le PCF est « un parti d'ordre » et mène des attaques en règle contre le PSU, « diviseur de la classe ouvrière », et contre les gauchistes, « auxiliaires du pouvoir ». Cherchant à rassurer à tout prix les classes moyennes, Étienne Fajon précise dans *l'Humanité* que son parti ne veut ni le pouvoir, ni même participer au futur gouvernement. Une telle campagne ébranle sérieusement les convictions de bien des militants communistes de base qui rêvaient encore au « Grand Soir ». L'autre formation de gauche, la FGDS, propose un accord de candidature unique. En l'absence d'un programme commun de gouvernement, le PCF décline l'offre pour se contenter de classiques accords de désistement. La FGDS s'appuie sur l'appareil vieillot de la SFIO. La plupart des candidats, notables nationaux ou régionaux, mènent une campagne timide et classique.

Un mini-parti, le PSU, fait preuve de mordant, bien qu'il ne puisse prétendre à une forte représentation parlementaire. Il double le nombre de ses candidats et attire des jeunes et des syndicalistes à des meetings présentant un air de famille avec les « Assemblées générales » de mai.

Sur le front syndical, la CGT s'engage de toute la force de son appareil dans le combat électoral. Partout, elle appelle à voter en faveur d'un « gouvernement populaire », rejoignant en cela le PCF. Les autres confédérations prennent position à leur manière. Pour FO, André Bergeron affirme qu'« après les élections les problèmes demeureront ». Il laisse la liberté de vote à ses adhérents. De son côté, la CFDT précise que ses militants ne peuvent faire campagne sous son sigle. Elle demande, en vain, un temps de parole régulier à l'ORTF, puis rappelle son objectif : « Situer en bonne place au premier tour un candidat de la gauche *non* communiste. » En effet, en juin plus que jamais, la CFDT échange des propos aigres-doux avec le PC et la CGT. Les désaccords s'accumulent au point de voir Georges Séguy attaquer avec violence et publiquement la CFDT. C'est une gauche divisée et en crise qui aborde l'épreuve électorale. Devinant la brèche, la droite redouble ses attaques.

Le PCF est là
Pour
Couler
la France

**Barrer la route
au communisme totalitaire.**

Après la grande peur de mai, conservateurs et gaullistes serrent les rangs. Le 18 juin, de Gaulle fait libérer Salan, Argoud et les 11 membres de l'OAS encore incarcérés; des dizaines d'autres peuvent rentrer d'exil. Amnistiés, les militants d'extrême droite oublient provisoirement leurs griefs pour « barrer la route au communisme totalitaire » aux côtés de l'adversaire d'hier. Malgré des grincements de dents — le capitaine Sergent déclare préférer voter communiste plutôt que gaulliste — les anciens de l'OAS apportent au gouvernement leurs suffrages et, si besoin en était, leur capacité de combat.

Chez les gaullistes, l'UDV[e], transformée pour la circonstance en Union pour la défense de la République, mobilise ses forces. Tous les ministres sont candidats, sauf André Malraux qui refuse cette mêlée, mais préside cependant un grand meeting gaulliste. Les RI passent des accords avec les gaullistes : l'appui de l'UDR à Valéry Giscard d'Estaing scelle l'alliance [1]. Pourtant, Michel Poniatowski se voit opposer, à L'Isle-Adam, un candidat ouvertement parrainé par Georges Pompidou. Mais ces désaccords sont exceptionnels et secondaires : un bloc compact et résolu s'oppose à la gauche.

De l'extrême droite au centre, tous les partis font campagne sur le thème de l'ordre et de la stabilité. Seuls les monarchistes qualifient les élections de supercherie, mais tous dénoncent l'anarchie et la violence dont la gauche est jugée responsable. En contrepartie, ils promettent des réformes

1. Le sigle UDR est adopté par de nombreux RI. Notons, toutefois, que Valéry Giscard d'Estaing et Michel Poniatowski ne l'utilisent pas.

après un indispensable retour au calme. Certains souhaitent dépasser la lutte de classes pour y substituer « la participation des travailleurs à la vie de l'entreprise ». L'idée, qui n'est pas neuve, a été remise au goût du jour par le général de Gaulle. Elle rencontre un succès mitigé dans les rangs de la majorité et une franche hostilité dans ceux de l'opposition.

Élections-trahison !

Les gauchistes, isolés, légalement interdits, leurs journaux saisis et leurs organisations dissoutes, ne peuvent que répéter sur tous les tons « Élections-trahison ! ». Certains, plus virulents, mais moins politiques, préfèrent crier « Élections-piège à cons ! ». Mais partis politiques et syndicats les désapprouvent. La majorité des Français ne veut plus les entendre. Malgré quelques signes de sympathie de la part du PSU et de la CFDT, leur isolement total les pousse à se replier sur eux-mêmes. Par endroits, ils brûlent quelques panneaux électoraux et s'empoignent avec des militants gaullistes ou communistes. Rageurs, ils constatent que « la

France veaute ». En juin, le mouvement qu'ils ont tant contribué à lancer leur échappe. Ils accusent vigoureusement le PCF de trahir l'esprit révolutionnaire. Quant à la

MOINS DE 21 ANS
voici votre bulletin de VOTE

gauche socialiste, elle est jugée trop sclérosée pour mériter leur attention...

Pourtant, les gauchistes prédisent avec lucidité l'issue du scrutin. Aux élections de 1967, 50 députés ont obtenu leur siège avec moins de 1 000 voix de majorité. Les journalistes d'*Action* en déduisent que, « Salan libéré, le Front uni de la réaction va faire trébucher bien des élus de gauche. Il faudrait se faire bien des illusions pour croire que des voix vont manquer au parti de l'ordre ».

Une campagne violente : 4 morts, des dizaines de blessés.

Une multitude d'incidents, plus ou moins graves, ponctuent une campagne électorale brève mais tendue. Dans les salles de villages, comme dans les rues des grandes villes, d'un groupe à l'autre on échange des arguments, mais aussi des injures ou des coups. Les attentats contre des locaux d'organisations politiques, des sièges de journaux ou encore au domicile de certains candidats sont le lot quotidien (8 explosions pour la seule ville de Nice !). Chaque nuit, dans une ou deux villes de France, des militants isolés sont sérieusement rossés, des colleurs d'affiches s'affrontent à la matraque et, parfois, au revolver. En une douzaine d'endroits, les armes aboient, des blessés tombent dans les deux camps. Parfois, la bagarre aboutit à une bataille rangée, comme à Carcassonne où 2 personnes sont blessées par des coups de fusil de chasse. A La Rochelle, des propagandistes UDR pris à partie par les habitants d'un immeuble tirent sur la façade : une femme de soixante et onze ans reçoit une balle en pleine tête. Elle survivra. Ce n'est pas le cas de Marc Lanvin, membre du PC, qui le 30 juin collait à Arras des affiches en faveur de la FGDS. Un adversaire l'abat presque à bout portant. La campagne électorale fait 3 autres morts : 2 à la Guadeloupe, où des partisans de l'UDR sont brûlés vifs dans une camionnette, et 1 dans la circonscription nord de la Martinique.

Une majorité solide et cohérente.

Au lendemain du premier tour, le décompte des voix permet de juger de l'influence de chacun des partis. Le verdict est net : l'UDR progresse dans tout le pays; la gauche recule en nombre absolu et en pourcentage de voix. Les formations centristes fléchissent, sauf à Paris, et les nouveaux petits partis — Technique et Démocratie, et le Mouvement pour la Réforme d'Edgard Pisani — sont éliminés. Au deuxième tour le 30 juin, l'UDR triomphe. Elle obtient la majorité absolue à l'Assemblée nationale. Un réflexe conservateur et la peur de la

Une campagne électorale violente.

guerre civile ont joué pleinement en faveur du gouvernement. De plus, la majorité des étudiants n'ont pas le droit de vote.

A gauche, le scrutin majoritaire accentue la défaite. C'est la déroute : 34 élus au PC contre 73 en 1967, et 57 à la FGDS contre 121. Le PSU progresse par le nombre de ses suffrages mais il n'obtient aucun siège, alors qu'il en détenait 3 en 67. Le PCF accuse le coup. Il perd 2,5 % de ses voix sur l'ensemble du pays, mais une analyse plus fine fait apparaître un recul beaucoup plus sévère dans certains de ses bastions ouvriers. A Lens, ville minière, le PCF ne recueille que 11 000 voix, contre 15 000 en 1967. En Seine-Saint-Denis, banlieue industrielle, où les grèves ne sont pas terminées, il perd 5 % d'électeurs, soit le double de la moyenne nationale. Enfin, des dirigeants subissent un désaveu

---

Trois morts aux Antilles

A la Guadeloupe, de nombreux partisans du docteur Hélène (UDR) décident de se rendre en un convoi d'automobiles de Port-Louis à Anse-Bertrand (fief de l'opposition). Dans les jours précédents, des bagarres faisant plusieurs blessés dans les deux camps avaient déjà opposé les partisans de la droite et de la gauche. Cette fois, ces derniers s'opposent au passage du convoi, qui est lapidé. Un cocktail Molotov enflamme la bâche d'une camionnette dont les 8 occupants sont brûlés à des degrés divers. Une semaine plus tard (le 2 juillet), 2 des blessés (Gaëtan Popotte et Rémy Lollia) meurent, des suites de leurs brûlures, à Paris où ils avaient été transférés, ainsi que 2 personnes grièvement atteintes.

D'autre part, dans des circonstances encore mal éclaircies, un Antillais est tué au cours d'une bagarre électorale à la veille du premier tour de scrutin dans la circonscription nord de la Martinique.

La campagne aura donc fait 3 morts et de nombreux blessés aux Antilles.

LE VOTE NE CHANGE RIEN LA LUTTE CONTINUE

L'été sera-t-il chaud ?

Marginalisés par les élections, les gauchistes s'époumonent à répéter que le pouvoir est dans la rue. Les plus durs d'entre eux s'accrochent à l'espoir d'un été chaud; les autres pensent à un automne rouge. Leurs journaux déversent des commentaires ironiques ou acides sur la débâcle électorale de la gauche : « L'opposition ne verra guère son rôle diminuer avec le nombre de ses sièges : il était pratiquement nul

Les dernières braises de mai.

En juillet, tandis que les partis de gauche pointent nostalgiquement leurs voix, les syndicats font le décompte de leurs nouveaux adhérents qu'ils tentent de persuader de « l'importance des conquêtes de mai ». Pourtant tout n'est pas fini. Après le deuxième tour des élections, le 30 juin, une poignée d'irréductibles refuse toujours la reprise du travail. Ces quelques milliers de grévistes de l'été sont négligés par la grande presse, oubliés par les confédérations syndicales qui ne les men-

---

Le dernier carré

Dans les Ardennes, un dernier carré de « grévistes de mai » s'obstine jusqu'au 16 juillet. En grève depuis le 20 mai, les ardoisiers de Fumay luttent à la fois pour améliorer leurs conditions de travail — les plus jeunes gagnent moins de 500 F par mois — et pour conserver leur emploi.

La direction souhaite, en effet, fermer certaines carrières dont elle juge le rendement trop faible et licencier une partie du personnel. Pendant des semaines, elle ne fait aucune proposition importante car elle compte sur l'effondrement du mouvement. Mais la solidarité régionale joue. Des collectes et des dons permettent de tenir : l'Intersyndicale de l'usine Arthur Martin distribue des fonds aux grévistes sous forme de bons d'achat qu'elle garantit; de son côté, l'ancien Comité de grève de chez Porcher renaît pour la circonstance et distribue 4 000 F de soutien. Le 11 juillet, des cheminots, des enseignants et des ouvriers des Ardennes tiennent un meeting de solidarité.

Mais, le 13 juillet, le directeur des ardoisières décrète le licenciement collectif de tout le personnel. La grève ne se termine officiellement que le 16 juillet, avec la promesse de la réouverture prochaine d'une des trois carrières.

Les carriers de Fumay ont, comme leurs camarades de la manufacture d'armes de Bayonne, en partie échoué, mais ils ont refusé de considérer les licenciements comme une fatalité. L'exemple sera suivi.

Avec les ouvriers d'une cartonnerie de Bordeaux, ils ont formé au lendemain du 14 juillet le dernier carré des grévistes « de mai ».

---

sans équivoque en enregistrant les plus fortes baisses du parti : Ballenger perd 5,14 % des voix et Waldeck-Rochet 5,62 % !

La FGDS recule en moyenne de 2,5 % — mais dans son fief ouvrier du Nord, la baisse est plus sensible. Les dirigeants nationaux sont plus durement sanctionnés que les idées socialistes : Gaston Defferre perd 4,27 % des voix, Guy Mollet 4,43 % et François Mitterrand 12,38 %. L'élite parlementaire de gauche, en reculant sensiblement plus que la moyenne de son parti, se voit ainsi désavouée. La valse hésitation de mai a déplu. Même Michel Rocard n'échappe pas à cette règle : il perd 4 % de ses voix alors que le PSU progresse.

Les candidats de la majorité profitent peu de cette hémorragie de voix ouvrières. Déçus par la tournure des événements, les militants les plus durs ont voulu marquer leur désapprobation par une abstention. En Seine-Saint-Denis par exemple, le taux d'abstentions est supérieur à la moyenne nationale. Dans les banlieues ouvrières, alors que les grèves ne sont pas totalement terminées, le désenchantement est certain.

sous la législature précédente » *(Action)* et ils appellent de manière incantatoire à « continuer le combat ». De fait, dans les usines comme dans les facultés, le feu couve encore sous la cendre.

tionnent pas ou peu dans leurs hebdomadaires et, le plus souvent, abandonnés par les autres travailleurs qui, désabusés, se consacrent à nouveau aux joies des congés payés et du tiercé. Pendant ce temps le drapeau rouge flotte encore sur des usines de Bordeaux, de Chazelles (Loire), de Lyon, de Nice, de Paris...

Il s'agit de petites ou de moyennes entreprises parfois en difficultés financières. Dans les plus importantes — Leclanché à Bordeaux, CIFTE à Lyon, Vernier à Nice — le travail reprend au début du mois sans que le personnel ait obtenu satisfaction. Ailleurs, le patronat

le pouvoir est dans la rue

A Nantes, les travailleurs des Batignolles refusent de capituler.

vriers reprennent le travail. Ils sont les derniers. Leur « mai » a duré cinquante-huit jours !

Méconnues, les grèves de juillet se déroulent dans l'indifférence quasi générale; l'exaltation des journées de mai a disparu et seule la solidarité locale joue encore. La répression est parfois sévère : à Issy-les-Moulineaux, 38 personnes (dont 3 délégués syndicaux) seront licenciées à la fin du mois; de même, chez Citroën, plusieurs dizaines de grévistes ne seront pas réembauchés à l'automne. Nous sommes là bien loin de « la grève des pétanqueurs ».

refuse de négocier et durcit sa position. A Nantes, le lock-out est décrété. A Lyon, dans une petite entreprise, les 16 grévistes sont licenciés. A Saint-Julien-en-Chapteuil (Haute-Loire), le 4 juillet, un délégué syndical est pris à partie par des antigrévistes.

A côté de ces dernières braises, de nouveaux conflits surgissent à Sourdeval, dans la Manche, ou à Montluçon chez Dunlop; à Nevers, chez Star, le patron riposte par un lock-out de plusieurs jours. Chaque fois, il s'agit d'obtenir dans l'entreprise l'application d'un « constat de Grenelle » controversé.

Dans les villes « chaudes » en mai et juin, de nouveaux débrayages,

indices d'une tension persistante, se produisent en juillet : à Dunkerque, les dockers débraient pendant vingt-quatre heures; à Sochaux, les chaînes sont paralysées à trois reprises; au Havre, le personnel des remorqueurs bloque le port pendant trois jours; à Issy-les-Moulineaux, la production de la CSF est perturbée par des grèves tournantes jusqu'au 12 juillet.

A cette date, quelques grévistes « de mai » tiennent encore dans une cartonnerie de Bordeaux, à l'ORTF (120 journalistes de la télévision) et aux ardoisières de Fumay (Ardennes). Là, deux des trois carrières sont fermées le 16 juillet et une centaine d'ou-

en lutte pour les libertés syndicales

CGT - CFDT

CITROEN

Dans les Ardennes se forme le dernier carré de grévistes.

De leur côté, tous les étudiants n'ont pas encore capitulé. C'est seulement après les derniers flonflons de la fête nationale que la grande colère de mai s'apaise. Elle a duré plus de deux mois. Cependant, en cet été 1968, une minorité militante persiste à croire que « la Révolution n'est pas foutue ! »

Le baroud d'honneur des étudiants.

« Vidangeons la Sorbonne ! » criaient, en mai, les militants d'extrême droite. Le 16 juin, après une campagne bien orchestrée, la Sorbonne, « foyer de maladies vénériennes » et « lupanar permanent » est livrée aux équipes de la

La contestation étant considérée par certains comme une maladie, il importe de désinfecter soigneusement...

préfecture de la Seine qui procèdent à une désinfection en règle et au ponçage des inscriptions; l'Odéon subit le même sort. On tourne ainsi une page de l'histoire du mouvement étudiant.

Mais, pour plusieurs semaines, drapeaux rouges et noirs flottent encore sur de nombreuses facultés, à Paris comme en province. Inquiet de la résistance violente des ouvriers à Sochaux et à Flins, le gouvernement procède au coup par coup dans les universités. Cette prudence lui fait perdre du temps : les Beaux-Arts ne sont fermés que le 27 juin; Nanterre, le

La mort de Jimmy le Katangais

Le 10 juillet 1968, un promeneur découvre dans un bois, à proximité de Vernon, un corps à demi calciné dans un duvet de camping. Quelques jours plus tard, l'autopsie permet d'identifier la victime : Jean-Claude Lemire, né en 1943 près de Pau. Ce dernier a été abattu d'une balle de pistolet dans la nuque, puis son assassin a tenté de faire disparaître le cadavre en l'arrosant d'essence et en l'incendiant.

L'enquête établit qu'une 2 CV, retrouvée à quelques kilomètres du bois, avait été volée à Paris près de l'annexe Censier et que Lemire est beaucoup plus connu sous le nom de Jimmy, chef en mai-juin des « Katangais » de la Sorbonne. Des mandats d'arrêt lancés contre d'autres « Katangais » permettent d'en arrêter une douzaine, dont l'assassin de Jimmy, un légionnaire déserteur.

Les mobiles du crime n'ont jamais été clairement établis.

L'attaque du campus d'Orléans

Dans la nuit du 15 au 16 juin, les étudiants du campus universitaire d'Orléans dorment à poings fermés lorsque d'une dizaine de véhicules débarque une centaine d'hommes. Promptement, ces derniers encerclent militairement quatre bâtiments. Ils blessent à la tête le veilleur de nuit qui refuse d'ouvrir. Ils pénètrent dans les couloirs et pistolet, matraque ou poignard au poing, commencent une rafle systématique. Ils tirent un à un étudiants et étudiantes de leur lit, les réunissent en pyjama et pieds nus dans la cour. Puis ils effectuent un tri : les étrangers et tous ceux qui sont réputés gauchistes doivent réunir les documents « subversifs » et les brûler dans la cour. Les coups pleuvent. Les installations de « radio » intérieure de la fac sont saccagées ainsi que divers bâtiments. Les agresseurs ne se retirent qu'au petit jour, abandonnant leurs victimes contusionnées et transies.

Vers 6 heures, le même jour, à Olivet près d'Orléans, quatre étudiants trotskistes sont attaqués et rudement sortis de leur lit. L'un des agresseurs tire à balle, sans l'atteindre, sur un étudiant qui réussit à s'enfuir. Dans les deux cas, les forces de l'ordre interviennent trop tard.

Des agressions à rapprocher de l'opération « Stades » qui avait été annulée le 29 mai, non sans réticences de la part de certains éléments d'extrême droite.

diants, réduisant ainsi les « Comités d'occupation » à une poignée de militants et de marginaux. Au petit jour, des forces de l'ordre, volontairement nombreuses et armées jusqu'aux dents, découragent toute tentative de résistance. Les occupants sont alors embarqués pour un soigneux « contrôle d'identité » quelquefois suivi d'inculpations.

Du 15 juin à la mi-juillet, le mouvement étudiant ne disparaît pas totalement. A Grenoble, 600 délégués de l'UNEF se réunissent à la recherche d'une nouvelle stratégie. A Paris, les nuits d'élections et les bals de la fête nationale donnent encore l'occasion aux CRS et aux jeunes de s'affronter autour de la place de la Bastille. Au quartier Latin, le 20 juillet, claquent les dernières grenades lacrymogènes, de mini-barricades

« Prises de guerre » à l'Odéon.

Derniers soubresauts au quartier Latin.

4 juillet; la faculté de médecine de Paris et les trois grandes facultés de Toulouse, le 8 juillet au matin; les « Arts décos », les « Langues O », la Cité universitaire internationale (tous trois à Paris) et les bâtiments des scientifiques d'Orsay, plus tard encore. A la veille du 14 juillet, des temples de la contestation subsistent en province.

Cependant, le mouvement s'effiloche irrémédiablement. Ce n'est qu'un baroud d'honneur et le processus de fermeture est partout comparable : le découragement gagne la majorité des étu-

Besançon : la normalisation

A la faculté des lettres de Besançon, les militants communistes étudiants, pratiquement muets depuis un mois, font leur réapparition le 13 juin. Ils ont fondé un « Comité pour une université démocratique » : deux jours plus tard, les membres d'un nouveau Comité provisoire de gestion, comprenant 4 professeurs, 4 étudiants et 2 représentants du personnel administratif, doivent être élus. Le Comité d'action (extrême gauche), avec qui les professeurs refusent de collaborer, appelle au boycott de la consultation.

Le 15 juin, il y a 1 000 votants chez les étudiants; une liste de droite obtient 1 élu, et les étudiants communistes 3. Le « nouveau pouvoir légal » décide de fermer les bibliothèques et interdit l'« affichage sauvage » dans la faculté. Le Comité d'action réplique en enfonçant les portes des bibliothèques et en affichant systématiquement en dehors des panneaux réservés. Les Assemblées générales, expression de la démocratie directe, se succèdent, mais elles ne réunissent plus que 300 étudiants.

Le bureau local de l'UNEF intervient alors et, n'étant lié à aucun des deux comités antagoniques, propose, le 19, la formation d'un organe de gestion mixte chargé de résoudre la crise. Le Comité provisoire de gestion, qui comprend une forte proportion de militants communistes, refuse : il exige la totalité du pouvoir et l'expulsion des « gauchistes ». Il décide, en outre, que la faculté sera fermée tous les soirs à 20 heures, en raison de « déprédations et de vols scandaleux ».

Les membres du Comité d'action jouent alors leur dernière carte : « Il faudra nous mettre dehors par la force », déclarent-ils solennellement. Le 20 juin, premier soir de la « fermeture », le transformateur « saute », et le Comité provisoire de gestion, à qui obéit l'électricien, prétend ne pouvoir faire réparer la panne avant plusieurs jours...

La longue veille du dernier carré des militants d'extrême gauche se déroule dans le grand hall à la lueur des chandelles. Après deux jours d'occupation symbolique, ils ne sont plus que 20; le découragement les gagne alors et ils décident d'abandonner la partie. La faculté des lettres a été « normalisée ».

s'élèvent, des pavés volent, des blessés crient. Puis, le silence. Force reste à la police.

Les « universités d'été ».

Privé du solide support que représentaient les facultés occupées jour et nuit, le mouvement s'effrite. Le retour à la réalité est dur. La majorité des étudiants déserte les amphithéâtres le temps d'un été; une minorité, persuadée que « la vie est ailleurs », quitte définitivement l'Université pour camper fièrement sur les marges de la société de consommation. Pourtant, quelques militants s'accrochent à l'espoir d'une possible « université d'été ».

Dans la fièvre de mai, une idée généreuse a pris corps : ouvrir les universités au monde du travail. En juin, l'UNEF tente de préciser ce projet à partir de quatre thèmes dominants : la « nouvelle université », la « nouvelle culture », le « nouvel internationalisme » et le « pouvoir ouvrier ». Ainsi, les facultés deviendraient, l'été durant, autant de centres permanents où, sans notation, sans titres et sans hiérarchie, chacun pourrait apprendre et enseigner. Ce beau projet échoue en juillet, car le gouvernement n'a pas l'intention d'entretenir sur ses

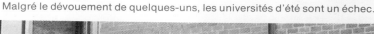

Malgré le dévouement de quelques-uns, les universités d'été sont un échec.

En juillet, le festival d'Avignon donne lieu à de nombreux incidents.

deniers des brasiers contestataires jusqu'à la rentrée d'octobre. Mais l'échec a également des causes internes. Les quelques tentatives qui ont eu lieu sont trop improvisées. Le corps enseignant renâcle, soucieux de ses titres, de ses privilèges et de ses vacances. De rares maîtres de conférences et quelques assistants acceptent l'expérience. A Lille, avec l'accord de l'administration, à compter du 2 juillet, des cours gratuits d'astronomie, d'économie régionale et d'arts plastiques sont organisés; y participent des syndicalistes enseignants, étudiants et ouvriers; le stade et la piscine, ouverts à la population, contribuent, ainsi que les soirées dansantes, à resserrer les liens. D'autres essais, à Montpellier, à Grenoble, ou à Bourges, ne rassemblent pas les foules; le cadre demeure trop étranger aux travailleurs et l'Assemblée générale favorise les beaux parleurs, les dictateurs du verbe chez qui les théories plus ou moins fumeuses l'emportent sur les aspects pratiques de la question. Pour eux, la Révolution (sociale ou culturelle) est surtout l'occasion d'élans oratoires et d'inépuisables sujets de dissertation. Cette attitude décourage rapidement les quelques travailleurs qui s'étaient risqués dans les amphithéâtres. En Bretagne, une quarantaine d'étudiants de Rennes adoptent une solution originale. Ils quittent leurs murs pour s'installer à Rostrenen, dans les Côtes-du-Nord,

chez des paysans, et travailler avec eux. Le soir, ils organisent des débats et une animation culturelle. L'expérience se révèle plus fructueuse que celle d'une centaine de maoïstes qui décident

de consacrer l'été à une « longue marche » dans les campagnes. Ils s'embauchent dans des fermes pour y porter la bonne parole révolutionnaire et « se rééduquer au contact des masses ». Le plus souvent, ils se font exploiter comme ouvriers agricoles sans pour autant convaincre leurs compagnons. Localement, des liens se noueront pourtant entre des petits paysans et des étudiants. Pendant que la « Révolution » s'achève prosaïquement parmi les betteraves et les tomates, d'autres intellectuels, peu nombreux, se présentent sagement aux rituels concours du CAPES et de l'agrégation. Dans bien des cas, les épreuves sont annulées en raison de l'opposition d'une majorité de contestataires : à Lille, 9 candidats sur 80 inscrits en lettres acceptent de composer; à Aix et dans de nombreuses autres villes, le concours est reporté. Pourtant, cette année-là, on décernera tout de même des diplômes... La machine universitaire, bien ébranlée, veut ainsi donner la preuve qu'elle a résisté à la tempête.

Festival en Avignon

En juillet 1968 comme tous les ans, se tient en Avignon un festival culturel de grand renom. Des artistes de théâtre et de cinéma, des musiciens y retrouvent une foule bigarrée venue de la France entière et de plusieurs pays étrangers.

Foule peu au goût de la municipalité et du CDR régional. Ce dernier, appuyé par une hargneuse campagne de *la Gazette provençale,* mène la vie dure aux jeunes « chevelus ».

Les incidents débutent le 18 juillet à Villeneuve-lès-Avignon, où le préfet du Gard interdit la représentation d'une pièce de théâtre du Chêne noir intitulée *la Paillasse aux seins nus.* Le soir même, des tracts de protestation circulent dans Avignon, où d'autres troupes refusent de jouer et convoquent les spectateurs à des débats. Vers 18 h 30, des heurts avec la police se produisent dans les rues, suivis d'arrestations pour contrôle d'identité. Puis, les jours suivants, un climat passionnel se développe dans la ville. *La Gazette* dénonce les repris de justice, les maoïstes et autres étrangers venus semer la pagaille dans ce beau festival, et conclut : « Il faut nettoyer Avignon ! » Plus tard, après la représentation des ballets Béjart, de nouveaux accrochages se produisent, et la droite dénonce la « mollesse » (très relative !) des forces de l'ordre : « Il se pourrait que les Avignonnais n'aient pas besoin des CRS... » Le cap de la parole est allègrement franchi le lendemain : un groupe dirigé par des membres des CDR attaque le lycée Mistral où loge la petite communauté du Living Theater, accusée de pornographie. Puis la chasse au contestataire s'organise dans les rues. Des jeunes sont « tabassés » et passés à la tondeuse. Certains ne doivent leur salut qu'à l'intervention des gendarmes mobiles. Selon *la Gazette* se dérouleraient chaque soir « des scènes ahurissantes d'obscénité... » justifiant cette « colère des habitants ». Le 27 juillet, le maire interdit toute manifestation sur la voie publique en même temps que la pièce *Paradise Now,* « contraire à l'ordre public ».

Interdits, charges de police, ratissages organisés par les « braves gens » et gaz lacrymogènes tiennent lieu de clôture à ce festival 68.

Retour à la normale, certes...
mais rien n'est plus comme avant.

RETOUR A LA NORMALE....

les comptes de mai

Juillet 1968 : les dernières fleurs de mai achèvent de se faner.
« Cette révolution a accouché d'une souris ! », soupirent les désenchantés. « Ce n'est qu'un début, continuons le combat ! », scandent quelques acharnés qui préparent déjà « leur nouveau mai ». Mais pour tous, dans tous les camps, l'heure des premiers comptes, et des premiers règlements de comptes, est venue.
En juillet, l'ouvrier regarde curieusement ses feuilles de paye; certains journalistes de l'ORTF vont s'inscrire au chômage; les murs bariolés des facultés font connaissance avec la ponceuse; le macadam recouvre le pavé; les « élus de la peur » se réunissent au Palais Bourbon, exigent du gouvernement qu'il « réprime dans l'instant toute tentative de troubler l'ordre public » et parlent de « réajustements » au sein d'une majorité où l'UDR croit pouvoir peser d'un poids écrasant.
La France a bien du mal à digérer la crise de mai-juin.

« Normalisation » à l'ORTF

L'ORTF a été paralysée pendant plus de cinq semaines. Les journalistes de la télévision, qui ont formé le dernier carré de la contestation dans les milieux de l'information, ont voté la reprise du travail le 12 juillet seulement... La grève a sans cesse mis en avant les mots d'ordre d'indépendance et d'objectivité de ce « service public » que devraient être la radio et la télévision.
Pour le gouvernement, les mass media constituent un instrument indispensable à l'exercice de son pouvoir. Aucun compromis n'étant donc possible, dès la fin du mouvement les responsables politiques vont se livrer à une véritable reprise en main de l'Office, qui s'accompagne de licenciements massifs.
Le 15 juin 1968, le gouvernement a fait connaître au personnel de l'Office la nature de ses « ultimes propositions ». Il accorde des hausses de salaires relativement importantes; la formation d'un Comité d'entreprise; le rétablissement des commissions paritaires supprimées en 1964; il réforme, enfin, le conseil d'administration. Celui-ci passe de 16 à 24 membres, le gouvernement y conser-

« A bientôt, liberté chérie ! »

vant toujours la majorité, puisqu'il nomme directement la moitié des membres et que siègent, en outre, 4 « personnalités hautement compétentes », en fait désignées par lui. Le personnel, qui avait 2 représentants, en élit désormais 5. Unique modification importante : le Service de liaison interministériel pour l'information, qui fonctionnait en mai 68 comme une véritable censure politique préalable, est supprimé fin juillet.

Mais il n'y aura pas de « Comité des sages » (c'est-à-dire de personnes réellement indépendantes de l'autorité politique) pour contrôler et garantir l'objectivité de l'information. C'est le nouveau conseil d'administration qui sera chargé de veiller « à la qualité et à la moralité des programmes... et à l'objectivité et à l'exactitude des informations ».
Quand, le 27 juin, les journalistes de la radio décident de reprendre le travail, ils se voient à leur grande surprise conseiller de « prendre des vacances »; à ceux qui insistent, il est signifié par la direction de l'Office qu'ils doivent rentrer chez eux et attendre une éventuelle convocation individuelle de réembauche.
Le 31 juillet, le Conseil des ministres décide de procéder à des « allégements d'effectifs », justifiés par la « simplification des services ». L'ORTF emploie 12 000 personnes; or, les « allégements » ne frappent que les services d'information, qui emploient moins de 250 journalistes, mais ils les frappent de façon draconienne. 40 % du personnel est d'un seul coup mis à pied : il y a 55 licenciements, 28 mutations d'office et une dizaine de mises à la retraite anticipée. Les syndicats font immédiatement remarquer que ces mesures ne touchent aucun « journaliste jaune ».

Une vaste purge frappe, de surcroît, le personnel « pigiste » de l'ORTF. Nombre de journalistes, de metteurs en scène, de réalisateurs et de comédiens ne sont pas, en effet, considérés comme des employés permanents de l'Office, mais sont payés « à la tâche », au cachet; ils travaillent en quelque sorte sur commande. Au cours de l'été, une « liste noire » des militants de mai est, selon l'Intersyndicale, dressée dans les milieux de l'information, du spectacle et du cinéma. Les « trublions » ne sont plus embauchés nulle part, et les artistes mis à l'index se voient « interdits d'émission ». Il va de soi qu'offi-

20 novembre décide de créer un Conseil interministériel pour l'information. Chacun se demande si ce nouvel organisme n'est pas le Comité de liaison reconstitué sous un autre sigle. Mais le ministre de l'Information se répand en bonnes paroles : le Conseil interministériel, assure-t-il, n'a aucun rapport avec l'ORTF. Devant les sénateurs qui manifestent leur scepticisme, il promet : « L'ORTF jouira désormais d'une très grande autonomie. » Mais, l'année suivante, Georges Pompidou, à peine installé à la présidence de la République, supprime le ministère de l'Information et rattache directement l'ORTF aux services

tâche qui ressemble à la quadrature du cercle : il s'agit, ni plus ni moins, de désamorcer la poudrière universitaire en donnant satisfaction aux revendications étudiantes sur le plus grand nombre de points possible, mais aussi de sauvegarder le contrôle de l'État sur le fonctionnement des universités.

L'autonomie sous tutelle.

Le 19 septembre 1968, le projet de réforme est présenté en Conseil des ministres. Le texte prévoit que les étudiants auront toute liberté pour « s'informer sur les problèmes politiques, économiques et sociaux » de la France contemporaine ! Il est bien précisé que cette « information » ne devra en aucun cas être « unilatérale » et encore moins « partisane », mais l'« introduction de la politique à l'Université » suscite l'hostilité de la majorité des membres du gouvernement, qui ont développé une véritable psychose du gauchisme. Il faudra l'intervention personnelle du général de Gaulle pour qu'Edgar Faure obtienne finalement gain de cause.

Même réticence parmi les députés UDR. Christian Fouchet, auteur de la réforme universitaire précédente, déclare : « Je suis convaincu que le projet fait courir au pays un véritable risque. » En décembre, le CDR de Dijon, bientôt soutenu par celui de Caen, relance la polémique; le ministre, accusé publiquement de faire le lit du gauchisme, taxe ses détracteurs de « préfascistes » !

Mais l'essentiel n'est pas là. La loi d'orientation sur l'enseignement supérieur reprend à son compte les revendications d'autonomie, de participation et de pluridisciplinarité exprimées au cours du mois de mai. Les nouvelles universités se forment et s'administrent librement; les étudiants, les personnels administratifs, les professeurs titulaires et les assistants (professeurs non titulaires) élisent dans chaque département, baptisé Unité d'enseignement et de recherche (UER), un Conseil de gestion; une fois regroupés en nouvelles universités de 12 000 étudiants environ, les Conseils d'UER éliront à leur tour un Conseil d'université, instance « souveraine et autonome ».

Dans tout ce processus, le rôle de l'État semble nul. Ce n'est qu'une apparence. L'autonomie, effecti-

Dans la « maison de verre », un retour de bâton.

ciellement de telles pratiques n'existent pas... Chaque refus d'embauche se trouve justifié par le fait que quelqu'un d'autre, plus « adapté » ou plus « compétent », a été préféré...

Au mois d'octobre 1968, l'ORTF a donc été remise au pas. Mais l'inquiétude du gouvernement demeure. Les journalistes de mai n'étaient-ils pas, pour la plupart, considérés comme des créatures du pouvoir ? N'y avait-il pas parmi eux des gaullistes convaincus, qui, tout en poursuivant leur mouvement de grève, ont été défiler sur les Champs-Élysées le 30 mai ? Il faut s'assurer qu'un tel « scandale » ne pourra plus se renouveler.

Le Conseil des ministres du

du Premier ministre... Le gouvernement conservera longtemps encore le contrôle de l'information parlée.

La revanche des mandarins

Les journalistes de l'ORTF ont été victimes d'un pur et simple « retour de bâton ». Il n'en saurait être de même pour les étudiants : dès avant 1968, le gouvernement s'était convaincu de la nécessité d'une très profonde réforme de l'Université.

Le nouveau ministre de l'Éducation nationale, Edgar Faure, se voit, en juillet 1968, confier une vement accordée en ce qui concerne le fonctionnement au jour le jour des universités, se double d'un contrôle gouvernemental en matière de finances et de délivrance de diplômes. Deux restrictions qui se révèlent décisives.

Les Conseils d'université établissent bien leur budget comme ils l'entendent, mais ils ne sont pas maîtres de leurs ressources. L'État, principal bailleur de fonds, fixe le montant global de la somme à dépenser chaque année. Le ministre s'attribue, en fait, un pouvoir politique inavoué : l'administration peut jusqu'à un certain point « fermer le robinet » et acculer telle université de son choix à la faillite, ou, au contraire, « faire couler le pactole » et favoriser le développement de telle autre.

De même, les Conseils universitaires sont théoriquement maîtres de l'organisation de leur enseignement, de leurs programmes et de leurs examens. Mais le ministre définit les « conditions minimales » qui donneront à certains titres valeur de diplômes natio-

naux. Si une UER ne respecte pas ces « exigences », les étudiants concernés devront recommencer leurs études s'ils changent d'université, et, de toute façon, ne seront pas admis à se présenter aux concours de recrutement des professeurs, qui sont directement organisés par l'État.

La tutelle ministérielle sur les universités a donc bien disparu, mais l'autorité centrale s'assure la capacité de sanctionner après coup toute « originalité pédagogique » par trop marquée. L'autonomie universitaire est une liberté surveillée.

Tout le pouvoir aux enseignants.

La participation des étudiants à la gestion des universités est, de plus, fortement limitée. Les Conseils d'UER ne sont pas désignés au suffrage universel des intéressés, mais à l'issue d'un vote par « collèges électoraux » séparés. Chaque catégorie (professeurs titulaires, assistants, personnels administratifs et étudiants) nomme un nombre prédé-

terminé de représentants : les enseignants, pris dans leur ensemble, disposeront toujours de la majorité des voix.

Au sein du « collège étudiant », les élections se font au scrutin de liste à un tour sans possibilité de panachage; les élus sont, sur chaque liste, désignés à la proportionnelle des voix. Cela signifie qu'un individu isolé ne peut se présenter au suffrage de ses camarades; l'initiative appartient aux seules organisations syndicales étudiantes reconnues. Autre restriction fondamentale : si le nombre des suffrages exprimés n'atteint pas 60 % du nombre des étudiants inscrits, les sièges prévus ne sont pas attribués en totalité. Les étudiants les plus jeunes, qui sont aussi les plus nombreux, sont, enfin, obligatoirement sous-représentés par rapport à leurs camarades plus âgés.

Toujours dans le même esprit, le projet de loi exclut les représentants étudiants des votes concernant l'organisation des examens, l'attribution des grades, le recrutement et l'avancement des enseignants. Le président de l'univer-

Le ministre de l'Éducation nationale présente sa réforme à la faculté de Médecine.

A la rentrée 1968, une agitation sporadique renaît en France : le 6 novembre, des étudiants occupent la faculté des Sciences de Grenoble.

SNESup, où la majorité « activiste » de 1968 est renversée au mois de mars 1969. Une alliance tactique s'est formée au début de l'année entre la droite « apolitique et modérée » et les enseignants proches du PC. Lors du congrès annuel du syndicat, l'opposition accuse la direction en place de dévoyer le mouvement revendicatif du corps professoral, en prenant parti dans la lutte politique nationale. La motion d'orientation « Action syndicale » est adoptée à une large majorité, et l'extrême gauche, désavouée, présente sa démission. Une direction homogène de partisans de la participation lui succède.

Les professeurs titulaires vont alors pouvoir se livrer en toute quiétude (ou presque : le « péril gauchiste » est toujours là) aux délices de la loi d'orientation. Très vite, les vieilles clientèles mandarinales se reconstituent, doublées, cette fois, de clivages politiques et pédagogiques qui exacerbent les passions. La réorganisation des universités favorise cette évolution, puisque les professeurs ont, en 1969-1970, la possibilité de former librement les nouvelles universités « pluridisciplinaires ». L'enrichissement de la médecine par le droit international constitue le plus souvent un alibi de façade, mais qu'importe : on se regroupe sans l'avouer en fonction de critères politiques et financiers. C'est ainsi qu'apparaissent des universités de droite et des universités

E. Faure cède la place à son successeur, O. Guichard.

sité sera choisi parmi les seuls professeurs titulaires.

L'ensemble de ces dispositions restrictives sonne en fait le glas du mot d'ordre : « Pouvoir étudiant ! », qui fut au centre de la « révolution universitaire » de mai.

Boycott étudiant, politique professorale.

La loi d'orientation est adoptée le 11 octobre 1968 dans une bizarre atmosphère d'euphorie : elle recueille à la Chambre des députés 441 voix contre 0; il y a 39 abstentions (6 UDR et les 33 communistes).

Aussitôt, Jacques Sauvageot fait savoir que « l'UNEF va lutter contre la nouvelle réforme comme elle a combattu la réforme Fouchet. Il n'est pas question pour

nous d'améliorer l'Université. La bataille reprendra dès que les cours recommenceront et que les étudiants seront revenus ». Un mot d'ordre fait l'unanimité des organisations d'extrême gauche : « Boycott étudiant ! »

Pourtant, la mise en place de la loi d'orientation va diviser profondément le milieu universitaire. Aux activistes d'extrême gauche s'oppose une solide coalition d'enseignants et d'étudiants « modérés » et communistes, qui optent pour la participation et sont bien décidés à « jouer le jeu » à tout prix. Alors que le bureau national de l'UNEF préconise le boycott, certaines associations locales de ce syndicat présentent des listes officielles...

La modification se révèle beaucoup plus radicale au sein du

de gauche, des universités novatrices et des universités traditionalistes. Dans ces dernières, la vieille pratique des cours magistraux fleurit à nouveau sans complexe.

La « politisation de l'Université », tant redoutée par l'UDR, constituait depuis longtemps une réalité pour les étudiants. Mais la loi d'orientation politise à outrance le corps professoral : celui-ci apprend très vite les techniques permettant la conquête des appareils administratifs, et il consacre désormais une grande partie de son temps à une « petite guerre de clans » pour le contrôle du pouvoir universitaire.

Les préoccupations libérales, qui avaient en apparence présidé à l'élaboration de la réforme, se sont spontanément transformées en leur contraire lorsqu'on en est arrivé à leur réalisation pratique. L'opposition des hommes politiques de droite à Edgar Faure n'a pourtant pas désarmé. Le ministre est brutalement remercié par Georges Pompidou en juin 1969, moins d'un an après son arrivée au ministère. Le nouveau président de la République déclare au cours d'une conférence de presse, le 10 juillet : « L'heure était venue de faire un bilan, une mise au point, peut-être de procéder à certaines adaptations. Et il nous a semblé que, pour cette tâche, il valait mieux que ce ne soit pas le même homme qui l'entreprenne. » Le gouvernement appuiera désormais ouvertement le pouvoir des mandarins.

Salaires, prix et profits

Neuf millions de grévistes ont, en mai 68, clairement manifesté leur volonté de transformer leurs conditions de travail et de vie. Après le « retour à la normale », il leur est possible d'établir le bilan de ce qui a réellement changé, de ce qui reste promesse en l'air et de ce qui s'avère ne constituer qu'un avantage éphémère.

Les mirages de Grenelle.

Sur la plupart des points abordés, le constat de Grenelle se contentait de vagues déclarations d'intention et prévoyait de nouvelles consultations. Or, les suites de Grenelle constituent, à une exception près, une véritable déconvenue pour les syndicats ouvriers.

L'un des principaux chevaux de bataille de la CGT et de la CFDT était, depuis 1967, l'abrogation des ordonnances sur la Sécurité sociale. Georges Pompidou avait promis qu'il soumettrait ces dispositions à l'approbation de l'Assemblée nationale. Le débat se déroule effectivement les 22 et 23 juillet 1968, mais il se termine par la transformation pure et simple des ordonnances en texte de loi.

Les négociations prévues pour le retour progressif aux 40 heures n'eurent jamais lieu; en un an, le temps de travail moyen des ouvriers passe de 46,3 heures à 46,1 heures par semaine ! Même échec en ce qui concerne la progression du pouvoir d'achat des salariés.

La conférence prévue s'ouvrira pourtant le 4 mars 1969 au ministère des Affaires sociales, rue de Tilsitt. En janvier, la CGT reprend sa revendication d'« échelle mobile des salaires » et organise, seule, une journée d'action le 12 février.

Mais, dès la fin du mois, le gouvernement décide unilatéralement quelles augmentations de salaires seront appliquées à la fonction publique et au secteur nationalisé. Alors que les syndicats demandent 10 % au minimum, dont 6 % à titre de rattrapage sur l'augmentation du coût de la vie, le gouvernement n'accorde que 4 %.

Rue de Tilsitt, le patronat privé, arguant de ses « difficultés », refuse toute idée d'échelle mobile et n'accorde que le maintien du pouvoir d'achat pour 1969. Bien plus, les augmentations destinées à compenser les effets de l'inflation prendront pour date de référence le 1er janvier 1969, c'est-à-dire que le manque à gagner accumulé au cours du second semestre de 1968 ne sera pas rattrapé.

L'intransigeance du gouverne-

La manifestation intersyndicale du 11 mars 1969 à Paris.

ment et du patronat suscite l'indignation des syndicats, qui appellent à la grève générale pour le 11 mars. Les services publics et le secteur nationalisé sont totalement paralysés ce jour-là, et des dizaines de milliers de travailleurs défilent dans de nombreuses villes de France. Mais rien n'y fait : le gouvernement, qui s'est donné comme objectif prioritaire la lutte contre l'inflation, se refuse à la moindre concession.

Inflation, spéculation, dévaluation.

Commence alors une interminable polémique portant sur la valeur pratique des indices officiels d'augmentation du coût de la vie. La CGT s'insurge contre les calculs de l'INSEE, basés seulement sur l'évolution des prix de 259 articles arbitrairement choisis. Elle leur oppose ses propres estimations mensuelles.

Si l'on se réfère à cet « indice syndical », presque deux fois plus élevé que l'indice officiel, on en arrive à la conclusion que le SMIG se déprécie sensiblement entre juin 68 et décembre 1969, et que le pouvoir d'achat des salariés horaires se retrouve à l'automne 1969 au niveau de ce qu'il était en avril 1968 ! De l'aveu même de la CGT, les gains salariaux de Grenelle ont été un leurre, puisqu'ils ont été annulés en moins de dix-huit mois.

Gouvernement et patronat rendent, quant à eux, les accords de Grenelle responsables de l'inflation et, par effet de conséquence, de la dévaluation du franc que certains présentent comme inéluctable.

En septembre 1968, le contrôle des changes, instauré en juin à titre de mesure d'urgence, est supprimé. Les mouvements de capitaux redeviennent libres. En même temps, l'État fait adopter une « impasse budgétaire » de 13,7 milliards de francs. La Banque de France fournit 4 milliards en billets neufs, les banques privées avancent 5,7 milliards, et 4 autres milliards sont « empruntés » à la trésorerie des PTT, de la

10 août 1969 : après la dévaluation du franc, la Bourse en activité.

22 novembre 68 : faux bruits et agitation boursière.

SNCF, des collectivités locales... Grâce à ces liquidités, mises en circulation d'un seul coup, les achats à crédit et, plus généralement, la consommation intérieure se développent vigoureusement. 20 milliards de francs supplémentaires, estiment les spécialistes, ont finalement été déversés sur le marché, sans que la valeur des biens matériels disponibles ait augmenté en proportion. « L'inflation, disent-ils, est inéluctable dans ces conditions. »

En prévision d'une possible dévaluation, les importateurs français constituent des stocks très importants, et les détenteurs de « capitaux flottants » pensent à mettre leur fortune à l'abri en Allemagne fédérale ou en Suisse.

Début novembre, la « défiance des riches » prend des proportions inquiétantes. Le 22, certains journaux prévoient une dévaluation de 10 %, qui sera décidée le lendemain en Conseil des ministres.

Coup de théâtre : le 23 novembre, pour des raisons politiques de prestige international, le gouvernement refuse de dévaluer.

Des mesures draconiennes sont alors décidées : l'État pratique 2 milliards d'économies; il rétablit le contrôle des changes et se lance dans une politique d'austérité, c'est-à-dire qu'il freine la consommation intérieure en réduisant les hausses de salaires, en décourageant les achats à crédit et en favorisant l'épargne. Malgré un renforcement du « contrôle des prix », les salariés sont les premières victimes de l'opération.

A long terme, la situation financière de la France se révèle malgré tout intenable. Sur le marché monétaire international, les gros spéculateurs continuent à parier sur la dévaluation de la monnaie française. Pour soutenir le cours du franc chancelant, la Banque de France intervient quotidiennement, et les réserves en devises du pays fondent comme neige au soleil, alors que le déficit commercial prend des proportions inquiétantes.

Le 8 août 1969, Georges Pompidou, nouveau président de la République, opère une « dévaluation à froid », c'est-à-dire effectuée par surprise. La décision a été prise le 16 juillet, et le taux de dépréciation du franc, qui rétablit des parités réelles, est de 12,5 %, supérieur donc aux augmentations salariales obtenues depuis le 1er janvier 1968.

Nombreux sont les ouvriers qui voient dans cette mesure, après neuf mois de « politique d'austérité », une « revanche économique » d'autant moins justifiée qu'à partir de l'automne 1968 la production industrielle française sort de son marasme. La crise conjoncturelle de 1967 est résorbée en quelques mois, et l'expansion se poursuivra vigoureusement pendant plusieurs années. Des rancœurs tenaces recommencent à s'accumuler.

Les acquis de mai

Une seule des « concessions » arrachées à Grenelle représente une véritable conquête pour la classe ouvrière : le libre exercice des activités syndicales à l'intérieur des entreprises.

Il existe, de plus, une catégorie de « laissés-pour-compte » qui voit sa situation profondément transformée : les ouvriers agricoles sont reconnus comme des travailleurs à part entière par les « accords de Varenne », signés le 6 juin 1968, et qui étendent les dispositions de Grenelle aux salariés de la campagne.

L'exercice du droit syndical.

A l'automne 1968, le gouvernement, conformément à ses promesses, rédige un projet de loi sur l'exercice des droits syndicaux dans l'entreprise. Les désaccords persistent pourtant jusqu'au bout entre organisations patronales et confédérations ouvrières.

Le texte du gouvernement est plutôt favorable aux salariés. Il prévoit la liberté pour tous de constituer des sections syndicales au sein des entreprises de plus de 50 employés; celles qui en emploient plus de 100 devront, en

outre, fournir un local, reconnaître les délégués syndicaux comme représentants du personnel, et leur allouer un crédit d'heures payées pour leur permettre d'accomplir leur tâche.

Le patronat demande que la loi ne soit applicable qu'aux entreprises de plus de 300 salariés; les syndicats ouvriers émettent quelques réserves. Ils protestent, en particulier, contre l'interdiction de collecter les cotisations syndicales sur les lieux et pendant les heures de travail, et contre le fait qu'un seul local soit prévu pour toutes les sections syndicales d'une même entreprise. La CGT regrette, en outre, que le nombre des délégués et le contingent d'heures payées soit le même pour toutes les sections syndicales reconnues, quel que soit le nombre de leurs adhérents. Mais les trois plus grandes centrales ouvrières déclarent que, malgré tout, un grand pas vient d'être franchi.

La loi est adoptée par les députés le 5 décembre 1968 par 438 voix contre 4 (3 RI et 1 UDR) et 22 abstentions, c'est-à-dire presque à l'unanimité. Deux modifications, au détriment des ouvriers, ont été apportées au texte gouvernemental. Seules les entreprises employant plus de 200 salariés seront obligées de fournir un local aux sections syndicales, et il faudra, pour être élu, avoir au moins vingt et un ans, au lieu des dix-huit initialement prévus.

L'ensemble de ces dispositions, qui sont très nouvelles en France, légalisent l'action et favorisent l'intégration des syndicats au sein des entreprises; elles ont pour effet d'accroître l'importance des grandes confédérations nationales, puisque, dorénavant, les ouvriers qui décideront de s'organiser devront, pour jouir des avantages légaux, s'affilier à une centrale préexistante. La plupart des Comités de lutte et des Comités d'action formés en 68 sont condamnés à une lente disparition.

De son côté, le syndicat CFT, qui ne fait pas mystère de ses sympathies anticommunistes, proteste contre l'adoption du projet de loi, qu'il juge « antidémocratique et discriminatoire ».

Mais, à la base, les ouvriers sont souvent décidés à ne pas s'en tenir là. Au cours du premier semestre 1969, des négociations s'ouvrent au niveau des entrepri-

ses afin d'y organiser l'action des syndicats. Un accord, signé le 6 juin 1969 à la Rhodiaceta, dépasse de beaucoup la stricte application de la loi. Les locaux syndicaux de chaque usine du groupe sont ouverts aux personnes étrangères à l'établissement (y compris, donc, aux leaders politiques), et la direction s'engage à verser chaque année 250 000 F aux caisses syndicales. Cette somme, en plus du contingent d'heures payées dont disposent les délégués, doit permettre aux sections de développer leurs activités.

Les accords de Varenne.

Autre modification profonde issue des accords de Grenelle : la situation des salariés agricoles.

Du 30 mai au 6 juin 1968, 5 fédérations de salariés et 29 organisations patronales ont discuté, sous la présidence du ministre de l'Agriculture, de l'extension des mesures prises à Grenelle à tous les travailleurs de la campagne. Les résultats se révèlent décevants pour les 150 000 employés des entreprises « para-agricoles », c'est-à-dire pour les ouvriers des coopératives et des usines de conditionnement des produits de la ferme. En revanche, les salariés agricoles obtiennent, grâce aux luttes menées en mai, des avantages substantiels.

La suppression du SMAG et l'augmentation du SMIG font passer le salaire horaire de 150 000 personnes de 1,92 F à 3 F, soit une hausse, suivant les zones, de 56,2 % à 59,4 % ! Les salaires supérieurs au nouveau SMIG sont augmentés de 10 % et, chose importante, les sommes que les agriculteurs peuvent retenir en contrepartie des « avantages en nature » qu'ils fournissent (nourriture et logement) sont fixées par décret : 15 F par mois pour un logement d'une pièce, et 7,5 F par jour pour la nourriture — soit au maximum 2 h 30 de travail quotidien.

Mais les accords de Varenne constituent avant tout une victoire syndicale pour les salariés des champs. Du fait de leur dispersion très accentuée dans les fermes petites et moyennes, le nombre des syndiqués était peu élevé en 1968 (8 %), et l'action des responsables rendue très difficile, d'autant qu'aucun statut légal ne leur était jusqu'alors reconnu. L'innovation est donc totale : dans les zones d'exploitation familiale, il sera possible de nommer des « délégués syndicaux interentreprises », qui représenteront tous les syndiqués d'une commune ou d'un canton et jouiront, face à chacun des agriculteurs concernés, des mêmes droits que n'importe quel délégué syndical d'une grande entreprise industrielle.

Les conventions collectives sont, enfin, rendues obligatoires pour les associations départementales d'employeurs (il n'en existait que dans les Pyrénées-Atlantiques), et tous les grands domaines doivent créer des comités d'entreprise.

Pour les salariés de la terre, 1968 constitue l'année 01 de leur émancipation légale.

Le coup de boomerang politique

Aux yeux du général de Gaulle, la « contre-offensive » politique doit se terminer, après l'éclatante victoire de la majorité aux élections législatives, par l'opération décidée le 26 mai, mais qu'il avait jusque-là soigneusement tenue secrète : le remplacement de Georges Pompidou par Maurice Couve de Murville. Le président de la République déclare à son ancien collaborateur : « Je souhaite que vous vous teniez prêt à accomplir toute mission et à assumer tout mandat qui pourraient vous être un jour confiés

par la nation. » De l'avis unanime des observateurs, Georges Pompidou a été « mis en réserve de la République ».

Mais le trouble demeure au sein des groupes parlementaires : le nouveau gouvernement reproduit exactement les dosages politiques de l'avant-mai, « comme s'il n'y avait pas eu d'élections ». L'UDR, qui détient à elle seule la majorité à la Chambre, se considère comme injustement sous-représentée; les RI, qui se sentent, en revanche, les dindons de la farce, fulminent de voir leur principal leader évincé de la présidence de la commission des Finances au Palais Bourbon. L'un d'eux déclare : « Dans la République, nous sommes pour le moment en réserve de la majorité. »

Pour tout arranger, une cinglante boutade, attribuée au président de Gaulle, circule dans les milieux « informés » : « Je vais faire une politique PSU avec le PSF ».[1]

« L'ombre blafarde du référendum » (L'association des maires de France).

Si le « référendum sur la participation » a été définitivement abandonné le 30 mai, le président n'en veut pas moins profiter de la situation pour réaliser cette « réforme de structure », qui lui tient à cœur. Il lui est possible d'avoir recours à la voie législative en ce qui concerne la « participation dans l'entreprise » et « à l'Université », mais le troisième volet de son projet pose un problème constitutionnel.

Il s'agit, en effet, de créer des Assemblées régionales de gestion, où siégeraient côte à côte les représentants des collectivités locales et des différentes catégories socioprofessionnelles; et en même temps, de transformer le rôle et les attributions du Sénat : celui-ci s'adjoindrait les membres du Conseil économique et social et fonctionnerait sur le modèle des Assemblées régionales. Mais il est contraire au droit de la Ve République de donner un pouvoir législatif à des « parlementaires » qui ne seraient pas des élus au suffrage universel de *toute* la population. Il faudra donc faire du nouveau Sénat une Assemblée purement consultative, et cela

suppose une modification de la Constitution.

Le général de Gaulle décide alors de faire aboutir cette réforme par voie de référendum, et, suivant son habitude, il a recours au vote bloqué : les électeurs devront approuver ou rejeter *à la fois* la « régionalisation » et la transformation du Sénat.

La publication du projet suscite une véritable levée de boucliers. Le refus de la gauche est immédiat, clair et net : la régionalisation administrative, dit-elle, ne modifie en rien le centralisme culturel et politique qui pèse sur les provinces françaises; la création d'un Sénat comprenant les représentants des « catégories socioprofessionnelles » rappelle en outre fâcheusement certaines institutions corporatives et verticales instituées par Franco en Espagne et développées par Hitler en Allemagne.

Les centristes se déclarent favorables à la régionalisation (« Ce n'est qu'un début, mais cela va dans le bon sens »), mais s'opposent à la réforme du Sénat. Jacques Duhamel, député PDM, demande que le référendum soit divisé en deux questions distinctes, « faute de quoi la consultation ne sera pas honnête ».

Mais de Gaulle ne veut rien entendre : il refuse de souscrire aux

De Gaulle parti, la « nouvel

Des militants régionalistes contre la régionalisation gaulliste.

ACTION

ÓME D'ÒC
as dreit a la paraula

Contre référendum :
debout les damnés de la terre

PARLA !

1. Le Parti social français (PSF), d'extrême droite, a été fondé en 1935 après la dissolution des Croix-de-Feu.

liance » majoritaire.

ment. Le 14 avril, Valéry Giscard d'Estaing déclare : « Je n'approuverai pas personnellement le projet de loi. » Et les membres de la Fédération qui apposent ou laissent apposer des affiches en faveur du « oui » sur leurs panneaux électoraux se font vertement tancer par Michel Poniatowski.

Georges Pompidou, le dauphin trop remuant.

Parmi les grandes formations nationales, seule l'UDR mène activement campagne en faveur du « oui ». Mais les choses se compliquent lorsque au mois de janvier 1969, Georges Pompidou déclare : « Si le général de Gaulle venait à se retirer, je me porterais candidat à sa succession... Je ne suis pas du tout pressé. » Le président réplique en Conseil des ministres : « J'ai le devoir et l'intention de remplir mon mandat jusqu'à son terme. »

Le 25 avril, deux jours avant le scrutin, de Gaulle parle. Devant l'avalanche des défections et l'importance électorale des hommes politiques qui s'opposent à lui, il jette une fois de plus son mandat dans la balance. Mais Valéry Giscard d'Estaing a déjà finement fait remarquer que la candidature anticipée de Georges Pompidou enlève à cet ultime argument une bonne partie de son poids : personne ne peut croire qu'« après de Gaulle, ce sera le déluge ». Le recours au plébiscite rejette d'ailleurs dans le camp des partisans du « non » le centriste Jacques Duhamel, qui s'était jusque-là montré très hésitant.

La porte de sortie.

Le 27 avril 1969, les « non » l'emportent par 53,17 % des suffrages exprimés. Dans ce résultat, les votes centristes et « modérés » ont été déterminants.
Si l'on prend, par exemple, le

Le soir du référendum.

exigences minimales des centristes; les partisans du « oui » se font pourtant de moins en moins nombreux et, au sein même de la majorité, l'unanimité est loin d'être réalisée.

Valéry Giscard d'Estaing en réserve de la majorité.

Au mois de décembre 1968, le président des RI a fait savoir qu'il considère comme inopportune l'organisation d'une campagne électorale en 1969, puis, en janvier, désapprouve le recours au référendum pour modifier la Constitution.
Mis devant le fait accompli, les responsables RI se partagent en deux camps : les ministres et les parlementaires de la formation se prononcent pour le « oui » par « discipline majoritaire », mais Valéry Giscard d'Estaing et Michel Poniatowski maintiennent leur opposition de principe. L'affaire est portée devant les instances centrales de la Fédération. Le 10 avril, 21 dirigeants se déclarent pour la liberté de vote, 19 pour le « oui », 5 pour le « non » et 3 pour l'abstention.
Officiellement, les RI ne se prononceront pas au sujet du référendum, mais partisans du « oui » et du « non » n'en continuent pas moins à s'engager individuelle-

département du Puy-de-Dôme, dont Valéry Giscard d'Estaing est l'un des cinq députés, on constate qu'au premier tour des législatives de 1968 la majorité (UDR et RI) a recueilli 46,44 % des voix. Un an plus tard, le « oui » n'en recueille que 41,49 %, soit une diminution de 5 %. Inversement, dans le département de l'Orne, la majorité avait obtenu, en 1968, 47,01 % des suffrages; le « oui » en obtient 51,04 %, soit une augmentation de 4 %. C'est que, dans ce département, les candidats centristes s'étaient assuré au premier tour des élections législatives 35,79 % des voix.

On peut donc dire que, si une petite partie des voix centristes, favorables à la régionalisation, s'est portée sur le « oui », une partie des voix de la majorité s'est solidarisée avec l'opposition, suivant le vœu « personnel » de Valéry Giscard d'Estaing. Au niveau national, la majorité avait recueilli le 23 juin 1968, en métropole, 47,79 % des voix; au référendum, le « oui » n'en recueille que 46,82 %. Les « fuites » RI ont été légèrement plus importantes que les « ralliements » centristes.

Dès le 28 avril à midi, le général de Gaulle cesse d'exercer ses fonctions. La conspiration des « politiciens » a finalement eu raison de lui, mais, par rapport à la situation du 29 mai 1968, les « fidélités » se sont bizarrement inversées : alors que les RI avaient soutenu le président en mai, certains d'entre eux le « lâchent » maintenant; le « parti de la trouille » au sein du gaullisme a, en revanche, resserré les rangs.

Le « scénario de la relève », mis au point en catastrophe en 1968, se réalise dans le calme. Georges Pompidou, qui n'est plus Premier ministre et dispose de toute sa liberté de mouvement, pose instantanément sa candidature, et l'ensemble de la majorité se rallie à lui.

A gauche et au centre règne en revanche la plus totale confusion.

Le tandem Deferre - Mendès France.

Au sein de l'ancienne union de la gauche, l'heure est, à la fin de 1968, aux récriminations. Pour

Les gros titres à la « une ».

une partie de la FGDS, la défaite électorale de juin a prouvé que la politique d'entente avec le PCF ne recueille pas l'approbation des Français : il faut donc en changer. François Mitterrand « paye » sa conférence de presse du 28 mai en se voyant contraint de démissionner de son poste de secrétaire général au profit d'Alain Savary. Pendant presque un an, il restera « sur la touche ».

Bien plus, la « fusion » des différentes familles de la gauche non communiste en un nouveau Parti socialiste, prévue depuis longtemps pour 1969, paraît compromise.

Les 8 et 9 mars 1969, le parti radical socialiste se prononce à une écrasante majorité pour le maintien de son indépendance.

L'invasion de la Tchécoslovaquie par les armées des pays membres du pacte de Varsovie, le 20 août 1968, empoisonne, d'autre part, les relations entre le PCF et ses partenaires socialistes. Celui-ci a « officiellement désapprouvé » l'intervention militaire, mais, en 1969, il se refuse obstinément à condamner la « normalisation » — c'est-à-dire l'éviction progressive des dirigeants du « Printemps de Prague » et les purges qui sévissent dans le pays — car il s'agit, selon lui, d'affaires internes à un parti et à un État frères.

Les socialistes se divisent alors en deux camps : la majorité de la SFIO, avec Guy Mollet et Gaston Defferre, se prononce contre tout programme commun de gouvernement avec le PC, et affirme qu'il est possible de parvenir au pouvoir en s'alliant avec tous les « démocrates d'opposition ». La CIR et divers clubs, ainsi que la tendance CERES au sein de la

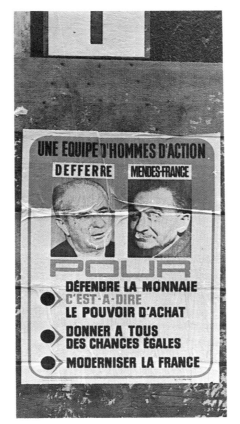

Defferre-Mendès France.

SFIO, voudraient « malgré tout » maintenir la stratégie d'union de la gauche.

L'élection présidentielle de 1969 constitue une bonne occasion de trancher le débat : après l'échec de l'union de la gauche en 1968, les partisans de la « troisième voie » vont pouvoir tenter leur chance.

Le 29 avril 1969, Gaston Defferre fait savoir qu'il est candidat. Face à ce qu'il considère comme un coup de force, le PCF se résigne à présenter l'un de ses membres comme candidat « d'union ».

L'extrême gauche, cette fois, abandonne son attitude de boycott : le PSU désigne son secrétaire général, Michel Rocard, et la Ligue communiste, issue de la JCR, se fait représenter à la télévision par Alain Krivine.

La soudaine ambition du père tranquille.

Le succès de la « stratégie de troisième voie », préconisée par Gaston Defferre, suppose le silence des socialistes partisans de l'union de la gauche. Ceux-ci acceptent de se taire, dans la mesure où, dans leur esprit, il est exclu qu'un communiste puisse, grâce à eux, s'installer à l'Élysée. Mais il suppose aussi le ralliement massif des centristes. Or, ceux-ci répugnent à porter à la magistrature suprême un socialiste, qui reste malgré tout pour eux un « homme de gauche ».

Jean Lecanuet, puis le Parti radical-socialiste se tournent vers Alain Poher, qui, hésitant au début, cède à cet ensemble de sollicitations et pose à son tour sa candidature.

Gaston Defferre a compris le danger. Pour tenter de remonter le courant, il fait savoir que, s'il est élu, il a l'intention de nommer Pierre Mendès France Premier ministre. Mais « l'homme providentiel de Charlety » n'est susceptible de mobiliser l'électorat non

Alain Poher.

Alain Poher, une figure de circonstance

Alain Poher, inconnu en 1968, doit sa carrière politique plus aux circonstances qu'à l'originalité de sa politique.

A l'automne 1968, Gaston Monnerville, président du Sénat depuis vingt et un ans, refuse de se représenter, car il veut, dit-il, « avoir les mains libres pour lutter contre le projet de référendum ». Alain Poher le remplace : c'est un « centriste de conciliation ». De par sa fonction, il devient l'un des porte-parole des partisans modérés du « non ».

Installé à l'Élysée après le départ du général de Gaulle, il se déclare décidé à maintenir l'ordre à tout prix et à organiser les élections présidentielles dans la plus stricte neutralité, ce qui lui vaut l'approbation de la police et de l'armée.

La place qu'il occupe dans les affaires politiques de l'heure et la sympathie que suscitent sa bonhomie et son honnêteté font de lui un candidat idéal de ralliement pour les centristes de l'opposition modérée.

Quelques candidats à la course pour l'Élysée : Michel Rocard,

... Alain Krivine,

communiste qu'en cas de « péril national immédiat ». Or, la France est calme, et la continuité constitutionnelle assurée en la personne de Georges Pompidou comme en celle d'Alain Poher.
Il est dès lors évident que la décision se fera entre ces deux candidats qui, présentant des programmes similaires en politique intérieure, se disputent en partie le même électorat.
Georges Pompidou finit par l'emporter : le centriste Jacques Duhamel se rallie à sa « majorité d'ouverture », car : « Pourquoi changer d'homme alors que l'héritier du gaullisme promet les changements que nous avons toujours souhaités ? »
Le 1er juin, au premier tour de l'élection, Georges Pompidou, avec 44 % des suffrages exprimés, recueille 3 400 000 voix de plus que Gaston Defferre et Alain Poher réunis. Ce dernier n'a de chances de l'emporter au second tour qu'à condition de bénéficier des voix de la « gauche unie » qui se sont

portées sur le candidat communiste. Mais, comme la raison d'être de sa candidature était justement d'interdire à cette gauche toute possibilité de parvenir au pouvoir, il se forme au second tour un tiers parti, celui des abstentionnistes. Le PCF mène une vive campagne axée sur le thème : « Pompidou - Poher : bonnet blanc et blanc bonnet. » Le candidat de la majorité l'emporte donc à l'issue du second tour, le 15 juin, avec 57,5 % des suffrages exprimés, score apparemment supérieur à celui du général de Gaulle en 1965. Mais ces chiffres « constitutionnels » masquent une lente érosion de l'audience de la majorité : par rapport aux inscrits, la perte se chiffre à 7,5 % de 1965 à 1969.

Retour au point de départ : la France coupée en deux.

Les formations politiques sont amenées à tirer des élections présidentielles de 1969 des conclusions opposées à celles des législatives de 1968.
L'UDR sait désormais que, même majoritaire à la Chambre des députés, elle ne peut régner sans l'accord de ses alliés. Bien plus, pour faire face au reflux de ses voix, il lui faudra s'acheminer vers une politique de ralliement du centre si elle veut durablement conserver le pouvoir.
La « compromission » avec Jacques Duhamel, « un ennemi de toujours du général de Gaulle », irrite une minorité de gaullistes, qui, au nom de la « pureté doctrinaire du mouvement », accusent le nouveau président de trahir l'« héritage » par désir de conserver le pouvoir à tout prix. Dans les années qui suivent, les « gaullistes

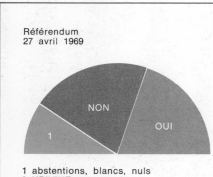

Référendum
27 avril 1969

Election Présidentielle
1er tour : 1er juin 1969

Election Présidentielle
2e tour : 15 juin 1969

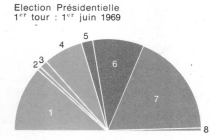

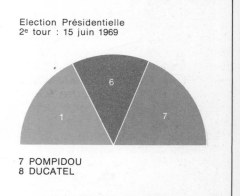

1 abstentions, blancs, nuls
2 KRIVINE
3 ROCARD

4 DUCLOS
5 DEFFERRE
6 POHER

7 POMPIDOU
8 DUCATEL

Reclassements électoraux 1969.

1968 - 69	1969			1969 - 74
PARTIS ET GROUPES	27 - 04 REFERENDUM	01 - 06 1er TOUR	15 - 06 2e TOUR	PARTIS ET GROUPES

EX. GAUCHE / **GAUCHE UNITAIRE** / **CENTRE** / **MAJORITÉ**

- ML et LO → BOYCOTT → ML et LO (EX. GAUCHE)
- LC → KRIVINE / ABSTENTION → LC
- PSU → ROCARD → PSU
- PC → DUCLOS → PC (GAUCHE UNIE)
- FGDS : CIR, CLUBS, CERES, SFIO, RAD. - SOC. → NON → POUR UNE CANDIDATURE UNIQUE DE LA GAUCHE → CIR / PS (GAUCHE UNIE)
- DEFFERRE
- POHER / POHER → RAD. de GAUCHE, RAD. VALOISIENS, C.D. (CENTRE)
- PDM : LECANUET, DUHAMEL → NON → CDP
- RI : G. D'ESTAING, MARCELLIN → OUI → POMPIDOU / POMPIDOU → RI (MAJORITÉ)
- UDR → UDR
- DUCATEL

Tableau schématique.

© Delale - Ragache

de gauche », les uns après les autres et en ordre dispersé, passeront à l'opposition.

L'échec patent de la « troisième voie » entraîne, chez les centristes et les socialistes, la disparition des deux grandes figures du moment : Pierre Mendès France et Alain Poher. Il permet, en contrepartie, le retour en force de François Mitterrand, resté jusqu'au bout fidèle à la stratégie d'union de la gauche.

L'ex-FGDS, après les ébranlements du printemps 1969, parviendra finalement à accoucher d'un PS unitaire; la voie est ouverte pour l'élaboration d'un programme commun avec les communistes.

Le centre libéral, qui avait soutenu Alain Poher, se trouve, en revanche, soumis à un long processus de laminages et de scissions, qui entraîne au bout de cinq ans sa disparition en tant que force politique d'opposition.

Le Parti radical-socialiste, de son côté, se coupe en deux : les Radicaux de gauche finiront par devenir la troisième composante de la gauche unie, aux côtés du Parti communiste et du Parti socialiste rénové; les Radicaux valoisiens entreront au gouvernement en 1974, après l'élection de Valéry Giscard d'Estaing à la présidence de la République.

A cette date, il n'existe plus en France que deux grandes coalitions politiques, et la majorité fait directement face à la gauche unie. La « bipolarisation », que favorisent les institutions de la Ve République, est parvenue à son terme.

... Georges Pompidou, et le grand absent François Mitterrand.

mai destruction mai création

« Ce n'est plus comme avant 68. » Depuis une dizaine d'années, cette réflexion revient sans cesse. Que ce soit au sujet de la drogue, de l'écologie, des révoltes de prisonniers, de la crise du clergé ou des grèves sauvages, l'« an 01 » de la contestation est souvent placé en 1968.

Effectivement, cette révolution avortée n'a pas épargné grand-chose. Sans mettre à bas les institutions du régime, elle les a toutes ébranlées. Un ressort est brisé. Bien des gens regardent d'un œil neuf la robe du juge, la soutane du curé, les galons de l'officier ou le costume strict du cadre supérieur. Des femmes n'acceptent plus l'autoritarisme masculin, des étudiants écoutent distraitement leur professeur; dans les ateliers, des ouvriers refusent d'obéir sans murmurer. Partout, chez ceux qui détiennent l'autorité comme chez ceux qui la subissent, le doute s'est insinué.

Cause et effet d'un changement de mentalité, le printemps 68 a prodigieusement accéléré des mutations déjà amorcées dans la société française. Après 68, malgré une majorité parlementaire et un gouvernement conservateurs, la France s'ouvre plus que jamais aux idées nouvelles. L'activité intellectuelle contestataire est intense. Parallèlement aux progrès des courants marxistes, les influences politiques, philosophiques et culturelles des voisins européens, de l'Amérique du Nord ou du Tiers Monde se croisent et se mêlent en un étonnant cocktail. Du marginalisme communautaire inspiré des hippies au sévère « communisme marxiste-léniniste » venu de Pékin, tous les courants de pensée, ultra-minoritaires avant mai, prolifèrent après avec vigueur.

Déboutonnez votre imagination

Déçus par les manœuvres politiciennes, de nombreux fantassins de mai abandonnent le militantisme politique pour se replier sur eux-mêmes. Puisque les bulletins de vote de juin les ont clairement désavoués, ils ne s'occuperont plus d'élections; puisque la France majoritaire a clairement choisi de revenir à sa télévision, son week-end et son bout de gazon, ils se retirent, ils « reprennent leurs billes » et refusent ce mode de vie. Ils tentent de vivre différemment, entre eux, avec leurs lieux de rendez-vous, leur presse, leurs circuits de nourriture et même leur langage imprégné de néologismes anglo-saxons.

L'imagination au pouvoir.

La « freep» (free press).

Après la fervente communion avec les « masses » dans les immenses cortèges de mai, chez les intellectuels le vent tourne en faveur des petits groupes de base. Chacun édite son journal dans son quartier, son lycée, sa région. Sans existence juridique précise, sans dépôt légal ni périodicité régulière, la presse « underground » (souterraine) prolifère. Elle se veut avant tout libre de toute contrainte et se qualifie elle-même de « free press » (presse libre). Réalisées avec des moyens de fortune, la plupart de ces feuilles sont simplement « ronéotées » par leurs rédacteurs. Elles touchent en premier lieu lycéens et étudiants, puis gagnent progressivement de jeunes travailleurs. De rares librairies se spécialisent dans leur diffusion, telles *Actualités* au quartier Latin, *Paral-lèles* et *la Souris papivore* dans le Marais.

Cette presse fait largement appel à la BD (la bande dessinée) et à la caricature, qui connaissent un essor fulgurant. Volontiers corrosive, elle mêle, à dose variable suivant les titres, l'épouvante, la politique, le fantastique, la sexualité et la science-fiction. Outre ces grands thèmes, on y trouve des « tuyaux » utiles sur les concerts de musique « folk » ou « pop », des adresses pour les « routards », des itinéraires de voyage, des articles sur les drogues et leurs effets. Une rubrique se développe très vite : les petites annonces en tous genres, depuis la revente de la 2 CV d'occasion jusqu'à l'appel poignant de l'isolé(e) recherchant des âmes sœurs en vue de fonder une communauté ou de passer une bonne soirée...

Si chacune de ces feuilles demeure confidentielle, avec des tirages variant de 200 à 2 000 exemplaires, leur influence cumulée est non négligeable. Souvent de parution spasmodique, comme *le Citron hallucinogène* ou *le Mégafoutral,* elles sont lues, relues et circulent beaucoup. La plupart succombent au numéro 4 ou 5, mais elles renaissent aussitôt sous une autre forme, en un autre lieu. Bourgeonnant sans cesse, ne craignant ni les scissions, ni « les trous dans la caisse », elles font preuve d'une surprenante vitalité. Dans cette pépinière, quelques beaux plants s'enracinent. Un géant domine les autres : *Actuel.* Lancé avec peu de moyens par une petite équipe de jeunes

rédacteurs groupés autour de J-F Bizot, il parvient en trois ans au confortable tirage de 80 000 exemplaires. Mais le fait même de grandir oblige à abandonner peu ou prou le marginalisme. *Actuel* doit changer plusieurs fois de locaux, employer des permanents et surveiller de plus près sa trésorerie. Craignant de sombrer dans le professionnalisme et en désaccord sur l'avenir, l'équipe d'*Actuel* se saborde en 1976, au grand regret de ses lecteurs.

Aux frontières de la presse parallèle et satirique, une autre pousse vigoureuse : *Charlie Hebdo.* Son équipe hérite du mordant de *Hara-Kiri,* tempéré par une conception plus politique des événements. Cette version soixante-huitarde du *Canard enchaîné* connaît un grand succès et donne naissance à deux rejetons : *Charlie* mensuel, consacré à la bande dessinée, et *la Gueule ouverte,* hebdomadaire écologico-contestataire.

Cette presse parallèle verra s'affirmer des caricaturistes, dessinateurs et journalistes à la plume bien trempée, tels Wolinski, Reiser, Brétecher, Cabu, Delfeil de Ton, Cavanna et bien d'autres.

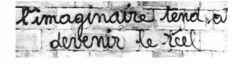

D'autres irréductibles déçus par la tournure des événements décident de changer immédiatement de mode de vie, sans attendre d'hypothétiques victoires électorales ou prolétariennes. Après l'espoir de mai, ils refusent de revenir docilement au cycle « métro-boulot-dodo » et au HLM de banlieue. Lycéens disponibles, jeunes ouvriers en chômage, étudiants en rupture d'université, ils veulent vivre « autrement » dès que possible. Ils souhaitent fonder des communautés humaines soudées et en communion avec la nature. Ils pensent pouvoir renouer avec un mode de vie rural, souvent idéalisé, qui ait pour seul rythme le soleil et les saisons. Ils refusent l'abrutissant travail industriel pour lui préférer l'artisanat, plus créateur.

Ces communautés naissent d'un groupe d'amis, ou de la réunion de plusieurs couples et de leurs

L'idée de la vie en communauté totale, chère

enfants. Ensemble, ils cherchent à inventer des rapports sociaux nouveaux et plus chaleureux. Ainsi, les enfants sont pris en charge par le groupe, les tâches ménagères également réparties entre les hommes et les femmes. Mais tout cela ne va pas sans difficulté : des couples stables se forment qui refusent le changement fréquent de partenaires, des mères s'attachent à leurs enfants plus qu'à ceux des autres, des problèmes d'argent surgissent, d'autant plus graves que des marginaux « de passage » viennent parasiter les communautés en équilibre.

Chaque année, des centaines de jeunes échouent dans leur tentative de vie communautaire, mais ils sont aussitôt remplacés par d'autres. Une partie d'entre eux réussit à s'installer durablement, en particulier dans les Cévennes, l'Ardèche et la Drôme où ils font renaître des villages, rouvrir des écoles. Tissage, poterie, travail du bois ou du métal connaissent une nouvelle faveur.

Ces marginaux d'un genre nouveau contribuent à développer ce que l'on appelle les « techniques douces ». Opposés à l'agriculture industrielle, ils renouent avec le petit élevage, la basse-cour, l'utilisation des engrais naturels. Ils se méfient de la médecine « chimi-

aux socialistes du XIXᵉ s., resurgit avec vigueur.

Dans ces domaines comme en bien d'autres, 1968 amorce une rapide évolution.

La moitié du ciel.

Des femmes ont massivement participé aux grèves et aux manifestations, si dures soient-elles. Elles ont fait preuve d'autant de mordant que leurs camarades masculins. Là où elles étaient majoritaires, elles ont occupé les entreprises, créé des sections syndicales, organisé des piquets de grève et des meetings; ailleurs, si elles sont souvent dispensées de gardes de nuit (sur l'insistance des hommes), elles ne freinent nullement l'action et souvent même y poussent. A Lorient, par exemple, les épouses (non salariées) des marins pêcheurs forment une association pour contribuer à défendre les intérêts économiques de leurs maris. Pourtant, là comme ailleurs, aucun mouvement féministe structuré

Une fois la fièvre retombée, des femmes, peu nombreuses, prennent la parole. Dès 1969, au sein du Mouvement de libération de la femme (MLF), elles dénoncent le « colonialisme », le « sexisme » ou le « racisme » dont elles s'estiment les victimes. Les plus radicales n'hésitent pas à comparer leur situation à celle des « Noirs américains » et envisagent, comme eux, une lutte violente. Elles recrutent surtout dans les universités et chez les intellectuelles.

D'autres militantes, plus modérées, constituent des « groupes femmes » autonomes au sein du PSU et dans les organisations libertaires, maoïstes et trotskistes. Là, elles constatent qu'elles forment la moitié de l'humanité, qu'elles supportent « la moitié du ciel », comme le dit un proverbe chinois. Elles refusent de considérer comme « naturel » le partage du travail au sein des familles et ne veulent plus assumer seules les tâches ménagères et l'entre-

que » pour réhabiliter les vertus des plantes. Dans toutes leurs actions, ils modifient le moins possible les cycles naturels et ont le souci de s'y intégrer, et non de les dominer. Farouchement hostiles aux techniques nucléaires, et à la déification de l'automobile, ils leur préfèrent l'énergie solaire et la bicyclette. Ils forment les premiers bataillons de ceux que l'on va appeler les écologistes. En France comme dans tous les pays industriels, les idées de ces « bouffeurs de carottes », comme les nomment avec mépris les tenants du système, seront largement reprises et développées par la suite.

Oui, notre corps nous appartient

Depuis les origines, le mouvement ouvrier français est essentiellement masculin. La politique reste affaire d'hommes, même si des femmes assurent quelques responsabilités. De plus, on considère volontiers que les problèmes sexuels et de contraception sont affaires individuelles : « La fesse, ce n'est pas politique », affirme-t-on dans les organisations de gauche comme de droite. A chacun de résoudre son problème.

L'émergence d'un puissant mouvement féministe.

n'émerge réellement. Les femmes les plus actives se battent en fonction de mots d'ordre syndicaux ou politiques généraux, mais ne défendent pas encore de revendications féministes. Si quelques voix timides se sont élevées localement pour faire resurgir d'anciennes revendications, telle l'égalité des salaires et des droits, le fracas des grenades et les grandes manœuvres politiques les ont vite étouffées.

tien des enfants. Elles exigent l'égalité des droits et des salaires avec les hommes.

De 1970 à 1973, les idées féministes font des adeptes dans les syndicats, chez les lycéennes, dans les entreprises et même dans les campagnes[1]. A compter

1. L'analyse des quelques voix recueillies dans les villages de Vendée et en Bretagne par Arlette Laguiller aux élections présidentielles de 1974 montre que des paysannes avaient « osé » voter pour elle « parce que c'était une femme et une travailleuse »...

Trois revendications féministes :
— l'égalité des salaires
— le partage des tâches ménagères
— le libre contrôle des naissances.

de 1973, le gouvernement prendra des mesures en faveur de l'égalité des droits administratifs et sociaux entre les hommes et les femmes. L'essentiel de la bataille va alors porter sur les problèmes de divorce, de contraception et d'avortement. Des femmes, ainsi que leurs compagnons, vont revendiquer le droit à disposer librement de leur corps.

« Plus je fais la révolution, plus j'ai envie de faire l'amour. »

Le développement du mouvement féministe et l'aspiration des adolescents à une vie plus libre entraînent un désir croissant d'émancipation sexuelle. L'exaltation des journées de mai a multiplié les occasions de rencontre; pourtant bien des jeunes hésitent encore à consommer des rapports se situant hors du sacro-saint mariage.

« Faites l'amour, pas la guerre ! », scandaient les hippies américains en 1967. En France, si le slogan est repris, l'acte ne suit pas toujours. Chez les militants, même les plus extrémistes, on demeure souvent timide dans ce domaine encore entaché de la notion de « péché de la chair ». Mais le désir est avoué, et des voix sans cesse plus nombreuses s'élèvent pour que l'on enseigne dès l'école les lois de la reproduction et de la contraception. La « pilule », en vente depuis décembre 1967, n'entre que lentement dans les usages.

En 68, un film fait recette dans la France entière. Il s'agit de *Helga, la vie intime d'une jeune femme*. Ce film n'a rien de commun avec les « pornos » des années soixante-dix; c'est une initiation à l'anatomie, et le clou du spectacle consiste en une scène d'accouchement intégralement filmée. Rien de plus naturel, rien de plus sain. Pourtant, des critiques de journaux éprouvent le besoin de mettre le public en garde contre cette scène « qui peut choquer de jeunes spectateurs ». Choquer : à une époque où les écrans de télévision déversent quotidiennement dans les familles des images de guerre, de tueries entre gangsters, des massacres ou des actualités sanglantes, le spectacle d'un accouchement, une scène d'amour ou l'apparition d'un sein nu sur le même écran provoquent une levée de boucliers. Violence oui, sexualité non. La guerre oui, l'amour non. Telle est l'idéologie dominante.

Beaucoup de jeunes supportent mal cette pudibonderie. En mai, des inscriptions parfois insolites apparaissent : « Jouissez sans entraves », « Urbanisme, Propreté, Sexualité » (!?), « Gratuité du coït », « Liberté sexuelle », ou encore « Libérons la fesse ». Partout, les lycéens clament leur profond besoin d'information : à Cholet (Vendée), dans une pro-vince chrétienne conservatrice, des élèves de « Sainte-Marie » se mêlent aux 1 000 potaches qui manifestent dans la rue pour réclamer — entre autres choses — « une éducation sexuelle véritable ».

Puis, au cours des années, le problème est fréquemment posé dans le pays, mais les progrès se révèlent très lents. Bloqués par des lois rigoureuses et freinés par les appareils politiques et syndicaux, des marginaux décident d'avancer seuls. Par réaction contre ce qu'ils jugent du conformisme, ils accentuent leurs attitudes. En avril 1971, dans le « quinzomadaire » *Tout,* ils affirment : « Nous voulons disposer librement de notre corps », et ils publient leur programme :

— L'embrigadement du corps est la condition de la soumission des esprits.

— Avortement et contraception libres et gratuits.

— Droit des mineurs à la liberté du désir et à son accomplissement.

— Droit à l'homosexualité et à toutes les sexualités.

Ces revendications, qui posent encore bien des problèmes, ne sont publiquement reprises que par une minorité : en 1971, une centaine d'homosexuels, organisés au sein du FHAR, se réunissent à l'École des Beaux-Arts; la fraction des militantes féministes ralliées au culte de Lesbos ou les membres des communautés partisans de la sexualité de groupe ne sont guère plus nombreux. Pourtant, au fil des années, ces idées vont s'infiltrer dans les couches les plus diverses de la société. Elles sont en partie récupérées par le monde du spectacle et du commerce. A la grande soif de liberté de 68 succède alors le raz de marée érotique et pornographique. Sex-shops, revues et cinémas spécialisés fleurissent à Paris comme en province, à tel point que les militantes féministes doivent taper sur la table pour rappeler que pornographie et émancipation de la femme sont loin d'être synonymes ! Elles vont alors agir avec le « Planning familial » qui se développe, et surtout avec le Mouvement pour la liberté de l'avortement et de la contraception (MLAC). Aidées de jeunes avocates comme Gisèle Halimi, elles se lancent à l'assaut des citadelles masculines. Pourfendant les « phallocrates », elles défendent la « cause des femmes » et exigent de disposer de leur corps en toute liberté.
Pour la libération des mœurs comme pour le mouvement féministe, mai 68 n'a cependant été qu'une aurore.

Les institutions ébranlées

Le puissant souffle qui s'est levé en mai n'épargne aucune des institutions du pays qui, toutes, vont subir une contestation interne et externe.
L'agitation gagne l'Ordre des médecins, chroniquement remis en cause, la psychiatrie que les soixante-huitards dénoncent comme une « flychiatrie », la magistrature et le clergé.
Seule des grandes institutions, l'armée demeure peu touchée par le gauchisme. Cependant, à partir de 1970, l'incorporation d'« anciens » des barricades dans le contingent donne naissance à une agitation persistante, bien que circonscrite à quelques uni-

Juges rouges et mutineries

Dès juin 68, des magistrats, dirigés par le jeune juge d'instruction Charvet, fondent leur premier syndicat. Étiquetés comme des « rouges » par leurs confrères conservateurs, ils dénoncent bien des pratiques qui, selon eux, favorisent encore dans les procès les puissants aux dépens des travailleurs; ils refusent de considérer les accidents du travail comme de simples fatalités et en recherchent soigneusement les causes, quitte à inculper des patrons ou des cadres, si nécessaire.

En aval de la justice, la contestation gagne les prisons. En juin et juillet 68, des mutineries éclatent à Nantes; premières d'une série, elles vont, à l'exemple des USA et de l'Italie, faire plusieurs morts, détruire des bâtiments et surtout ébranler le système pénitentiaire.

Discrète en mai-juin 68, la revendication régionaliste renaît plus tard.

tés. L'armée ne subit donc qu'un contrecoup de la contestation de l'autorité et un bref regain de politisation (à droite comme à gauche), mais rien ne permet d'affirmer que le malaise qu'elle

---

L'île de Ré indépendante

L'affaiblissement du pouvoir central favorise la réapparition des anciennes tendances fédéralistes de droite comme de gauche. Ainsi, le 24 mai, à la suite d'une échauffourée entre des agriculteurs et des grévistes qui refusent d'acheminer des légumes vers le continent, une assemblée de 10 maires de l'île de Ré (parmi lesquels 2 conseillers généraux) fait une surprenante déclaration : elle menace, si l'ordre n'est pas rapidement rétabli dans le pays, de faire sécession et de déclarer l'indépendance de l'île. Ni plus ni moins !

connaît en 1974-1975 et la création des «Comités de soldats» soient directement liés à mai 68.

Décolonisons la province.

Paradoxalement, en mai et juin, l'État centralisateur est relativement épargné par ses adversaires les plus résolus : les régionalistes. Alors qu'en mars et avril 68 le Front de libération de la Bretagne (FLB) avait lancé une violente campagne de sabotage, n'hésitant pas à détruire 12 véhicules de la CRS de Saint-Brieuc, il cesse son activité avec les premières manifestations étudiantes. Pendant deux mois, l'action des autonomistes est noyée dans la grande grève et l'État se fait (involontairement) plus discret que jamais. Pour quelques semaines, chaque province vit à son rythme et le régionalisme devient souvent un état de fait. Le fédéralisme est pratiqué à la base, de manière parfois insolite comme à l'île de Ré ou à Port-Saint-Louis-du-Rhône.
«Décolonisons la province», titre *Tribune socialiste* en juillet. De fait, à l'automne 68, les mouvements fédéralistes, autonomistes et même indépendantistes renaissent avec vigueur. Des révolutionnaires disponibles après l'échec de juin leur apportent un sang nouveau. Ils veulent tenter dans leur région ce qui a échoué dans le pays. Au sein de petites organisations, ils vont voisiner provisoirement avec de vieux routiers de l'action indépendantiste engagés aux côtés de l'extrême droite pendant l'Occupation. Cela entraîne des crises internes et des scissions, comme au FLB ou chez les Occitans. Progressivement, la situation se clarifie et les mouvements les plus importants s'affirment de gauche. Ils connaissent une vigueur particulière en Corse, en Bretagne, en Occitanie et au Pays Basque; ils se développent aussi en Alsace, tandis que, dans des provinces comme la Savoie, la Normandie ou la Lorraine, on réclame des «pouvoirs régionaux» et une réelle décentralisation de l'État français.

«En cette Pentecôte 68, l'Esprit saint fait irruption dans l'histoire des hommes.»

Au cours du printemps révolutionnaire, l'Église n'a pas eu *une* mais *des* attitudes.

Des chrétiens de gauche réunis au Sacré-Cœur qui symbolise la répression de la Commune de Paris.

Dès le début des grèves, les jeunes ouvriers de la JOC et les prêtres des paroisses ouvrières partent en flèche. Ils soutiennent les revendications syndicales, et certains ne cachent pas leur sympathie pour l'extrême gauche. Il en est de même chez les étudiants de la JEC, dont un membre du groupe Richelieu (Sorbonne) se trouve parmi les inculpés du 5 mai. Pourtant l'Église n'a pas de ligne de conduite précise : si *Témoignage chrétien* affirme vite sa solidarité avec les grévistes, le 31 mai d'autres catholiques défilent avec les CDR pour soutenir le général de Gaulle. Au même moment, l'Action catholique ouvrière publie un communiqué dénonçant «le mépris du chef de l'État» pour les aspirations profondes des travailleurs et le soupçonnant de «chercher à écraser par un rapport de forces l'expression légitime d'une classe ouvrière organisée».
Le lendemain, à Nantes, une déclaration faite en chaire par monseigneur Vial divise les fidèles : l'évêque reconnaît «la valeur des aspirations à la responsabilité et à la justice, qui se sont exprimées dans la vie de nombreux jeunes et adultes durant ces dernières semaines», et il conclut : «En cette Pentecôte 68, l'Esprit saint fait irruption dans l'histoire des hommes pour renouveler la face de la terre...» A l'opposé de cette thèse, des étudiants catholiques nantais combattent le «totalitarisme». Les fidèles de l'Église catholique sont des deux côtés de la barricade. A Paris, tandis que monseigneur Marty prêche l'apaisement et la modération, une cita-

tion affichée sur les grilles de l'église Saint-Jean de Belleville donne à réfléchir sur le trouble qui agite certains chrétiens : «Le principal ennemi est l'homme modéré qui croit, certes, à la justice et à l'ordre, mais place cet ordre au-dessus de la justice — Martin Luther King.»
De son côté, le pape Paul VI prie pour le salut de la France...
A la fin du mois de juin, la peur passée, *la Croix* ne donne finalement pas tous les torts aux étudiants; on peut y lire sous la plume de J. Pouchepadass : «Les groupuscules servent de boucs émissaires... Ils ont fait éclater dans la rue la Liberté contre l'Argent. Qu'en pensez-vous, chrétiens ? Ils ont proclamé l'invention contre le dogmatisme, l'initiative contre la passivité, l'intelligence contre les robots... Notre société est une organisation légale de violence contre la personne.»
Après mai, les Scouts de France, bastion de la jeunesse catholique, subissent une grave crise. Ils refusent la formation d'une élite pour lui préférer l'«action de masse»; n'acceptent plus le culte du héros : «Le héros, c'est la communauté», et abolissent le mythe du chef remplacé par des «responsables». L'uniforme, jugé paramilitaire, est simplifié et la culotte courte, symbole d'infantilisme, abandonnée.
Les grèves et la crise universitaire vont avoir pour conséquence d'accentuer le très ancien clivage entre catholiques de droite et de gauche. Tandis qu'Edmond Michelet estime que «l'Église court derrière l'erreur du XIXe siècle,

lorsqu'elle n'a pas su défiler avec les mineurs du temps de Germinal », Paul VI défend la tradition et rappelle, en juillet 68, que l'Église condamne toute forme de contraception ou d'avortement. Allant encore plus loin, les défenseurs de la messe en latin, de la soutane et de l'Église hiérarchisée se regroupent et dénoncent avec violence les « prêtres rouges ».

Les événements de mai-juin ont eu une grande portée sur l'Église catholique française et ont exacerbé les contradictions en son sein. Pourtant, il est difficile de faire la part de ce qui relève d'une évolution structurelle à long terme (adaptation à notre civilisation) et de l'impact d'une situation révolutionnaire. Cependant, mai et juin vont accélérer l'engagement militant (à gauche comme à droite) de dizaines de milliers de chrétiens et contribuer à ébranler l'unité de l'Église.

Ce n'est qu'un début, continuons le combat

Interdits depuis le 12 juin 1968, pourchassés et matraqués par la police, fichés par le ministère de l'Intérieur, invectivés par le PCF et la presse de droite, les gauchistes font cependant la preuve d'une étonnante capacité d'adaptation : dès l'automne, ils sont à nouveau sur la brèche. Malgré le calme apparent, ils persistent à croire que « ce n'est qu'un début » et que « le combat continue ».

Le Phénix rouge.

Surpris par les décrets de dissolution, les gauchistes tentent, pendant quelques semaines, de poursuivre une existence semi-clandestine : ils multiplient les précautions, ne couchent plus chez eux, brûlent leurs carnets d'adresses, prennent des pseudonymes pour brouiller les pistes. Trop improvisées, ces mesures se révèlent peu efficaces et, à Paris, 40 membres de la JCR réunis secrètement dans une salle paroissiale sont arrêtés en juillet 68. Les arrestations individuelles se multiplient au fur et à mesure que la pénétration et la surveillance policières se renforcent. Les courtes peines de prison et les amendes pleuvent dru.
Gênée dans son action, l'extrême gauche décide alors de modifier

sa tactique; la clandestinité totale ne lui paraissant pas indispensable, elle va simplement « changer de casquette ». Pour cela, les organisations dissoutes utilisent toutes une même astuce : puisqu'elles ne peuvent se reconstituer en changeant seulement de sigle, elles vont fonder un journal qui va servir de pôle de regroupement à un amalgame savant de nouveaux adhérents, de sympathisants et de « dissous »[1].

Les plus prompts à jouer ainsi les Phénix sont les militants de Voix ouvrière. Dissous le 12 juin, ils participent dès le 26 juin à la parution d'un nouvel hebdomadaire, Lutte ouvrière, qui a pour sous-titre : « Pour que mai 68 féconde et régénère le mouvement ouvrier. » A l'automne, des membres de la JCR font de même en publiant Rouge — « Journal d'action communiste » — dont les cercles formeront la Ligue communiste; même opération à la FER qui donne naissance à l'AJS.

Pourtant, aucun de ces nouveaux groupes n'est le simple reflet des précédents; des adhérents nouveaux et des analyses différentes de celles de l'avant-mai les en distinguent. Tous pensent que la révolution est désormais possible dans un pays industrialisé. Mais deux problèmes se posent à toute l'extrême gauche : comment constituer un parti révolutionnaire

1. Seul le 22-Mars, né d'une situation locale, ne survit pas à la dissolution.

et comment le mener à la victoire ? Il y a autant de partis et de réponses que de groupes...

A côté d'organisations stables de 1 000 à 3 000 membres, un intense bourgeonnement se produit. Des groupuscules de quelques centaines de militants (ou moins !) apparaissent et contestent aux autres le droit de « s'autoproclamer en parti révolutionnaire ». Ainsi, en juin 1969, l'AMR se sépare de Rouge; en 1970, la Gauche révolutionnaire s'organise à partir du PSU; en 1971, Révolution tente une difficile synthèse entre des courants maoïstes et trotskistes. Chez les marxistes-léninistes, seul le PCMLF refuse la dissolution et annonce publiquement son intention de poursuivre une lutte clandestine. L'Humanité nouvelle, réduite à quelques pages ronéotées, continue donc de paraître illégalement. Mais des sympathisants et une partie de ses militants fondent à l'automne 1968 des journaux légaux (Provence rouge,

La presse d'extrême gauche : plus vigoureuse qu'avant mai.

Normandie rouge...) qui, en se fédérant, deviennent à partir de février 1969 l'Humanité rouge. A Lyon, en marge du PCMLF est créé Front uni (décembre 1968), ancêtre de Front rouge.

De son côté, l'UJCML, en proie à de vives contradictions internes, éclate en plusieurs courants. Les théories des normaliens de la rue d'Ulm, qui formaient l'essentiel de l'équipe dirigeante en mai 68, n'ont pas résisté plus d'une semaine à l'épreuve de la réalité.

LYCEENS
DESCENDONS
DANS LA RUE

JOURNAL DU MOUVEMENT DU 27 MAI
UN ÉTÉ CHAUD

Juillet 1970   0,90 F

Été 1970 : les « maos » procèdent à quelques opérations spectaculaires. Les lycéens redescendront dans la rue à plusieurs reprises.

Le conflit vietnamien n'est pas terminé.

Le Secours rouge lutte pied à pied contre la répression.

Plus tard, des militants fonderont d'éphémères groupes « basistes » locaux ou régionaux, tels *Ligne rouge, Oser lutter* ou *G. Dimitrov.* Mais les courants maoïstes les plus représentatifs, issus de l'UJCML, sont la Gauche prolétarienne, qui publie *la Cause du peuple,* et l'équipe de *Vive la Révolution,* présente aux Beaux-Arts et à Nanterre. Tous deux contribuent, par des actions spectaculaires et violentes, à maintenir pendant trois ans un climat de mai.

Vers la guerre civile ?

Deux dirigeants maoïstes, Alain Geismar et Serge July, publient en 1969 un ouvrage intitulé *Vers la guerre civile.* Ils y exposent qu'un affrontement *armé* avec la bourgeoisie est inévitable et qu'il faut y préparer les masses. Dans *la Cause du Peuple,* les « maos » comparent les patrons et la police à une armée d'occupation contre laquelle doit se lever « une nouvelle Résistance ». Le journal, périodiquement saisi, est un véritable brûlot. On peut y lire qu'il est juste de séquestrer les patrons, qu'il faut peindre les « petits chefs » en jaune pour les rendre moins arrogants, et à propos de la mort d'un policier en Italie : « Mort aux flics assassins ! »
Cette violence verbale s'accompagne d'actions physiques : des « maos » pillent en plein jour l'épicerie de luxe Fauchon à Paris puis distribuent le butin dans les quartiers ouvriers; d'autres s'emparent

de l'arme d'un policier qui réglait la circulation...
Ensuite, les maos pratiquent délibérément une stratégie de tension politique : ils pensent que d'incident en incident les contradictions entre les classes sociales vont s'aiguiser et aboutir à une révolution armée. A l'extrême droite, le groupe Ordre nouveau fait le même genre d'analyse, tout en espérant arriver au résultat inverse : la contre-révolution sanglante. Ainsi, le 2 mai 1969, un de ses commandos attaque à la grenade des militants gauchistes au lycée Louis-le-Grand à Paris : un lycéen a une main arrachée. Ordre nouveau récidive en mars 1970, à la faculté de Nanterre. La bagarre est sévère, les gauchistes ne répugnant pas à l'affrontement. L'intervention de la police entraîne pendant deux jours une imposante bataille sur le campus entre des milliers d'étudiants solidaires des gauchistes et 2 000 CRS qui, débordés à plusieurs reprises, reçoivent l'ordre de se replier. Le calme ne revient qu'avec la fermeture de la faculté. Les maos qualifient ces bagarres de « victoire militaire » et croient voir la Révolution en marche... Le gouvernement, lui, se prépare à frapper un grand coup. Depuis des mois, il étoffe ses moyens de répression. De fait, la crise de mai-juin 68 a favorisé le renforcement des forces de l'ordre et la mise en place de dispositifs de surveillance et de fichage électroniques d'une puissance sans équivalent dans notre histoire.

L'extrême droite aussi...

En octobre 68, le mouvement Occident est, lui aussi, dissous. Comme ses adversaires, il joue rapidement les Phénix. La majorité de ses militants contribue, avec quelques personnalités et journalistes, à créer le mouvement Ordre nouveau. Ce groupe, dont le nom rappelle celui de l'ordre nouveau souhaité autrefois par les hitlériens, prend pour emblème la croix celtique. Comme Occident...

La fin du gauchisme flamboyant.

Cette agitation permanente entraîne la lassitude d'une partie de la population. Elle isole aussi les maos des autres forces de l'extrême gauche, y compris des marxistes-léninistes, qui pratiquent une propagande plus politique et moins violente.

Jean-Paul Sartre, directeur de *la Cause du peuple,* brave les interdictions de Marcellin (ministre de l'Intérieur).

L'extrême droite se réorganise : Ordre nouveau a réuni sa « garde prétorienne » au Palais des sports.

En 1970, la tendance générale est à l'émiettement des organisations d'extrême gauche. Cette dernière n'est pas pour autant absente de la scène politique ou des luttes

ouvrières, mais, à de rares exceptions près, elle intervient en ordre dispersé. Cela permet au gouvernement de décréter en mai la dissolution de la Gauche prolétarienne et l'arrestation de deux directeurs successifs de *la Cause du peuple,* Jean-Pierre Le Dantec et Michel Le Bris, accusés d'« atteinte à la sûreté de l'État, d'apologie du vol, du pillage, de l'incendie, du meurtre ». Le procès donne lieu à de nouveaux affrontements au quartier Latin du 27 au 29 mai. Tandis que le Dantec et Le Bris sont condamnés à plusieurs mois de prison, Jean-Paul Sartre assure la direction de *la Cause du Peuple,* dont la diffusion devient problématique en raison d'une surveillance policière accrue. Les arrestations se multiplient, dont celle d'Alain Geismar. Elles donnent lieu à des manifestations de solidarité du « Secours rouge ». Au cours de l'une d'elles, le jeune Richard Deshayes est défiguré par une grenade lancée par les forces de l'ordre.

Mais les maos perdent de l'influence. Leur mouvement, malgré des actions spectaculaires, dépérit lentement.

L'épilogue est marqué de manière sanglante, le 25 février 1972, par la mort d'un jeune militant, Pierre Overney, abattu à coup de revolver devant les usines Renault.

Ses obsèques réunissent le plus imposant cortège populaire

Ouvriers, étudiants, immigrés côte à côte pour rendre un dernier hommage à « Pierrot ».

La mort de Pierrot

Le 25 février 1972, un groupe de maos distribue, comme à l'habitude, des tracts aux portes de Renault-Billancourt. Une échauffourée, habituelle elle aussi, éclate avec des vigiles. Surviennent des membres du service de surveillance, des « barbouzes » comme les appellent les maos. L'un d'entre eux, J.-A. Tramoni, dégaine un revolver et menace les jeunes qui refluent, sauf un, Pierre Overney. Tramoni fait alors feu une première fois; l'arme s'enraie. Il éjecte la balle et fait feu une seconde fois à 3 mètres de sa victime. Pierre Overney s'effondre, tué net d'une balle en plein cœur. Il avait vingt-trois ans. Fils d'ouvrier agricole et lui-même ouvrier, il a travaillé successivement à Châteauroux, chez Citroën et chez Renault dont il venait d'être licencié en raison de son militantisme. Il est enterré au Père-Lachaise aux côtés des morts de la Commune.

« Pierrot vivait selon ses idées, il était heureux comme ça. Il voulait changer le monde, il voulait une justice », écriront ses parents.

J.-A. Tramoni, lui, sera condamné en janvier 1973 à quatre ans de prison par la cour d'assises de Paris. Il est libéré dès octobre 1974 et il coule des jours paisibles jusqu'au 24 mars 1977 où deux jeunes gens l'abattent dans la rue de cinq balles de revolver. L'attentat est revendiqué par un « groupe Pierre-Overney »...

depuis mai 68. La CFDT et le PSU appellent à y assister, mais le PCF, même face au cercueil d'un jeune ouvrier, continue, intraitable, à parler de « provocateurs ». En fait, à l'enterrement de « Pierrot », 150 000 « gauchistes » très émus suivent aussi, sans en être tout à fait conscients, les obsèques de la Révolution qu'ils avaient entrevue en mai. En 1972, le gauchisme flamboyant, spontané, violent, né quatre ans plus tôt, s'éteint progressivement.

Mais si la révolution immédiate n'est plus à l'ordre du jour, les organisations gauchistes survivent à une génération d'étudiants. Elles deviennent une force permanente et relativement stable sur l'échiquier politique français; leurs idées décapantes pénètrent dans toutes les couches de la société et influencent le syndicalisme.

La persistance de l'agitation ouvrière

L'automne 68 n'a pas été l'« automne rouge » que certains appelaient de leurs vœux. Mais, dès 1969, une agitation ouvrière multiforme renaît pour devenir une constante de la vie sociale française. Les conflits se succèdent, et rares sont les régions et les usines qui y échappent : la bataille rangée de 68 a fait place à une véritable guérilla que les syndicats ne sont pas toujours en mesure de contrôler. La crainte ou l'espoir d'un nouveau mai hante les esprits.

Rien de semblable ne se produit, mais une certitude est acquise dans les deux camps : la «paix sociale» des années précédentes n'est plus qu'un souvenir.

Les formes de lutte choisies par les ouvriers sont tout aussi caractéristiques que leurs revendications. L'après-68 voit les grèves sauvages. Elles sont déclenchées à la base, sans aucun préavis et souvent sans le feu vert des confédérations syndicales. Elles peuvent prendre la forme de surprenantes grèves bouchons : une minorité décidée bloque un chaînon essentiel de la fabrication dans une grande usine; cela entraîne l'arrêt des autres ateliers qui ne sont plus approvisionnés. Ce type de grève est inauguré dès juillet 68 chez Dunlop, à Montluçon, alors que les derniers grévistes de mai occupent encore leurs usines. On le retrouve à la Saviem en novembre, puis il se généralise par la suite et touche sévèrement des firmes telles que Peugeot ou Renault. Là, en mai 1970, 82 jeunes OS du Mans refusent d'être «les esclaves de leurs machines» : ils provoquent progressivement la paralysie complète, puis la grève de toutes les usines du groupe pendant plus d'un mois. Dans la sidérurgie, les pertes de production qu'entraîne ce type d'action inquiètent le patronat.

Pendant des années, l'esprit de mai survit.

Les grèves bouchons dans la sidérurgie

En 1969, on recense dans la sidérurgie 120 grèves ponctuelles en cinq mois. Elles sont le fait de petits groupes d'une dizaine à une centaine de travailleurs. Leur action bloque à chaque fois la production de plusieurs ateliers et entraîne, par ses répercussions en chaîne, la perte de plus de 300 000 tonnes d'acier, soit 168 millions de francs ! Des grèves particulièrement coûteuses pour le patronat...

On voit resurgir une autre forme d'action quasi disparue depuis 1947 : les sabotages. Ils sont plus rares que les grèves bouchons, mais parfois sérieux. A Dunkerque, par exemple, dans les chantiers navals, ils entraîneront plus de six mois de retard dans la livraison de cargos destinés à l'URSS.

Plus fréquentes et directement inspirées de mai 68, les séquestrations de cadres (ou de patrons !) reparaissent, malgré la désapprobation de *tous* les syndicats. C'est le cas chez Ferodo à Amiens, en 1970, et dans le textile à Flixecourt, en 1971. La violence est parfois employée par des grévistes qui corrigent de petits chefs impopulaires ou par des commandos de nervis patronaux. Enfin, localement, des grèves bloquent parfois pendant des mois des usines entières. Les revendications de mai, non satisfaites, reviennent en force : on réclame le temps de vivre (aménagement des horaires, baisse des cadences, suppression du pointage et des 3 ou 4 × 8, une semaine de vacances supplémentaire), plus

NON aux ACCELERATIONS des CADENCES
CITROEN : 2 débrayages

Persistance des conflits sociaux : grève à Fos-sur-Mer.

de respect envers les travailleurs (modification des rapports hiérarchiques) et, bien sûr, des salaires plus substantiels.

Dans les années qui suivent 1968, l'influence gauchiste dans le monde du travail progresse. Certes, les ouvriers inscrits dans un groupe trotskiste, maoïste ou anarchiste sont peu nombreux, mais l'impact des idées est supérieur au nombre des adhérents. Les tracts et les journaux distribués dans ou devant les entreprises déclenchent de fréquentes discussions et laissent rarement les travailleurs indifférents[1]. Dans les usines, les « établis » sont de retour : de jeunes étudiants s'embauchent parfois de manière durable[2].

Partout l'extrême gauche renaît, multiforme. Pourtant, elle ne donne pas naissance à *un* parti ou à *un* syndicat révolutionnaire, mais à une « nébuleuse », à un « courant », à un « mouvement » persistant; elle a contribué au retour en force dans le monde du travail d'une contestation radicale que beaucoup, avant 68, pen-

1. L'usine Renault de Billancourt est, là encore, l'exception et non la règle : les travailleurs y sont saturés de tracts. Ce n'est pas le cas ailleurs.

2. Certains d'entre eux, à La Ciotat par exemple, sont devenus des ouvriers à part entière, rompant avec leur milieu d'origine.

saient incompatible avec l'existence d'une société industrielle « avancée ».

Un syndicalisme profondément marqué par 68

Parallèlement à l'activité bouillonnante de l'extrême gauche, les confédérations syndicales poursuivent leur travail. Cependant, le printemps 68 a bouleversé la routine acquise depuis dix ans. Les grèves ont été accompagnées d'une vague d'adhésions. Elles ont entraîné des interrogations et des discussions très vives sur les orientations prises par les dirigeants. Dans les syndicats comme ailleurs, rien n'est plus comme avant.

Un résultat indigne de la plus grande grève de l'histoire.

En juillet 68, pour bien des travailleurs, la déception est grande. Dans les corporations les plus dures, des militants ont la désagréable impression d'avoir vécu la plus imposante grève de leur vie sans obtenir pour autant un résul-

tat qui en soit digne. Beaucoup pensent encore qu'ils ont été floués au moment de la reprise : sans aller jusqu'à la révolution armée, il leur paraissait possible d'obtenir beaucoup plus que le « constat » de Grenelle, si leurs dirigeants confédéraux s'étaient montrés plus fermes...

Effectivement, alors qu'en juin 68 la CGT avait présenté les augmentations de salaires comme d'importantes victoires, elle lance dès l'hiver suivant une campagne « responsable » pour obtenir l'échelle mobile des salaires et des prix; elle explique alors que l'inflation dévore les augmentations! Bien des adhérents peuvent donc se demander : « Où est la victoire ? »

D'autre part, la prééminence de la CGT sur le mouvement ouvrier est fortement contestée de l'extérieur. En mai, la CFDT et FO lui ont sèchement fait savoir qu'elles n'acceptaient pas sa prétention à diriger la grève. En juillet, leurs relations sont devenues franchement mauvaises. Georges Séguy reproche publiquement à Eugène Descamps d'avoir (en mai) serré la main de Cohn-Bendit et qualifie un autre dirigeant de la CFDT (A. Detraz) d'anarchiste ! En août, l'invasion de la Tchécoslovaquie par les chars soviétiques est l'oc-

Mai 68 a profondément marqué les principaux syndicats :
E. Descamps à l'heure des bilans.

casion d'une autre querelle. Alors que la CFDT et FO condamnent fermement l'intervention russe et appellent à un débrayage de protestation symbolique, la CGT refuse cette manifestation, qualifiée d'inopportune. Elle préfère accorder un soin particulier à la préparation de son festival de la Jeunesse, car elle redoute la contagion gauchiste chez les jeunes ouvriers et hérite de mai-juin le souci permanent de ne plus se laisser déborder. Dans ses propres rangs, elle combat vigoureusement les gauchistes, qui doivent se réfugier dans les Comités de lutte ou gagner la CFDT. Une circulaire de Léon Mauvais, publiée en décembre 68, attire l'attention des permanents sur « l'impérieuse nécessité de prolonger la lutte entreprise contre le travail de sape des éléments et des groupes gauchistes au sein du mouvement syndical ». La hantise est telle que la CGT préfère annuler les cortèges prévus le 1er mai 1969 pour « éviter les provocations ».

Après le printemps 68, on ne procède pourtant à aucun remaniement important au sommet, et la spectaculaire démission d'André Barjonet n'a jeté qu'un trouble passager. Certes, la CGT peut se prévaloir de 350 000 adhésions nouvelles, mais on constate aux élections professionnelles de l'automne 68 un net recul d'influence dans les entreprises agitées en

mai-juin : Usinor, Rhodiaceta, Sud-Aviation, Renault... Les transferts de voix se font au profit de la CFDT et de FO. Si la CGT demeure numériquement la plus grande centrale ouvrière, son rôle dominant est farouchement contesté.

Syndicalisme
et autogestion.

Un premier bilan du printemps fait apparaître 250 000 adhérents nouveaux à la CFDT[1] et la création de centaines de sections d'entreprise. Son implantation se renforce dans tout le pays malgré quelques départs d'éléments timorés qui regagnent la CFTC.
La CFDT a subi en 68 son baptême du feu : c'est le premier conflit de cette importance depuis sa fondation. Ses militants se sont montrés très combatifs avant et pendant la grève. Ils ont été sensibles aux violentes critiques formulées à la base contre « les bureaucraties politiques et syndicales ». Cette défiance envers les « bonzes syndicaux » (les permanents bureaucratisés) et les politiciens professionnels est encouragée par l'action convergente de tous les groupes d'extrême gauche : mai-juin 68 a réveillé un vieux fond anarcho-syndicaliste qui subsistait dans les usines. La CFDT, soucieuse de maîtriser le phénomène, entreprend alors une

1. FO en enregistre 100 000.

importante recherche sur le thème du « pouvoir des travailleurs » face au « pouvoir patronal et d'État ». En effet, beaucoup de syndicalistes craignent qu'à l'autorité absolue du patronat ne succède une autorité de l'État (rebaptisé socialiste ou non) tout aussi aveugle. Pour théoriser cette aspiration à une société démocratique, décentralisée et antiautoritaire, les militants de la CFDT orientent leurs réflexions vers l'autogestion. Un colloque sur ce thème est organisé à Bierville en décembre 68 pour tenter un bilan des expériences du printemps. On essaie d'y distinguer la cogestion de l'autogestion qui, à cette date, demeure un projet flou.
Au 35e congrès, en 1970, les 1 700 délégués, soucieux d'améliorer la démocratie interne, décident de moderniser les structures : une direction collégiale est mise en place. Elle comporte 31 membres dont une commission exécutive de 10 membres qui remplace l'ancien bureau confédéral. Descamps est réélu secrétaire général, malgré des attaques à propos des « contrats de progrès » qu'une minorité refuse de signer car « ils visent à intégrer le syndicalisme à la société capitaliste ». Puis, au fil des années, la CFDT est devenue un pôle de regroupement de militants qui luttent pour construire une société autogestionnaire.
Elle est certainement le syndicat le plus marqué par l'esprit « soixante-huitard » et les expériences de cette époque devenue pour elle quasi mythique.

Dix ans déjà.
Le rideau est retombé sur un printemps mythique.
Ce n'est plus le Présent.
Ce n'est pas encore l'Histoire.
C'est un peu la Légende.
Morts oubliés ? Plaies pansées ?
Larmes séchées ?
Passions apaisées ?
En apparence oui, mais sous les cendres couvent des braises.
Une interrogation subsiste :
y aura-t-il un « nouveau mai » ?
Entendra-t-on de nouveau ce cri lancé par un anonyme fantassin du printemps :

Soyons réalistes,

demandons l'impossible.

trop d'oreilles
ont des murs

Nous aimerions énoncer brièvement les principales conclusions auxquelles la recherche et le dépouillement de très nombreux documents d'époque nous ont permis de parvenir. La plupart des auteurs qui ont jusqu'à présent tenté d'écrire l'histoire de mai 68 ont, en effet, soit ignoré soit délibérément laissé de côté un certain nombre de faits importants.

Deux blocs sociaux unanimes, ou de multiples clivages politiques ?

L'un de nos premiers soucis a été d'éviter dans cet ouvrage l'emploi inconsidéré de termes comme : « *les* étudiants de Nanterre », « *les* ouvriers de Renault-Billancourt », « *les* paysans de la Loire-Atlantique ». En 1968, les étudiants de la faculté des lettres de Nanterre n'étaient pas tous et toujours favorables aux actions du mouvement du 22-Mars; les ouvriers de Billancourt n'approuvaient pas tous et toujours les consignes confédérales de la CGT; les paysans de la Loire-Atlantique ne reconnaissaient pas tous et toujours l'autorité de Bernard Lambert. Chaque fois que cela a été nécessaire, nous avons précisé : « *certains* étudiants de Nanterre », « *la majorité* des ouvriers de Renault-Billancourt », « *des* paysans de la Loire-Atlantique ».

Plus généralement encore, il est abusif d'opposer sans précisions *les* étudiants aux ouvriers ou *les* ouvriers aux paysans. En mai-juin 68, les étudiants révolutionnaires réunis en Comités d'action dans la faculté des lettres de Besançon étaient politiquement et moralement plus proches des grévistes de la Rhodiaceta ou des usines Kelton que de la plupart de leurs professeurs ou de la majorité de leurs condisciples étudiants en chirurgie dentaire. De même, à partir du 7 mai, de jeunes ouvriers participèrent par milliers aux manifestations étudiantes. Début juin, ils deviennent majoritaires dans le mouvement d'extrême gauche qui ne peut plus alors être strictement qualifié d'étudiant.

Et, du 18 juin au 16 juillet, certaines usines constituèrent, au même titre que les facultés encore occupées, de solides bastions de résistance contre le retour à l'ordre social traditionnel.

L'unanimité n'a régné à aucun moment parmi les étudiants, les ouvriers, les paysans — et elle ne régnait pas plus au sein du gouvernement, dans la FGDS, parmi les militaires de carrière, dans les rangs de l'épiscopat. En 1968, les Français ne se sont pas déterminés en fonction seulement de leur appartenance sociale ou politique, mais aussi de situations particulières qui variaient suivant les lieux et se transformaient au fil des jours.

Paris et la province, ou une extrême diversité régionale ?

Sur la scène relativement restreinte de la capitale se manifestaient et agissaient, en 1968, un sixième de la population, un tiers des étudiants et la totalité des appareils culturels, administratifs, politiques et syndicaux nationaux. « La province » a pourtant été à l'origine d'un grand nombre d'événements capitaux; elle a constitué, tout autant que Paris, l'avant-garde du mouvement de mai-juin.

C'est dans la vallée de la Basse-Seine, les Ardennes et la Loire-Atlantique qu'a débuté et s'est achevée la grève avec occupations d'usines; là encore, et dans d'autres régions de province, elle a pris ses aspects les plus originaux et les plus durs : séquestrations de cadres, mise en circulation « d'assignats syndicaux ». Si la journée du 24 mai a marqué pour le pays un tournant politique de fond, c'est en raison surtout de la généralisation de l'émeute hors de la capitale et des manifestations populaires qui ont déferlé dans près de 150 villes de France. Pendant la semaine qui suivit, le pouvoir administratif de l'État fut, dans des dizaines d'agglomérations de province, remplacé par des Comités centraux de grève. En juin, civils de droite et de gauche se livrèrent de véritables batailles rangées à Strasbourg, à Toulouse, à Lyon, à Beauvais, à Carcassonne, alors que les défilés monstres des 13, 29 et 30 mai ont fait se succéder sans s'affronter les partisans des deux camps dans les rues de la capitale.

Il est alors illusoire de parler de *la* province, comme si elle constituait un bloc homogène, distinct ou opposé à l'agglomération parisienne. Les ouvriers de Lille ou de Marseille ne manifestèrent en mai-juin ni les mêmes jours ni de la même façon que ceux de Nantes ou de Bordeaux. En février 68, les jeunes OS de Caen ne donnaient pas à leur grève la même signification que les sages « pétanqueurs » de mai à Mulhouse, à Ajaccio ou à Bourges.

Comme l'année 1968 a vu naître et se développer des luttes sociales et politiques variées dans l'ensemble du pays, il est nécessaire de les envisager toujours dans leur diversité régionale et locale.

Un rite de violence symbolique, ou l'embryon d'une guerre civile ?

La France se trouvait-elle, du 24 mai au 6 juin, dans une « situation révolutionnaire » ? Avant de pouvoir donner une réponse globale à cette question, il faut savoir que les institutions de la Ve République avaient effectivement cessé de fonctionner à Nantes ou dans certains quartiers de Besançon par exemple, mais qu'elles ne se trouvaient pas sérieusement remises en question dans des régions comme la Savoie, la Corse ou la Vendée.

Les luttes politiques et sociales n'atteignirent pas non plus partout le même degré de violence. Les zones d'émeutes et de bagarres répétées, Loire-Atlantique, vallée de la Garonne, agglomération lyonnaise, nord de la Franche-Comté, etc., constituent des cas extrêmes; en Champagne, dans les Alpes et les Pyrénées, dans l'ouest du Massif central, sur la côte nord de la Bretagne, dans la région lilloise, etc., les affrontements physiques entre tenants de lignes politiques opposées sont restés rares et de peu d'ampleur.

Le mouvement de mai-juin, et la contre-offensive gaulliste et réactionnaire qu'il déclencha, firent pourtant 12 morts, dont 5 au cours de batailles rangées entre manifestants et policiers. Nombreux sont les auteurs qui comparent ce bilan (qu'ils ramènent d'ailleurs à 5 ou moins encore) au nombre incomparablement plus élevé des victimes par accident de la circulation au cours du week-end de la Pentecôte (1-3 juin 1968).

Le sang a coulé en France, et beaucoup plus abondamment qu'on ne l'affirme généralement : 1 800 personnes ont été hospitalisées à la suite de heurts entre le 3 mai et le 31 juillet, soit un rapport global de 150 blessés graves pour un mort.

Il est vrai qu'à deux exceptions près, ni les manifestants ni les forces de l'ordre ne firent, sur les barricades, usage d'armes à feu; mais il n'est pas toujours besoin de tirer à balle pour qu'une bataille de rues prenne l'allure d'une émeute sanglante. Et, si les policiers avaient reçu pour consigne impérative de ne pas provoquer d'hécatombe, des civils de bords opposés n'hésitèrent pas, en juin surtout, à se servir de pistolets et de carabines au cours de plusieurs dizaines d'incidents, de bagarres électorales et d'opérations de commando.

Le scénario du « Clash » élaboré dans certains milieux de l'extrême droite civile et militaire, l'opération « Stades », dont le détail est aujourd'hui connu pour les villes de Grenoble et de Marseille, et ce qu'on a qualifié de « malaise dans la police » constituent, d'autre part, autant de preuves que la droite et l'extrême droite françaises ne sont à aucun moment demeurées inactives. L'hypothèse d'une « boucherie » ou d'une guerre civile généralisée fut sérieusement étudiée par des groupes non officiels qui pensaient avoir les moyens matériels et militaires de déclencher l'une et l'autre.

Parallèlement, la répression armée fut constamment envisagée par le régime en place comme un « moyen d'ultime recours ». Des parachutistes avaient reçu pour mission de défendre à tout prix l'Élysée et l'hôtel Matignon; le président de la République lui-même fut plusieurs fois partisan d'utiliser l'armée dans des tâches de maintien de l'ordre, au cas où la police se trouverait durablement débordée; si, du 24 au 30 mai, l'appareil civil de l'État se trouvait en grande partie paralysé, l'armée, en revanche, a conservé toujours intacts son commandement, son organisation, ses communications. Dans l'hypothèse d'une intervention massive et « légale » des militaires dans la vie politique du pays, l'attitude du contingent (qui désirait dans son immense majorité « rester en dehors du coup ») constituait cependant une inconnue.

L'escalade de la violence dans la rue pouvait-elle, dans ces conditions, mettre la révolution socialiste à l'ordre du jour ?

Face aux groupes armés de la droite et de l'extrême droite, les militants d'extrême gauche ne disposaient à vrai dire que de quelques fusils, et les partis de la gauche classique ne pouvaient s'appuyer sur aucune milice armée. Les ouvriers grévistes, en revanche, se trouvaient en mesure de prendre en main presque instantanément la plus grande partie de l'appareil économique du pays. Toutes les villes de France pouvaient être privées d'électricité, de gaz — et même d'eau potable; l'ensemble des moyens de communication civils se trouvait d'ores et déjà paralysé : les avions, les trains, les navires marchands, les péniches avaient été immobilisés; comme les dépôts d'essence étaient pour la plupart occupés, les camions ne pouvaient plus circuler; impossible même de communiquer par lettre ou téléphone sans l'autorisation des postiers en grève.

Dans ce contexte, le président de la République s'est, du 27 mai au 6 juin, livré à un très dangereux jeu de bascule afin de sauver son régime chancelant; en prenant politiquement de vitesse les forces d'extrême droite, il courait le risque d'un affrontement avec les grévistes les plus durs. Par elle-même, la journée du 30 mai ne résolvait rien. La crise de régime n'a véritablement été dénouée qu'une semaine plus tard, avec la fin de la grève générale, favorisée de façon décisive par les syndicats ouvriers. Après les émeutes des 10 et 11 juin, c'est en particulier l'attitude de la CGT (hostile à toute reprise massive de la grève comme aux manifestations de rues) qui permit d'assurer un retour cahotant à l'« ordre électoral ». Le pouvoir se livrait de son côté à un véritable chantage politique : la gauche classique n'avait apparemment de choix qu'entre une défaite électorale démocratique ou une guerre civile qu'elle ne se jugeait pas à même de soutenir.

Présenter de mai une image folklorique n'est pas seulement créer une illusion; c'est énoncer un mensonge destiné à masquer à quel point la société française fut, pendant un mois, au bord d'une rupture décisive.

1968 en chiffres

I- les grèves

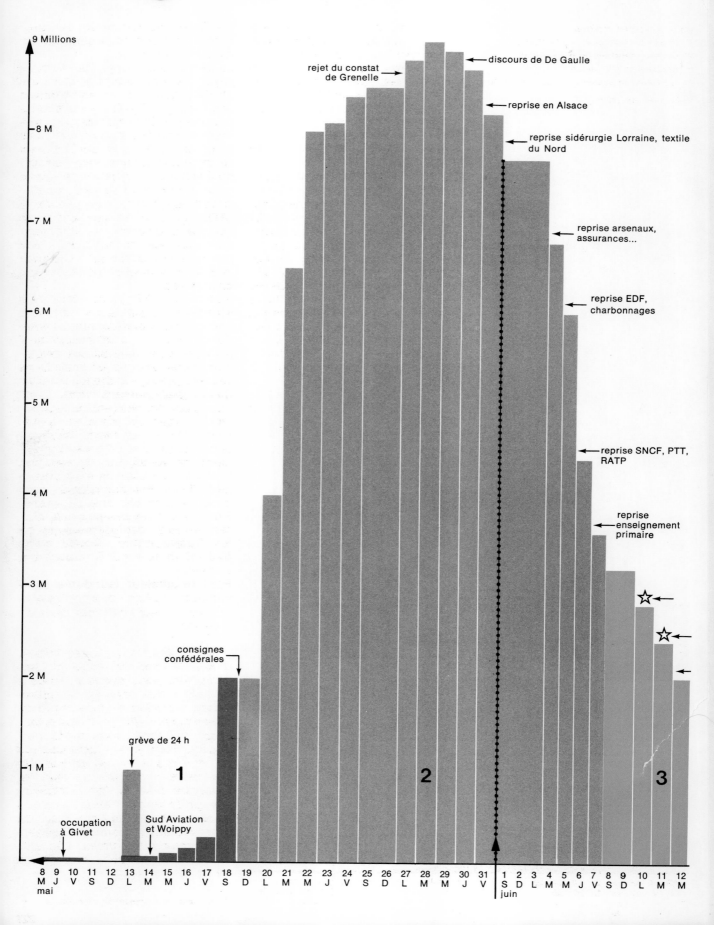

les 4 phases de la grève

1   la grève « spontanée » 14 - 18 mai
2   la grève générale 18 mai - 7 juin
3   la résistance 8 - 16 juin
4   les jusqu'au-boutistes 17 juin - 16 juillet

© Delale - Ragache

Les grèves de 1968 surprennent par leur caractère massif, sans précédent dans notre histoire[1].

La progression du nombre de grévistes est foudroyante : 3 100 le 14 mai, 11 000 le 15, 74 500 le 16, 215 000 le 17 au soir, 1 million le 18 à midi, 2 millions le 18 au soir, 8 millions le 22 mai. Il suffit d'une semaine pour paralyser la France.

Massives, ces grèves sont aussi de longue durée; elles se stabilisent à un niveau record (au-dessus de 8 millions) pendant dix jours, mais conservent leur caractère de masse longtemps encore : plus de 4 millions de grévistes pendant 18 jours, plus de 2 millions pendant 26 jours, plus de 1 million pendant 28 jours. On ne peut donc assimiler ce profond mouvement aux « huit jours d'entracte » des 22-30 mai dont on entend trop souvent parler : l'activité économique du pays a été pratiquement paralysée ou profondément perturbée pendant un mois au moins.

La décrue a été lente. Que l'on en juge : 10 jours après le discours de De Gaulle et la manifestation des Champs-Élysées, il y a encore *plus* de grévistes qu'aux plus forts moments du Front populaire[1]. Les émeutes de Flins et de Sochaux se produisent dans une période où il est encore possible de voir la grève prendre un second souffle. Il faut les efforts conjugués de la CGT, du PCF et des partis de gauche pour éviter que l'indignation qui suit la mort de deux ouvriers et d'un lycéen ne provoque une nouvelle généralisation des grèves.

Après le 17 juin, 300 000 « jusqu'au-boutistes » refusent encore de capituler sans conditions. Pour eux, il est évident qu'il n'y a plus de perspectives révolutionnaires immédiates, mais ils ne veulent pas reprendre le travail les mains pratiquement vides. C'est pourquoi, localement, le mouvement s'éternise jusqu'en juillet. « Mai 68 » est un terme impropre pour désigner la période. Dans le domaine social, juin 68 n'est pas le simple épilogue de mai, c'est la période la plus dramatique, celle aussi où des millions de travailleurs privés de perspectives claires sentent confusément qu'on les frustre d'une victoire qu'ils avaient (à tort ou à raison) cru entrevoir.

Par leur ampleur, leur durée, leurs motivations, leur contenu, les grèves de mai-juin 68 sont hors du commun.

N.B. : Pour les phases initiale (8 mai-17 mai) et finale (8 juin-16 juillet), nous avons procédé à un relevé très complet des entreprises en grève et du nombre de grévistes par ville (voir les cartes). Pour la phase centrale (19 mai-7 juin), nous avons tenu compte de chiffres avancés et par les différents syndicats et par les pouvoirs publics (en particulier les préfectures); surtout, nous avons pris en compte tous les autres totaux régionaux ou départementaux disponibles. Les étudiants et les lycéens sont exclus de ce graphique.

émeute à Flins

émeute à Sochaux

— reprise enseignement secondaire

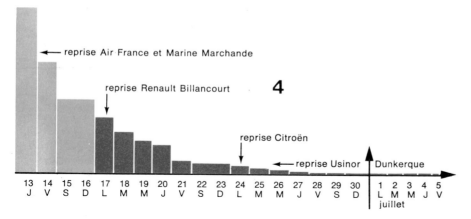

← reprise Air France et Marine Marchande

reprise Renault Billancourt

4

reprise Citroën

← reprise Usinor Dunkerque

13 J   14 V   15 S   16 D   17 L   18 M   19 M   20 J   21 V   22 S   23 D   24 L   25 M   26 M   27 J   28 V   29 S   30 D   1 L   2 M   3 M   4 J   5 V

juillet

1. *Voir le tableau comparatif page 88.*

2 - les manifestations

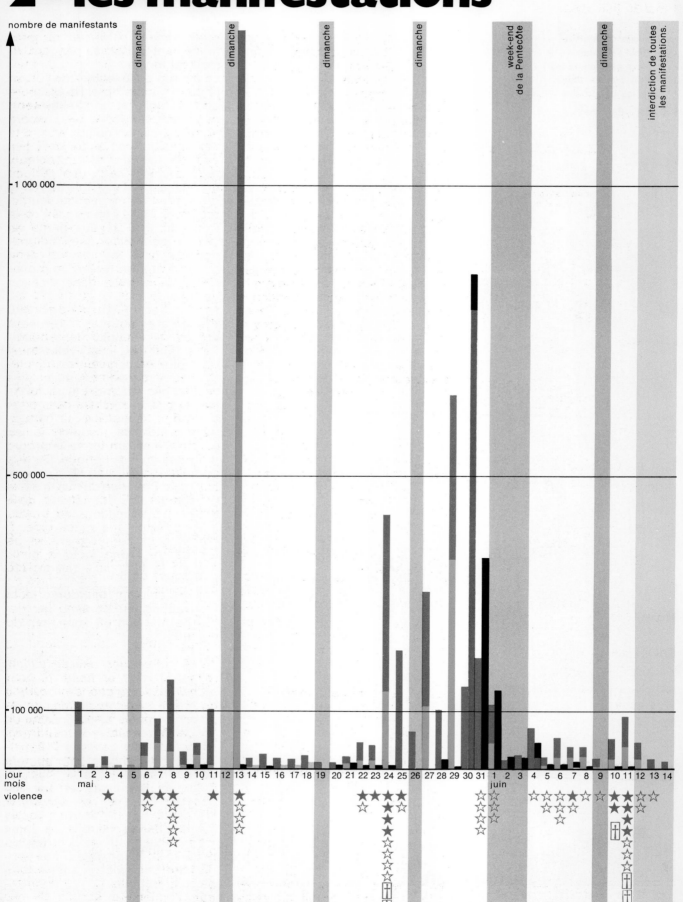

Manifestations :
1 mai-30 juin 1968.

syndicats, gauche, extrême gauche

▧ en province

▨ à Paris (7 départements)

gaullistes, extrême droite, anti-grévistes

■ en province

▦ à Paris (7 départements)

★ : 1 émeute, ou des barricades dans une ville

☆ : 1 bagarre sérieuse

☗ : 1 mort au cours d'affrontements entre manifestants et policiers

© Delale - Ragache

15 16 17 18 19 20 21 22 23 24 25 26 27 28 29 30

☆

En mai-juin 1968, les principaux groupes sociaux du pays, les tendances politiques importantes, les grands syndicats ont tous fait appel au « pouvoir de la rue ». Les milliers de manifestations qui se déroulent dans toutes les villes de France et dans nombre de bourgs ruraux sont très diverses par l'allure de leurs participants, leurs mots d'ordre, leur organisation, leur durée, leur violence. Elles s'inscrivent pourtant, soit dans le cadre du *mouvement* (ce sont les manifestations syndicales ou politiques de gauche et d'extrême gauche), soit dans le cadre du *contre-mouvement* (et ce sont les manifestations de l'extrême droite civile, des groupes de soutien à l'action du président de la République, de travailleurs antigrévistes). Au sein de ces deux camps opposés, les clivages sont plus difficiles à établir : des militants d'extrême gauche participent souvent aux cortèges organisés par les centrales ouvrières traditionnelles; de jeunes ouvriers forment, en juin surtout, la majorité dans les cortèges « étudiants ». Inversement, des activistes d'extrême droite se mêlent — sans y avoir été invités — à un certain nombre de manifestations gaullistes; les organisateurs des cortèges antigrévistes sont dans la plupart des cas des partisans de la majorité agissant dans le cadre de leur entreprise.

Pour fixer le nombre des participants à chacune des manifestations des deux bords, nous avons eu recours aux sources d'époque actuellement disponibles. Le plus souvent, les estimations des observateurs varient peu. Il existe cependant deux exceptions de taille : les cortèges monstres des 13 et 30 mai à Paris ont donné lieu à une véritable guerre des communiqués. Alors que la CGT affirme qu'il y a eu un million de personnes dans les rues de la capitale le 13 mai, la préfecture de police avance le chiffre de 171 000 participants seulement. Inversement, la CGT prétend que, le 30 mai, la manifestation de soutien au président de la République ne regroupait que 300 000 personnes; la préfecture de police, parvenue à une estimation presque semblable, se vit conseiller par certains membres du gouver-nement de garder le silence; plusieurs responsables de l'UDR avancèrent alors le chiffre d'un million et demi de participants. De ces évaluations contradictoires, il ne ressort finalement qu'une conclusion : par rapport au 13 mai, il y avait le 30 à peu près autant de monde dans les rues de Paris. Les chiffres que nous avons retenus (700 000 et 800 000 participants) paraissent les plus vraisemblables; ils ne constituent cependant que des ordres de grandeur. Les autres totaux que nous présentons ont en revanche été obtenus à partir de données très précises et soigneusement recoupées.

Du 6 au 13 mai, et du 21 mai au 16 juin, les manifestations de gauche et d'extrême gauche sont pratiquement quotidiennes; 9 fois, elles prennent l'allure de raz de marée populaires : plus de 100 000 personnes dans l'ensemble du pays se montrent décidées à clamer publiquement leur opposition à la politique gaulliste. Les manifestations de masse du contre-mouvement ne durent en revanche que 9 jours (du 30 mai au 7 juin), et ne dépassent le cap des 100 000 participants dans l'ensemble de la France que durant les 3 premiers jours. Bien qu'officiellement destinées à défendre l'ordre établi, elles ne repoussent pas toujours la tentation de la violence : une dizaine d'attaques contre des facultés ou des usines occupées répondent aux assauts tentés une semaine plus tôt par des manifestants d'extrême gauche contre des bâtiments publics. Des interventions de la police prennent ensuite la relève. Alors qu'au cours des deux grandes explosions de violence en mai, il y avait eu 13 émeutes et 14 bagarres sérieuses, le bilan de la première quinzaine de juin est particulièrement lourd : 7 émeutes et 22 bagarres sérieuses à la suite de manifestations publiques. C'est le 16 juin seulement que décline le pouvoir de la rue : la mesure d'interdiction de toutes les manifestations prise 4 jours plus tôt par le gouvernement porte enfin ses fruits. Pour le parti de l'ordre, il s'agit d'une victoire plus importante stratégiquement que l'éphémère succès de ses propres manifestations.

3 - la violence

Les 19 morts de 1968

12 victimes directes

24 mai Philippe Mathérion, 26 ans, gérant d'immeubles, reçoit un éclat de grenade dans la région du cœur alors qu'il se trouvait au pied d'une barricade, rue des Écoles, à Paris.

24 mai René Lacroix, commissaire de police, a la poitrine défoncée par un camion lancé par des manifestants sur le pont Lafayette, à Lyon.

30 mai René Trzepalkowski, 19 ans, ouvrier, passe dans une voiture devant l'émetteur ORTF du mont Pinçon (Calvados); il reçoit une balle dans le cou tirée par un gendarme.

7 juin Mathieu Mattéi, 39 ans, patron de bar et responsable du SAC de Grenoble, est exécuté de deux balles tirées dans le dos. Règlement de compte du Milieu ou crime politique ? L'enquête n'aboutit pas.

10 juin Gilles Tautin, 17 ans, élève de terminale au lycée Stéphane-Mallarmé à Paris, membre de l'UJCML, se noie près de Flins lors d'une charge de CRS.

11 juin Pierre Beylot, 24 ans, ouvrier chez Peugeot, reçoit deux balles de pistolet mitrailleur tirées par des CRS (Sochaux-Montbéliard).

11 juin Henri Blanchet, 49 ans, ouvrier chez Peugeot, déséquilibré par l'éclatement d'une grenade offensive, tombe d'un parapet et se fracture le crâne (Sochaux-Montbéliard).

22 juin Un Martiniquais est tué lors d'une bagarre électorale[1].

28 juin Jimmy le « Katangais » (Jean-Claude Lemire), 25 ans, chauffeur-livreur, est assassiné près de Vernon (Eure) par Christian Haricourt, *alias* Claude Maresco, légionnaire déserteur.

30 juin Marc Lanvin, 18 ans, ouvrier magasinier, membre du PCF, est abattu par un commando de l'UDR alors qu'il collait des affiches en faveur du candidat FGDS d'Arras (Pas-de-Calais).

1er juillet Gaetan Popotte, 49 ans, et Rémy Lollia, 59 ans, sont brûlés par des cocktails Molotov alors qu'ils revenaient d'une réunion électorale UDR, à la Guadeloupe.

7 victimes indirectes

25 mai Marc Dillmann, 24 ans, militant syndicaliste ouvrier à Thionville (Moselle), meurt à la suite d'un malaise dû au surmenage.

26 mai Pierre Dour, 69 ans, ouvrier agricole habitant près de Bergerac (Dordogne), est abattu par son frère lors d'une discussion politique.

28 mai Bernard Lhomme, 25 ans, étudiant en droit à Besançon, militant de l'UNEF, meurt d'une crise cardiaque due au surmenage.

1er juin Gilbert Lignon, 42 ans, délégué CGT aux usines Japy de l'Isle-sur-le-Doubs, se suicide de désespoir et d'épuisement.

8 juin La voiture dans laquelle se trouve Léon Labrouche, 57 ans, percute un camion bloqué par un barrage de viticulteurs à Barsac (Gironde).

24 juin A la suite d'une discussion politique, Marcel Mendès, 67 ans, retraité habitant à Arcueil, jette une bouteille de vitriol à la tête de son fils; il meurt asphyxié dans les vapeurs de l'acide.

12 juillet André Paraillous, 47 ans, arboriculteur à Saint-Pierre-de-Buzet, est fauché par un camion alors qu'il édifiait un barrage routier près d'Aiguillon (Lot-et-Garonne).

Blessés hospitalisés
1er mai-31 juillet 1968

dates	région parisienne	reste de la France	total
3-13 mai	430	67	497
20-26 mai	260	335	595
28 mai-6 juin	26	127	153
7-13 juin	197	225	422
14 juin-1er juillet	31	83	114
11-30 juillet	9	8	17
	953	845	1 798

1. Ce décès a pu être établi sur la foi d'une dépêche AFP : *tous* les journaux martiniquais de l'époque sont en effet « indisponibles » à la Bibliothèque nationale.

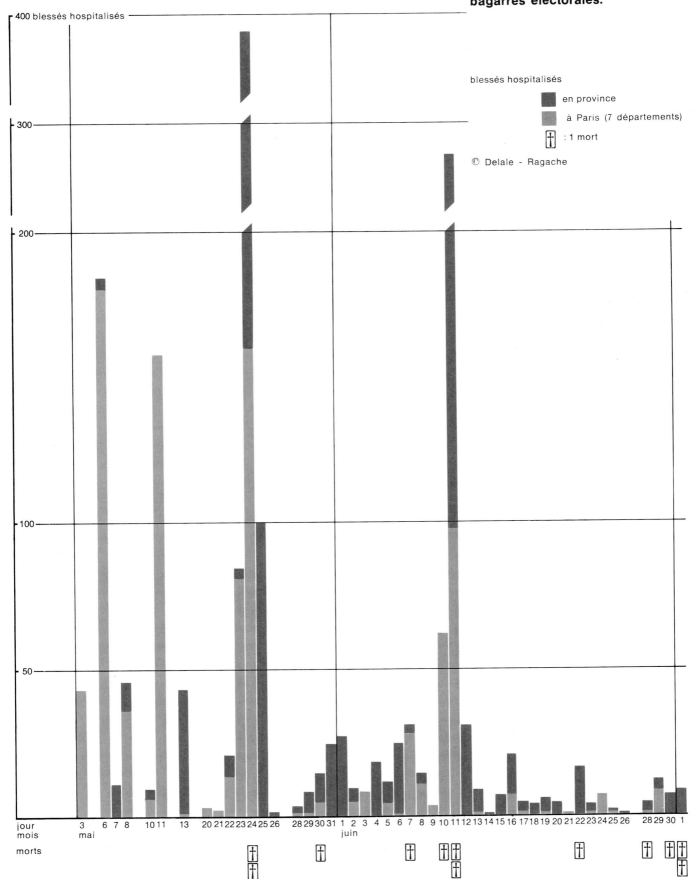

1 mai-2 juillet 68 : morts et blessés hospitalisés à la suite de manifestations, incidents, bagarres électorales.

blessés hospitalisés

en province

à Paris (7 départements)

† : 1 mort

© Delale - Ragache

1 mai-31 juillet 68 : morts et blessés hospitalisés à la suite de manifestations, incidents, bagarres électorales.

10 : nombre de blessés hospitalisés dans une même agglomération.
1
o : 1 blessé hospitalisé
Vernon ✝ : 1 mort

La surface des cercles rouges est proportionnelle au nombre de blessés à l'exception de l'agglomération parisienne, dont le cercle a, pour des raisons de commodité de lecture, une surface quatre fois plus petite que celle qu'il devrait avoir.
© Delale - Ragache

En mai-juin 1968, la violence n'apparaît pas seulement comme un état de fait : elle est à l'origine d'une polémique intense. Déclarations apocalyptiques, communiqués contradictoires, conférences de presse fracassantes se sont succédé.

Après la nuit des barricades du 11 mai à Paris, certains dirigeants étudiants affirment par exemple qu'il y a « forcément » eu des dizaines de morts dans les rangs des manifestants. En juin, l'UNEF et le SNESup publient la liste d'une quinzaine de « disparus ». La police fait diligence : en quelques jours, elle retrouve la trace des victimes présumées.

Une guerre des chiffres porte alors sur l'estimation du nombre des blessés au cours des manifestations de rues. Comme la crainte de se faire ficher dans les hôpitaux était largement répandue dans les milieux d'extrême gauche, la plupart des manifestants légèrement atteints évitaient de se faire connaître publiquement; les policiers, au contraire, avaient intérêt à faire état de leurs blessures, même légères : en cas d'homologation, ils touchaient une indemnité et bénéficiaient parfois de quelques jours de repos. Dans ces conditions, la préfecture de police indique en juillet 1968 qu'il y a eu, du 3 mai au 16 juin, 1 912 policiers et 1 459 manifestants blessés (plus un mort) dans les rues de la seule capitale, soit un total (partiel) de 3 371 victimes. Mais, parmi les 1 912 policiers, la préfecture en déclare 99 qui l'ont été assez gravement pour être hospitalisés; pour leur part, les 1 459 manifestants blessés ont tous reçu des soins dans les hôpitaux ou, pour les moins atteints, dans les postes de secours de la Croix-Rouge. Nous n'avons donc retenu que les blessés les plus graves dans les deux camps.

Établir un bilan sérieux de la violence dans l'ensemble du pays suppose un décompte plus général et la définition de critères précis. Nous avons tenu compte, en plus des bagarres entre policiers et manifestants, des très nombreux heurts qui mirent aux prises, en province comme à Paris, des civils de bords opposés. Mais nous n'avons fait entrer, dans notre tableau général de la violence, que les morts (qui sont au nombre de 19) et les blessés hospitalisés de tous bords (soit 1 798 personnes).

La France connaît trois grands cycles d'émeutes (du 3 au 13 mai, du 20 au 26 mai, du 7 au 13 juin). En dehors de ces « temps forts », la période du 26 mai au 6 juin correspond à un maximum de heurts entre militants gaullistes ou groupes d'antigrévistes d'une part, et ouvriers grévistes ou étudiants révolutionnaires d'autre part; du 14 au 30 juin, la campagne électorale suscite un grand nombre de bagarres entre militants de partis politiques opposés.

Du 3 au 11 mai, la violence est presque exclusivement parisienne : il y a 428 blessés hospitalisés dans la capitale et 23 dans le reste du pays. Mais, à partir du 13 mai, la situation évolue profondément : entre cette date et le 31 juillet, 2 morts et 525 blessés sont relevés dans les sept départements de la région parisienne, pour 10 morts et 822 blessés dans les autres départements.

En 1968, la violence n'est donc pas le seul fait de Paris. Elle se dissémine sur l'ensemble du territoire (et même outre-mer) avec une fréquence particulière dans l'Ouest; à quelques exceptions près, c'est un phénomène urbain, mais des paysans peuvent y être mêlés (à Agen, au Puy, à Nantes...). Dans plusieurs cas, les affrontements ont un caractère indiscutablement prolétarien; les ouvriers en colère y forment le gros de la foule des manifestants et sont parfois quasiment seuls face aux force de l'ordre (Caen, Redon, Saint-Nazaire, Flins, Le Mans, Sochaux...). De Dunkerque à Toulon, les travailleurs montrent une grande détermination.

Qu'on le veuille ou non, la violence n'a pas été l'apanage des « fils à papa » ou des « casseurs » des faubourgs.

Il est intéressant de comparer ces cartes de la violence à celles de l'agitation gréviste. Certaines villes y réapparaissent avec insistance : grèves dures dès avant mai (p. 37), puis au début de mai (p. 85) et bastions grévistes (p. 182), manifestations violentes, bagarres, attentats... Tout cela converge pour créer une situation que l'on peut qualifier de prérévolutionnaire. C'est le cas à Paris, bien sûr, mais aussi à Lyon, à Nantes, à Bordeaux ou même à Saint-Nazaire. Trois autres villes apparaissent nettement sur la carte de la violence (Strasbourg, Toulouse et Clermont-Ferrand) mais pas ou peu sur les cartes des grèves dures. Là, ce sont les étudiants qui sont à la pointe du combat, soutenus par une minorité de travailleurs.

En revanche, des régions où la grève fut à la fois précoce et longue figurent modestement sur la carte de la violence : dans les Ardennes, la Basse-Seine ou le Nord, le mouvement a été très déterminé (les séquestrations en témoignent), mais la rue demeure calme.

Rares sont les provinces qui n'ont connu ni violence, ni grèves précoces, ni entêtement de « jusqu'au-boutistes ». Quelques-unes n'ont pourtant été touchées que par la grève des pétanqueurs; le travail y a repris sans difficultés majeures au début de juin. Présentées bien souvent comme l'image même de LA province, elles sont en fait peu nombreuses : les Pyrénées (partie montagnarde), la Vendée, le Berry, les Alpes du Sud, une partie du Massif central; parmi les régions fortement industrialisées, la Savoie et l'Alsace (sauf Strasbourg) sont

deux modèles de modération. De leur côté, les Corses demeurent calmes.

Il n'y a donc pas *une* attitude de « *la* province » mais des réactions contrastées d'une région à l'autre et parfois d'une ville à l'autre. On peut cependant affirmer que la secousse a partout été profonde; même les bourgs apparemment les plus calmes ont connu une psychose de guerre civile. Pendant quelques semaines, les antagonismes sociaux et politiques se sont exacerbés au point de rendre l'affrontement possible dans le moindre chef-lieu de canton. Ainsi, dans certains villages du Massif central, des bruits persistants ont couru annonçant la formation de « nouveaux maquis ». Fantaisies bien sûr ! Mais révélatrices du climat d'une époque...

La violence en 1968 : de janvier à juillet inclus.

sigles couramment utilisés

AFC	Amitiés franco-chinoises
AJS	Alliance des jeunes pour le socialisme
AMR	Alliance marxiste révolutionnaire
ARCUN	Association des résidents de la cité universitaire de Nanterre
CAL	Comité d'action lycéen
CCG	Comité central de grève
CD	Centre démocrate
CDP	Centre Démocratie et Progrès
CDR	Comité de défense de la République
CERES	Centre d'études, de recherche et d'éducation socialistes, tendance au sein de la SFIO, puis du PS
CFDT	Confédération française démocratique du travail, issue de la CFTC
CFT	Confédération française du travail
CFTC	Confédération française des travailleurs chrétiens
CFTC-Maintenue	Confédération française des travailleurs chrétiens (maintenue)
CGC	Confédération générale des cadres
CGT	Confédération générale du travail
CGT-FO	Confédération générale du travail-Force ouvrière
CGTU	Confédération générale du travail unifiée
CIR	Convention des institutions républicaines, membre de la FGDS
CLER	Comité de liaison des étudiants révolutionnaires
CNJA	Centre national des jeunes agriculteurs
CNPF	Conseil national du patronat français
CVB	Comité Vietnam de base
CVN	Comité Vietnam national
ESU	Étudiants socialistes unifiés
FEN	Fédération de l'Éducation nationale ou : Fédération des étudiants nationalistes
FER	Fédération des étudiants révolutionnaires (ex-CLER)
FGDS	Fédération de la gauche démocrate et socialiste
FLB	Front de libération de la Bretagne
FLN	Front de libération nationale (algérien)
FNEF	Fédération nationale des étudiants de France
FNL	Front national de libération (vietnamien)
FNSEA	Fédération nationale des syndicats d'exploitants agricoles
FO	Force ouvrière
FRUF	Fédération des résidents universitaires de France
INSEE	Institut national de la statistique et des études économiques
JCR	Jeunesses communistes révolutionnaires
JEC	Jeunesse étudiante catholique
JOC	Jeunesse ouvrière catholique
LC	Ligue communiste
LO	Lutte ouvrière
MCF	Mouvement communiste français
MJC	Maison des jeunes et de la culture
ML	Marxistes-léninistes
MLAC	Mouvement pour la liberté de l'avortement et la contraception
MLF	Mouvement de libération de la femme
MODEF	Mouvement de défense de l'exploitation familiale
OAS	Organisation armée secrète
OCI	Organisation communiste internationale
OSPAA	Organisation de solidarité des peuples d'Asie, d'Afrique et Amérique latine
PCF	(ou PC) Parti communiste français
PCMLF	Parti communiste marxiste-léniniste de France
PDM	Progrès et Démocratie moderne, groupe centriste à la Chambre des députés
PME	Confédération générale des petites et moyennes entreprises
PS	Parti socialiste
PSU	Parti socialiste unifié
RDV	République démocratique du Vietnam (Vietnam du Nord)
RI	Républicains indépendants
SFIO	Section française de l'Internationale ouvrière (IIe Internationale), membre de la FGDS
SGEN	Syndicat général de l'Éducation nationale, membre de la CFDT
SNES	Syndicat national de l'enseignement secondaire, membre de la FEN
SNESup	Syndicat national de l'enseignement supérieur, membre de la FEN
SNI	Syndicat national des instituteurs, membre de la FEN
SNJ	Syndicat national des journalistes
UDR	Union pour la défense de la République
UDVe	Union pour la défense de la Ve République , puis Union des démocrates pour la Ve République
UEC	Union des étudiants communistes
UJCML	Union des jeunesses communistes marxistes-léninistes
UNEF	Union nationale des étudiants de France
UNR	Union pour la nouvelle République
VO	Voix ouvrière (trotskiste) ou : Vie Ouvrière (CGT)

illustrations

table

La composition et la photogravure ont été réalisées
par Bussière Arts Graphiques, à Paris.
Le volume a été achevé d'imprimer en 1978
sur les presses de l'imprimerie Hérissey, à Évreux.
Dépôt légal : 1er trimestre 1978. N° 4856.